GW00670465

Pas plus de 4 heures de sommeil

DU MÊME AUTEUR

J'aime ma famille ! ; le livre qui vous aidera à en rire plutôt qu'à en pleurer !, en coll. avec Loïc Lecanu, Robert Laffont, 2010

Maman travaille ; le guide, First éditions, 2011

Je reprends le travail après bébé, Tournez la page, 2012

Éloge de l'enfant roi, François Bourin, 2012

Les 200 Astuces de maman travaille, Quotidien malin, 2013

Le dictionnaire déjanté de la maternité, Michalon, 2013

Le guide de grossesse de maman travaille, Quotidien malin, 2014

Marlène Schiappa

Pas plus de 4 heures de sommeil

roman

Stock

Couverture François Supiot
Illustration de couverture : © Peter Dazeley / Getty Images

ISBN 978-2-234-07795-9

Aux copines qui passent…
À celles qui restent.

« Le moteur essentiel qui a poussé les femmes à reprendre en charge leurs enfants, c'est tout simplement leur volonté de puissance. »

Élisabeth Badinter, *L'Amour en plus*

« Avant les femmes élevaient les enfants, maintenant elles doivent élever les enfants et EN PLUS travailler. »

Frédéric Beigbeder, *Un roman français*

Pour paraphraser Raymond Queneau, tous les personnages de ce roman sont imaginaires – à part Paris et la maternité.

Octobre

Émilie

Il est à peine 22 heures, et ma soirée d'anniversaire est déjà terminée. À l'étage, les veilleuses Barbapapa des enfants ont épuisé toute leur réserve de batterie et les mobiles musicaux se sont tus. À travers le babyphone, je peux percevoir, en provenance de la chambre du fond, la respiration sifflante de mon mari endormi. Jusqu'au dernier moment, j'y ai cru : d'abord, j'ai pensé qu'il m'avait organisé une fête surprise puis, n'entendant aucune voiture arriver, j'ai imaginé qu'il avait réservé la baby-sitter pour m'emmener au restaurant. En amoureux. Ou ce qu'il en reste.

Combien de fois ne lui ai-je pas parlé de cet établissement gastronomique place des Épars ? Il lui aurait suffi d'un coup de fil pour réserver et d'une demi-heure de voiture jusqu'à Chartres. J'ai même découpé une critique dans un magazine, critique que j'ai aimantée sur le frigo, entre l'emploi du temps de l'école, les menus Dukan et l'ordonnance du Doliprane. Le message me semblait pourtant suffisamment clair...

L'heure passant, Franck ne quittant pas son vieux T-shirt Nirvana, j'en ai déduit que mon entrée dans la trentaine se ferait par la petite porte, sans plus de tapage. Oh, bien sûr, il m'a offert un cadeau – un gilet emballé avec soin par la vendeuse – et a proposé d'aller chercher un fraisier à la boulangerie. Par politesse, j'ai refusé. Il n'a pas insisté. Faute de bougie « 30 », j'ai soufflé une bougie « 29 » de redoublement, posée à défaut de gâteau sur le Père Dodu à moitié brûlé de ma fille aînée.

Je ne lui en veux évidemment pas, la situation est assez difficile pour lui. On l'a chargé de conduire le plan social dans son entreprise de représentants médicaux, il reçoit chaque jour dans son bureau des collègues qu'il doit décider de garder ou de renvoyer. Sous tension permanente. Un bref instant, je m'en veux de me montrer si exigeante avec un homme qui m'offre tout ce qu'une femme peut attendre de la vie : une belle maison et de beaux enfants. Je ravale mes griefs et me saisis de la télécommande. Sur la télé fixée au mur, le générique d'*On n'est pas couché* défile sans le son – il ne faudrait pas réveiller les enfants. Sur la table basse, des cadavres de yaourts premier prix gisent sur une pile de petites cuillères sales.

L'âge me rend-il lucide ? Pour la première fois depuis longtemps, je quitte mes lunettes roses de Candide et mon salon m'apparaît tel qu'il est vraiment. La chaise haute verte est quasi intégralement recouverte de purée, et la toile cirée a brûlé par endroits. Le chat se fait les griffes sur ce qui a dû être un plaid (d'où vient-il ? Impossible de m'en souvenir. Un cadeau de ma mère ?), le trotteur semble avoir subi les derniers outrages, et les rideaux attendent leur ourlet depuis assez longtemps pour avoir un peu jauni. Les murs n'ont pas tous été peints – les bandelettes de démarcation commencent à se décoller dans les coins – si bien qu'on peut encore voir les différentes couches de couleur.

Les travaux avancent trop doucement et, dans un genre d'instinct de survie, nous avons décidé tacitement Franck et moi de ne plus parler des fils électriques dénudés ou des cloisons à moitié démontées. Nous circulons dans la maison avec des œillères, naviguant dans une sorte de réalité diminuée. Dans l'air, l'odeur du neuf et du sale se mêlent : les effluves de peinture pas encore sèche et de colle à carrelage rejoignent ceux de la litière du chat et du lait caillé, de la poubelle à couches et du lait de toilette, créant un parfum unique que je n'aurais pas su définir précisément mais que j'aurais pu reconnaître entre mille : « Chez moi ».

Franck et moi avons acheté cette maison peu après la naissance de notre fille aînée : nous étions alors à la recherche de calme (nous avons chanté à nos amis l'air de *J'aime plus Paris* sur tous les tons...) et le prix (deux fois moins cher qu'un appartement parisien) a achevé de nous persuader. Nous n'aurions que quelques travaux à faire...

– Tu aimes ?

– Si tu aimes, j'aime...

– On la prend ?

– Si tu veux la prendre, prenons-la...

Si j'avais pu deviner que lesdits travaux ne seraient pas achevés plus de quatre ans après, peut-être n'aurais-je pas été si enthousiaste à l'idée de m'endetter pendant trente-cinq ans pour une semi-ruine en chantier.

Puisque les mensualités étaient moins élevées que notre loyer parisien, il fut décidé que je prendrais un congé parental et que seul Franck irait travailler. Théoriquement, de Maintenon à Paris, il y en avait pour une petite heure. Franck pourrait poursuivre sa carrière sans rien changer de ses habitudes, et j'irais souvent à Paris rendre visite à des amies. Nous profiterions bien mieux de la ville en y venant ponctuellement, comme des touristes, nous pourrions nous promener sur les quais de Seine, emmener nos enfants au musée du quai Branly ou à la Cité des sciences, manger une glace chez Berthillon et rentrer chez nous, dans notre maison deux fois plus grande et deux fois moins chère, finir la soirée en famille autour d'un bon feu de cheminée. Bien sûr, ça n'est jamais arrivé, pour la bonne et simple raison que nous n'avons toujours pas terminé la construction de notre cheminée, qui se résume pour l'instant à un emplacement vide.

Et quitter Paris ne nous a pas permis d'aller plus souvent au musée ou manger des glaces chez Berthillon, chose que nous ne faisions de toute façon déjà pas quand nous y vivions.

Comme tous les ex-Parisiens tiennent le même raisonnement, l'A10 est souvent bouchée de voitures immatriculées 28 et 78. Franck y passe près de quatre heures par jour, partant vers 7 h 30 et ne rentrant jamais avant 21 heures.

« À quoi me sert d'avoir un jardin, je ne le vois quasi jamais autrement qu'à la nuit tombée ! » gémit-il les soirs de grande déprime, bien qu'il ne cesse de vanter les vertus d'un « espace vert à domicile » les rares fois où je l'entends téléphoner à nos amis parisiens.

Moi, la dernière fois que je suis allée à Paris, DSK était encore directeur du FMI. Découragés par les trajets, le jour de notre pendaison de crémaillère, nombreux sont les convives à s'être fait porter pâles. « On n'a pas de voiture... » ; « Benoît travaille tôt demain matin... » ; « Désolée, mais on a la flemme. » Plus le temps passe, moins nous recevons de visites.

Et dire que nous avions acheté cette maison en fantasmant sur les nombreux barbecues entre potes que nous pourrions y organiser ! Un couple avec un enfant, encore, ça restait concevable ; mais une famille de quatre personnes et un chat rebute totalement les visiteurs. Même ma mère a soupiré : « Quand même, c'est bien loin de Paris », en roulant des yeux horrifiés devant l'ampleur de la rénovation.

Désormais, la journée, je gère seule les repas des enfants, les maladies des enfants, les bains des enfants, si bien que je me dis parfois que la seule différence entre ma vie et celle d'une mère célibataire, c'est que la mère célibataire n'entend pas ronfler la nuit. Heureusement, j'ai une connexion Internet. Je me lève mollement, entreprends de débarrasser la table, sors mon tire-lait pour congeler quelques réserves et stimuler ma lactation, me sers une Danette, « marque repère » au passage, en m'efforçant de ne pas laisser traîner l'œil ni sur la critique gastronomique du restaurant de la place des Épars, ni sur le portrait souriant d'un Pierre Dukan un peu froissé présentant ses recettes à base de son d'avoine, et prends le MacBook de Franck sur mes genoux.

Sur Facebook au moins, quelques personnes auront pensé à me souhaiter mon entrée dans la trentaine... Bienvenue dans les trente glorieuses ! Tu vas voir, 30 ans c'est extra. Je fronce les sourcils et relis le dernier pour être certaine de ne pas m'être trompée. Au milieu des cartes virtuelles et des petits sourires de virgules, Morgane, ma meilleure amie du lycée que je n'ai pas vue depuis plus de dix ans m'a laissé un mot. Joyeux anniversaire Émilie ! D'accord, il est plutôt laconique et impersonnel, mais tout de même... l'intention est là. Je me rappelle avoir envoyé une requête à Morgane il y a plusieurs mois de cela, un peu malgré moi, cliquant à la chaîne sur une suite de « People you may know » proposés par l'algorithme Facebookien, et l'avoir immédiatement regretté. Il est des choses – ou des gens – qu'il faut peut-être savoir laisser dans le passé.

Je m'empresse néanmoins de cliquer sur la photo de mon ex-amie poussée par la curiosité d'aller voir quelle sorte de vie elle mène. Facebook m'apprend que Morgane est directrice conseil dans une grande agence de pub – ce qui m'étonne, elle a toujours été du genre cancre –, qu'elle est en couple avec un certain Basile Cissé – ce qui me rassure, vu la manière dont nous nous sommes quittées –, qu'elle aime *Dexter*, Élisabeth Badinter, le CJD, la pub Citroën et Skap'1, qu'elle a 3 781 amis.

Sur ce point, elle n'a pas changé : toujours prompte à se mettre en avant… Une cinquantaine de commentaires répond à chacun de ses statuts, y compris quand elle rapporte des choses totalement insignifiantes sur le programme télé ou les dernières déclarations de François Hollande sur la Syrie, une foule d'internautes se presse pour aimer, critiquer, commenter, partager la moindre de ses réflexions existentielles.

Déjà, au lycée, elle souffrait du syndrome de la chef des pom-pom girls : elle inspirait une sorte d'admiration mêlée de crainte aux filles de notre classe ; on l'adorait ou on la détestait, ce qu'elle ne comprenait et ne supportait pas, mais dont, au fond, elle ne pouvait se passer.

Visiblement aujourd'hui, sa vraie passion, c'est se prendre en photo elle-même. Quand je clique sur l'onglet « photos », mon écran est envahi de dizaines de Morgane : Morgane en Bikini sur une plage du bout du monde, caïpirinha à la main et lunettes de créateur sur le front ; Morgane en tailleur-pantalon au micro d'une tribune ; Morgane à côté de ce qui semblait être Marion Cotillard avec un mur Dior ; Morgane posant devant Madison Square Garden ; Morgane posant devant la mairie de Paris, Morgane posant... Elle est le genre de personnes à prendre en photo son propre courrier : plusieurs invitations VIP ponctuées : « C'est HUGE » ou « OMG j'ai trop hâte d'y être ». En réponse à son post, je clique sur « j'aime » et commente : Merci Morgane à bientôt alors ? Le logo à côté de son nom verdit, elle est en ligne ! J'actualise immédiatement pour voir si mon ex-amie a déjà répondu. Non. Elle a sans doute mieux à faire.

J'avale une cuillère de Danette en me rapprochant de la télé pour tenter d'entendre. Sur l'écran, un « bon client » télévisuel s'agite, comme un pantin ridicule, le front brillant. Je me dis, avec juste un peu plus d'aigreur que je ne l'aurais voulu, que Morgane mène une vie de rêve, et je me sens bien peu de chose, seule le soir de mes 30 ans, devant ma télé muette, avec ma Danette à la main.

Morgane

Le prof de zumba n'a pas terminé son laïus sur l'importance des étirements que j'ai déjà fait la bise à Géraldine, enfilé ma veste de jogging et mis mes écouteurs d'iPod.

Je remonte les marches du Mix Club quatre à quatre, tourne le dos aux lumières de la Tour, passe devant la gare Montparnasse et file chez moi sur ressorts au rythme de *Ma Benz*. Avant la fin de la chanson, je suis dans le hall, devant ma boîte aux lettres. Un « pli volumineux » m'attend chez la gardienne. La fatigue agit comme une drogue : j'ai enchaîné les briefs sans aucune pause ou presque et n'ai pas eu une seule journée off depuis vingt et un jours – et je m'achève avec une heure de zumba. Évidemment, rester travailler tard ne me plaît pas plus que de lire la timeline de Nadine Morano, mais avant de rentrer chez moi j'attends toujours que Jean-Jérôme soit parti du bureau. Plutôt mourir d'ennui sur mon tapis de souris estampillé ECG que de lui laisser le champ libre.

Jean-Jérôme *aka* Jean-Jé est né la même année que moi, a le même cursus que moi, le même intitulé de poste que moi, mais Jean-Jérôme a un atout que je n'ai pas : une paire de testicules. Pour le récompenser de cet état de fait, il jouit donc au propre comme au figuré d'une stagiaire personnelle et de 7 500 euros de salaire annuel en plus.

Dans un concours d'endurance tacite, chaque soir, nous observons d'un air détaché le bureau de l'autre, guettant un lever, un interrupteur passé sur off, un lointain gimmick musical Windows signifiant qu'un ordinateur s'éteint ou un « Bonne soirée ! » lancé à la volée dans l'open space.

– Tu y vas ?

– Non, il n'est que 19 heures… pourquoi, tu y vas, toi ?

– Pas du tout, j'ai des dossiers à finir.

– Oui, oui, moi aussi.

Regards en coin.

Hors de question de quitter le bureau avant lui : autant directement annoncer que je passe, que je me couche, que j'abdique. Loin de moi l'idée de lui faire ce plaisir : moi dégagée, plus rien ne se mettrait entre lui et le poste de vice-président. Or, j'en fais une affaire de féminisme : moi vivante, il est hors de question que ce fils à papa et sa mèche ne soient officiellement promus vice-président alors qu'une femme (moi) mérite plus ce poste. Je vomis ce type, sa personnalité, ses pulls Lacoste à col en V des vendredis « Friday wear », sa morue de femme blonde qui mesure au moins 2 mètres et se hisse sur des talons-plates-formes pour parader dans le bureau abdos à l'air entre deux séances de shopping, son cheveu sur la langue, sa manière de caser dans toutes les conversations qu'il a fait Sciences po, ses blagues misogynes et racistes, et son discours hypocrite répétant à qui veut l'entendre qu'un jour, bientôt, il nous quitterait tous pour partir faire de l'humanitaire bénévolement. Ajoutant parfois que, le bénévolat, c'était quand même supermal payé.

Annick m'a bien prévenue, avec l'élégance qui la caractérise :

« VP, c'est un poste où il faut avoir des couilles, tu m'entends ? Des couilles ! » Message reçu : non seulement je dois trouver normal que ce Bernard Tapie du pauvre gagne plus que moi alors qu'il ramène moins de chiffre que moi à l'agence, mais en plus je dois admettre comme un fait acquis qu'il soit en pole position pour l'attribution de ce poste, alors que je suis objectivement plus douée que lui.

« Que veux-tu, on ne va pas refaire le monde, hein ? Moi j'ai cravaché comme une chienne, tu m'entends ? Comme une chienne, toute ma vie. À mon époque, il n'était pas question de parité, tout ce que j'ai eu, je l'ai arraché avec les dents ! Avec les dents, tu m'entends ? (Annick aime bien répéter ses fins de phrase et rajouter "Tu m'entends ?" avec emphase ; c'est purement rhétorique, il ne faut rien répondre – contrairement à ce que j'avais cru les premiers mois.) Je suis devenue la première femme présidente d'une agence de communication corporate, et sans être aidée par des quotas ou de la parité. À notre époque, on savait choisir, on ne pensait pas avec notre utérus, on n'était pas obsédées par les mouflets comme maintenant, quand on se faisait mettre en cloque, on savait quoi faire : merci Simone ! » fulmine Annick à longueur de journée, mégot encore chaud à la bouche (vous ne saviez pas ? la loi Évin comporte un alinéa spécifiant qu'elle ne s'applique pas aux cadres dirigeants de la pub), dans je ne sais trop quel but : me décourager ? manifester une forme de solidarité féminine ? me prévenir qu'il est hors de question que je bénéficie d'avantages qu'elle n'aurait pas connus... ?

Je quitte momentanément NTM et j'appuie sur la gâchette, pardon sur la sonnette de la gardienne. Certes, sa plaque annonce une fermeture de la loge à 20 heures, mais il n'est même pas 22 heures : où pourrait-elle être ailleurs ? C'est un peu lui rendre service que de la débarrasser de mon colis. Et puis, ça lui fera une animation dans sa morne soirée. En somme, elle pourrait me remercier. Pendant les longues secondes qu'elle met à se traîner jusqu'à la porte (j'entends ses claquettes en pensant « Surtout, pas trop vite, hein ? »), j'actualise machinalement l'application Facebook de mon BlackBerry. Une bulle « 1 notification » rouge m'annonce : Émilie Percheron épouse Benoît vient de commenter votre publication. Tiens, Émilie a lu mon petit mot...

Ce n'est rien, deux clics Facebook, mais quand j'ai vu sa requête apparaître j'ai été saisie de mille sentiments contradictoires. La joie, bien sûr, d'avoir des nouvelles de mon ex-meilleure amie ; la nostalgie, aussi, en mémoire de nos années de lycéennes ; l'émotion, surtout, de savoir qu'elle avait pensé à moi alors que plus de dix ans nous séparaient de nos souvenirs communs ; la tristesse, au fond, quand je repense aux circonstances dans lesquelles notre relation s'était terminée ; la colère, aussi, un peu, en calculant le temps perdu avant de reprendre contact.

Enfin, la gardienne daigne ouvrir sa porte, murmure quelque chose sur les horaires, me tend mon colis, dit à son labrador baveux de retourner regarder la fin de *Camping Paradis* et me souhaite une bonne soirée. Je n'ai pas décroché un mot et pas décollé l'œil du profil d'Émilie, trop curieuse de savoir ce qu'elle devient, avide de me plonger grâce à cette machine-à-remonter-le-temps virtuelle, dans un univers qui me ramènera peut-être à mes années de jeune fille, quand on portait des joggings relevés et des baskets blanches compensées, qu'on passait nos weekends dans la chambre d'Émilie, à attendre la fin du téléchargement du dernier NTM sur Napster au milieu d'effluves de CK One, avec du henné sur les cheveux et des réserves de paquets de dix Marlboro light mal cachées sous son lit. Je ferme les yeux et je revois les murs de sa chambre, les pubs Morgan avec Carla Bruni, les pubs Calvin Klein avec Kate Moss, les photos du Secteur Ä découpées dans un magazine et son poster Roméo+Juliette.

En voyant qu'Émilie Percheron épouse Benoît est membre des groupes « Ceux qui disent pas la Nutella », « Maman à plein temps » et « Tu sais que tu es maman quand... », j'envisage de lui offrir une remise à niveau en personal branding pour son anniversaire. Émilie, Émilie, qu'as-tu fait de l'ado frondeuse qui roulait les joints plus vite que son ombre et piquait le carnet d'ordonnances de son père pour nous écrire de fausses dispenses de gym ?

Pourtant, ses photos semblent choisies avec un soin jaloux. On peut suivre les progrès chronologiques de ses deux enfants, blonds et souriants : l'inévitable photo de naissance avec l'annonce prétendument faite par un bébé doté de la faculté innée de taper sur un clavier AZERTY, qui aurait réquisitionné l'ordinateur de ses parents (« Je suis né cette nuit à 1 heure... » Espèce de mytho, si t'es né à 1 heure, tu ne sais pas taper !), les photos des premiers cheveux, des premières dents, des premiers biberons, des premières purées, des photos de spectacles, des photos de classe, des photos de goûters d'anniversaire, des photos de famille et une incroyable collection de photos de ventres ronds servant de toiles vivantes à des œuvres d'art toutes plus niaises les unes que les autres. Il doit en falloir, du temps libre, pour passer une heure à dessiner des cœurs au feutre sur son propre ventre. Les statuts défilent sur la timeline : « Bravo à ma puce qui est propre ». Puisque « sa puce » était propre, elle ne devait pas avoir plus de 3 ou 4 ans et donc pas de profil Facebook : quel besoin, dans ce contexte, de la féliciter par statut interposé ?

Il est noté qu'elle vit à Maintenon : sur quelle ligne se trouve cette station (ça doit être rive droite) ? Dans mon souvenir, elle sera toujours telle que je l'ai vue arriver en cours d'allemand au lycée Claude-Bernard avant qu'elle ne s'intègre un peu mieux : cette ado faussement boulotte en Dr. Martens, sac Eastpak sur l'épaule, Green Day dans les écouteurs, cachés par une épaisse frange tombante sur un regard bleu rieur, unique rockeuse dans une classe où seules deux orientations musicales étaient admises : le rap américain et le rap français. Je finis par mettre la main sur une photo d'elle, visiblement, la seule disponible : celle de son mariage où elle sourit, à moitié cachée par un immense chapeau blanc, rayonnante sous une pluie de riz. Au lycée, on s'était juré que si l'une de nous se mariait elle prendrait l'autre comme témoin.

En ouvrant la porte de mon appartement, je tape avec un pouce : Avec plaisir, je t'envoie mes dispos en MP. Je regrette immédiatement : n'aurais-je pas mieux fait d'attendre avant de lui répondre ? De ne pas me montrer si précipitée ? Qu'allait-elle penser, que je n'avais pas de vie et que je n'attendais que son commentaire, un samedi soir à 22 heures ? Devrais-je poster un statut dans la foulée, qui montrerait à quel point je suis occupée et prouverait à Émilie que je n'ai pas attendu sa réponse toute la soirée ? Je finis par poster : 21 jours de taf non-stop... #boire. Je suis fière de moi : je trouve cette phrase assez énigmatique pour laisser entendre que je suis indispensable, et la fin laisse entrevoir une fille cool et fun qui sait aussi s'amuser. J'y récolte un « j'aime » immédiat de ma copine Géraldine, par-dessus tout intéressée par la partie post-hashtag qu'elle met probablement en pratique en ce moment même.

L'occasion rêvée de glisser à Émilie que, moi, je n'ai pas de mioches accrochés à mes basques et que j'ai encore le loisir de ressortir boire à 22 heures après une journée de travail et un cours de zumba. Bon, ce n'est pas ce que je vais faire en réalité, mais qu'en sait-elle ? Puis je réfléchis. Et si elle me prenait pour une alcoolo-workaholic ? Dois-je poster un autre statut précisant que le premier était du second degré ? Je me sens comme une fille qui vient de donner son numéro à un dragueur en boîte et qui s'en veut de n'avoir pas trouvé de prétexte valable pour différer la révélation du précieux 06, donnant l'impression qu'elle se fait aborder pour la première fois de sa vie.

Basile a laissé tourner *Les Temps modernes* sur la télé. J'entends le bruit de la douche. Sur la table basse du salon, il m'a laissé une assiette de crevettes sauce aigre-douce et un verre de vin rouge. À l'odeur, je peux deviner qu'il m'a mis une part de gâteau Gü au four. Je pique une crevette, la croque, l'avale et vide le reste dans la poubelle. Je n'ai pas vraiment faim, et surtout il a mis trop de piment. Ça m'agace que Basile ne pense pas à me demander mon avis et décide tout seul du menu de mon dîner. Et si je n'avais pas envie de crevettes ?

J'ouvre le « pli volumineux » récupéré chez la gardienne : 1 kilo de gingembre. Nul besoin de regarder l'expéditeur, je sais de qui ça vient : la mère de Basile, obsédée par l'idée que son fils unique lui assure une descendance, s'échine à nous envoyer différents présents aux sous-entendus graveleux. Au dernier Noël, une statue de la prétendue déesse de la fertilité, une petite grosse d'une couleur indéfinissable qu'elle a dû sculpter elle-même dans de la glaise et que j'ai revendue sur Leboncoin. Forcément, elle n'a jamais travaillé de sa vie, considérer qu'une grossesse n'est pas le meilleur moyen pour imposer mon leadership à l'agence est à mille lieues de ses réflexions !

Basile sort de la douche et m'interroge du regard en désignant mon téléphone en rétroallumage. Je ne lui ai jamais parlé d'Émilie : parler d'Émilie, c'est forcément parler de tout le reste, et je refuse qu'il me voie comme ça. Je ne lui dirai jamais ce que j'ai fait. Jamais. Je m'interdis même d'y penser en sa présence.

– Bon, je te laisse finir ton repas tranquillement, j'enfile un truc et je t'attends dans le lit. Les crevettes étaient bonnes ?

– Tu veux une médaille ? fais-je un peu agacée par sa façon de quémander des compliments pour une chose aussi banale que de faire cuire trois crevettes et servir un verre de vin. Toujours étonné quand je deviens un peu cassante, il garde son légendaire calme olympien :

– Un merci suffira...

– C'est bon, je peux prendre la salle de bains ou tu veux aussi te faire un patch anticomédons ?

Je sais ce que vous vous dites. Mais, si je suis désagréable, c'est pour une bonne raison. Si je me montre trop sympa, Basile voudra reprendre nos essais bébés où nous les avons laissés. Or, depuis l'avertissement d'Annick, ce n'est plus d'actualité. Alors que je suis si près du but, il est hors de question de ruiner mes chances de devenir vice-présidente de l'agence pour une histoire de môme. Oui, j'ai envie d'avoir un bébé, et oui je le veux avec Basile et personne d'autre. Mais je veux surtout l'accueillir dans de bonnes conditions. Sinon, ça signifierait que j'ai fait tout ça pour rien. J'enfile un gros pyjama et d'énormes chaussettes de ski qui, d'après le dernier *Biba*, envoient un message à mon compagnon : no sex tonight. Au moment où je passe devant la chambre, je vois clairement qu'il ferme une fenêtre de navigation : le fond rose, la typo ronde, j'en mettrais ma main à couper : il était sur Famili.fr, en train de remplir mon calendrier d'ovulation interactif !

Vingt minutes plus tard, quand il me crie pour la troisième fois de venir me coucher sans quoi il lancera la dernière saison de *Game of Thrones* sans moi, je mets mon BlackBerry en vibreur et le glisse sous mon oreiller, comme à mon habitude. Avec un imperceptible pincement au cœur, en regardant la mère des dragons réunir son armée, je me dis que rien n'a vraiment changé depuis le lycée.

Émilie

« Maman, j'ai peur d'aller faire pipi... » Les cris proviennent de la chambre de Dali. Quel jour sommes-nous ? Ah oui, bientôt lundi matin... J'entrouvre un œil, et les énormes chiffres rouges du réveil me narguent en m'affirmant avec un aplomb mathématique et luminescent que j'ai dormi moins de quatre heures. « Maman, j'ai peur d'aller faire pipi... » Si je suis bien réveillée, mon corps reste endormi malgré moi. Impossible de lui ordonner de se lever. Trop épuisée. « Maman, j'ai peur d'aller faire pipi... » Je prends une grande inspiration pour me donner de l'élan. « Maman, j'ai peur d'aller... » Une voix grave surgit à quelques centimètres de moi et me transperce l'oreille :

– Oui, maman arrive tout de suite, chérie !

Franck. Il est donc réveillé.

– Pourquoi t'y vas pas, toi ?

– Elle a dit maman...

Convaincu par l'évidence de son affirmation, Franck se tourne et met la couette sur sa tête, comme pour me signifier qu'il n'est pas directement concerné par cette triviale histoire de pipi.

« Maman, j'ai fait pipi... »

– Voilà, t'es content ?

– Je t'avais dit d'y aller avant !

– Tu viens m'aider à la laver ?

– J'ai bossé toute la semaine...

En fait, si je suis le raisonnement de Franck, je dois m'occuper des enfants les nuits et les week-ends parce que je m'en occupe déjà la semaine pendant qu'il travaille. Imparable cercle vicieux. Probablement plus pour éviter la confrontation que réellement perméable à ma force de persuasion, Franck finit par se lever. « Tu la laves, je lave le lit ? » Il prend Dali par la main et l'entraîne sous la douche. Pendant que j'enlève le drap mouillé, j'entends crier :

– Aïe, c'est trop chaud !

– Mais non, c'est pas chaud.

– Maman, papa il me met de l'eau trop chaude !

Dali pleure, elle va finir par réveiller son frère...

– C'est bon, c'est bon, je vais le faire ! Tu m'aides pas, là ! Va te recoucher, Franck...

Ne saisissant pas l'ironie – ou feignant de ne pas la saisir –, Franck se dirige vers notre chambre sans se retourner. Plus je grossis, plus il maigrit, il n'a désormais que les os sous la peau, et la peau un peu tombante. Ses cheveux tombent eux aussi, mais il laisse pousser une longue mèche qu'il rabat en travers de la tête, ce qui lui donne un faux air de Laurent Fabius jeune – s'il a été jeune un jour. Et lui, que doit-il penser de mon aspect ? J'ai gardé 10 kilos de chaque grossesse, je n'ai plus le temps de m'épiler, je n'ai plus vu un coiffeur autrement que dans les rediffusions de *Panique chez le coiffeur* ! sur Téva depuis des années, et ma garde-robe est uniquement composée de tenues de grossesse et d'allaitement – j'attends en vain de maigrir pour la renouveler. Et comme je n'ai jamais vraiment aimé le shopping...

Enfant, acheter des vêtements signifiait sortir avec ma mère et me livrer à ses piques, sous les néons de centres commerciaux aussi impitoyables qu'elle : elle me trouvait toujours trop grosse, trop petite, trop voûtée, et finissait en général par complimenter notre voisine de cabine d'essayage pour les jambes fuselées et le port altier de sa fille. Adolescente, je me pliais aux desiderata de Morgane qui avait décrété que le shopping était un loisir de faibles, réservé aux victimes consentantes de l'industrie de la mode, bras armé de la domination masculine. Jeune adulte, alors que j'aurais pu découvrir les plaisirs des achats compulsifs, j'étais rapidement tombée enceinte et, depuis, je ne pouvais rentrer mes fesses que dans des vêtements estampillés « grande taille ». Aucun plaisir, donc, à comparer les trois pantalons disponibles du rayon « grossesse » ou à se sentir obligée de préciser « la plus grande taille disponible » à la vendeuse qui jette un regard sur la salopette en 44, que je viens de rendre car elle me serre à l'entrejambe « parce que je viens d'accoucher... »

Ce n'est qu'en devenant mère que j'ai découvert le plaisir des magasins mais, curieusement, pas pour moi. Alors que les rayons femmes me laissent froide, je passe des heures entières à virevolter entre les vêtements de bébés, les bodys, les gilets, les jupettes. C'est aussi à ce moment-là que j'ai commencé à percevoir les différences entre les petites filles et les petits garçons. Pour trouver un pull un minimum chaud pour Dali, je suis obligée de me tourner vers le rayon garçons : visiblement, seuls les bébés pourvus de chromosomes XY ont le droit de porter des vêtements boutonnés jusqu'en bas ; les bébés de sexe féminin étant obligés d'arborer de « mignons gilets » avec un bouton, deux les jours de fête, et le reste, sous les côtes, ouvert au vent entre deux nœuds pailletés. Il faut souffrir pour être belle. « Et tu seras une femme, ma fille. » Morgane n'exagérait pas tant que ça, à l'époque. Je ne sais pas si la mode est le bras armé de la domination masculine, mais à cause d'elle les petites filles ont froid au ventre.

« Ça y est, maman, je suis propre là… » Dali me sort de mon monologue muet. Je pose le pommeau de douche, enfile directement une robe de chambre sur son petit corps maigre et mouillé, la raccompagne dans sa chambre en silence et m'endors à côté d'elle, dans son lit, en songeant à la journée qui m'attend et qui ne s'avère pas si réjouissante que cela.

Je devrai lever et préparer les enfants, chercher mes clés de voiture, chercher ma carte Vitale, déposer Dali à l'école avant que la cloche ne sonne, aller à la pharmacie implorer la préparatrice de me redonner deux vaccins ROR aux frais de la Sécurité sociale – j'ai oublié de mettre les miens au frigo en rentrant la dernière fois, filer chez le pédiatre, feindre de ne pas entendre quand il me dira : « Vous allez l'allaiter jusqu'à ses 18 ans, votre fils, la maman d'Éliott ? », trouver des chaussons de rythmique taille 26 pour Dali qui ne rentre plus dans les 25, aller la chercher, la ramener à l'école sans oublier de lui donner ses nouveaux chaussons pour la motricité, rentrer, lancer une machine, payer les impôts, surveiller la fièvre postvaccin, aller déposer le costume de Franck au pressing, aller chercher Dali sans oublier de prendre Inès au passage, préparer un goûter sans huile de palme, sans E535 et sans phtalates sinon Franck m'attraperait au vol pour un cours de rattrapage sur les méfaits de l'industrie agroalimentaire, faire couler les bains, mettre les pyjamas, la table du dîner, finir les repas des enfants, gérer les levers, « maman, j'ai soif », « maman, y a un monstre sous le lit », « maman, papa il est rentré ? ».

Guetter la voiture de Franck, me réjouir quand j'entendrai les bruits des pneus crissant sur les graviers, préparer le repas de Franck et le mien, me brosser les dents, me coucher, ne pas réussir à dormir tellement je suis épuisée, lister mentalement mes tâches du lendemain, le tout en échangeant moins de douze vrais mots avec des adultes, en changeant cinq couches, en souriant six fois de ma chance d'avoir de si beaux enfants et seulement deux fois en pensant à ce que serait ma vie s'ils n'étaient jamais venus au monde. Le soir, je note mentalement ma journée. 65 % envie de faire un troisième bébé et seulement 45 % envie de me jeter par la fenêtre. Bon score aujourd'hui.

Je n'ai pas le temps de réfléchir plus, je suis en pilote automatique toute la journée, j'agis à l'instinct, comme un animal, un animal pressé et traqué par ses propres enfants. J'allaite mon bébé comme une vache, je couve mes enfants comme une poule, je les protège comme une louve, je les éduque comme une tigresse, je les lave comme une chatte, en mettant de la bave sur mon pouce, et toute la journée je cours après eux comme un hamster dans sa roue, sans fin, mais sans m'arrêter, à l'infini, 7 jours sur 7, 24 heures sur 24, 52 semaines par an, depuis quatre ans, invariablement. Au moment où je m'apprête à sombrer dans un sommeil plus profond, des pleurs me réveillent. Encore une tétée ? Là, Franck ne peut pas m'aider. Tout ça ne prendra donc jamais fin ?

Morgane

La nuit précoce de novembre pénètre jusqu'à l'intérieur des bureaux et semble défier la lumière des néons. Annick ouvre sa porte d'un coup sec. Sa petite silhouette surmontée d'un casque de cheveux argentés surgit dans l'open space et crie d'une voix d'outre-cendrier : « On a gagné l'intégralité de la compète Procter ! On récupère tout leur budget, et Publis n'a rien ! Rien, vous m'entendez ? » En quelques secondes, les sages petites fourmis se métamorphosent en abeilles hystériques, bourdonnantes, folles. Elles se lèvent, crient, tombent dans les bras les unes des autres, Sophie, la *média planneuse*, dit au téléphone : « Je vous rappelle, une urgence », et raccroche brutalement en faisant sauter le bouchon d'une bouteille de champagne providentielle, Lorenzo, le DA (directeur artistique) esquisse une sorte de danse de la victoire sur une table tandis que les chefs de pub, les CR (concepteurs rédacteurs) et les assistantes se pressent en riant.

Si vous passez par là, vous pouvez penser que nous venons de trouver un vaccin contre le sida ou que nous avons mis fin au conflit israélo-palestinien. En fait, le jargon d'Annick signifie juste que le dossier de notre agence a été choisi pour assurer le conseil en communication de Procter et que, de surcroît, Publis – l'agence sortante et rivale – n'en garde rien. En clair, nous sommes en train de célébrer le fait que nous allons cravacher jour et nuit pendant les mois à venir pour prouver à la presse spécialisée que nous méritions ce budget ; et nous arrosons le fait d'être probablement à l'origine d'une prochaine charrette de licenciements de confrères chez Publis.

Je ne sais pas pourquoi, moi qui me suis tant battue pour ce dossier, je me sens un peu à l'écart de cette mascarade. Pourtant, j'ai couvert les erreurs Jean-Jé, usé de flagornerie avec le client, « que votre marque est jolie, que vous me semblez beau », aligné les graphiques et les slides PowerPoint expliquant que nous sommes tous prêts à vendre nos mères pour la renommée de Procter...

Je suis peut-être contrariée par mes retrouvailles virtuelles avec Émilie, qui remuent tant de choses, mais je n'arrive pas à prendre part à cette fête. Je m'éloigne du coin festif, devant la terrasse, et regagne mon bureau. Jean-Jé, coupe en main, me glisse : « Pas très corporate, cette attitude... », avec un sourire ravi. Je n'ai qu'une envie : rentrer chez moi, enlever ce pantalon bleu électrique collant et dormir. Dormir. Dor...

Quand je rouvre les yeux, je mets un moment à réaliser où je suis. La main de Jean-Jé tient un stylo-feutre, et sa cour se tient autour de lui. Morts de rire.

– Vous n'avez jamais vu quelqu'un s'endormir ?

Ils rient de plus belle. Jean-Jé un feutre à la main, j'aperçois mon reflet dans la baie vitrée et je comprends. Un splendide croquis explicite orne ma joue droite : ce con n'a rien trouvé de plus amusant que de dessiner sur mon visage pendant que je dormais ; et, bien sûr, il n'a pas fait un papillon. Si je gueule, je passe pour une rabat-joie et, si je me laisse faire, je passe pour un paillasson sur lequel n'importe quel connard de son espèce peut dessiner des bites. Je choisis l'ironie :

– Bravo, Jean-Jé, belle œuvre. Bien qu'un peu trop petite, à mon goût, mais bon, tu fais avec le modèle que tu as sur toi, j'imagine ? Tu permets ?

J'attrape le feutre et prolonge son dessin.

– Voilà ! Là, c'est honorable.

Je lance le feutre sur mon bureau, prends mon sac à main et laisse derrière moi Jean-Jérôme et sa cour.

Il n'est que 18 h 30, pour la première fois, je décide de rentrer chez moi avant Jean-Jé, dans l'indifférence générale de l'étage, trop occupé à se masturber collectivement – au sens figuré. Quoique. Je cherche en vain un taxi disponible, je n'en trouve pas et, en montant dans le bus 189, je maudis le board d'ECG trop radin pour installer son siège ailleurs qu'en banlieue. Publis a peut-être perdu le budget Procter, mais Publis dispose de bureaux en face de l'Arc de triomphe. Si jamais un jour je travaille là-bas, je ne mettrai que... voyons, calculons...

– Madame ? Madame ! Ohé ! Bien ma veine, encore une droguée du Bois.

– C'est Port' Maillot là, l'terminus, faut descendre !

Je descends sans un mot, saisis mon BlackBerry dans mon sac et appuie sur l'icône navigateur. Je tape sur Google : « Je m'endors partout. » Peut-être ai-je un virus quelconque ? Les résultats s'affichent instantanément, et le deuxième lien attire mon attention : une « féminaute » raconte comment elle s'endormait partout... au début de sa grossesse. Est-ce possible ? Suis-je enceinte ? C'est plausible, après tout : Basile et moi avons commencé nos essais bébés, et même si nous avons renoncé – enfin, si moi j'ai renoncé – il est possible que nos premières étreintes aient été productives. Je touche mon sac à main et sens le test de grossesse que Basile a acheté le mois dernier en vacances à Corte, quand j'ai eu un demi-jour de retard de règles.

C'est dans ce genre de moments que je regrette de ne pas avoir de mère. Depuis que la mienne est morte quand j'avais 6 ans, elle ne m'a pas vraiment manqué : je n'ai pas assez de souvenirs d'elle pour ça. Non, ce qui m'a toujours manqué, ce n'est pas ma mère : c'est une mère. Je ne peux pas voir une mère et sa fille faire la queue à Monoprix, une paire de collants dans la main, sans un pincement au cœur. J'aurais rêvé de faire la queue à Monoprix avec une mère qui m'achèterait une paire de collants, j'aurais pu payer très cher pour vivre ça au moins une fois.

Bien sûr, papa essayait, mais papa était papa : un homme. Il me confiait sa carte Électron pour que j'aille m'acheter un nouveau pantalon chez Pimkie, rue de Rennes, et j'avais toujours un moment d'appréhension à la caisse. Je savais ce qui allait s'afficher : Appel centre bancaire. Mal parti. Carte EMV. Je souriais timidement à la caissière, essayant de me persuader qu'elle n'était pas en train de se foutre de moi intérieurement : « Tu t'en fous, de la caissière, tu la reverras jamais... », pour ne pas mourir de honte sur place. Paiement refusé. « Ah, je suis désolée mais votre carte ne passe pas. » Simuler la surprise. Feindre d'en vouloir à la vendeuse. « Vous en avez une autre ? » Répondre intérieurement : « Bien sûr, j'ai une Amex et une carte Gold, c'est pour ça que je te file en priorité l'Électron, Sherlock. »

Reprendre la carte. Reposer le pantalon. Rentrer à la cité. Passer devant les groupes de cailleras. Checker les uns, ignorer les autres en regardant fièrement droit devant, un point à l'horizon, non je n'entends pas que tu me siffles. Sentir l'odeur du cigare froid depuis l'escalier du bâtiment B, à peine couverte par celle du curry quotidien des Penjabi.

Trouver papa dans la cuisine, en train d'inventer une recette à base de pâtes à l'eau, l'oreille scotchée sur son petit poste de radio à piles, branché sur France Info, comme pour essayer de se relier au vaste monde bien qu'il soit obligé de rester à demeure s'occuper de sa fille. L'écouter maugréer sur l'État colonial et la non-application de la loi Littoral en Corse. Son regard interrogatif devant mes mains vides. Mentir. Lui dire : « Merci, papa, je l'ai commandé, le pantalon, il arrivera la semaine prochaine. » Lui rendre sa carte. Éviter son regard quand il lançait, satisfait : « Ah, tu vois, on n'a pas besoin d'une maman à la maison. » Ne pas pleurer, dans ma chambre, en essayant de repasser mon pantalon noir délavé, râpé et bouloché, pour qu'il tienne encore un mois…

J'aurais tant voulu avoir une mère, qui vienne avec moi choisir un pantalon, qui mouche la caissière et qui fasse sourire mon père.

J'aurais voulu avoir quelqu'un à qui offrir les colliers de nouilles, les cendriers en pâte à sel, les photophores en pot de yaourt ramenés chaque année de l'école au moment de la fête des Mères. Les enseignants étaient tenaces, et c'était long, de la grande section de maternelle au CM2, de voir papa chercher tous les mois de mai où il pourrait ranger cet encombrant cadeau. Ou de rester les bras croisés, au fond de la classe, en attendant que les élèves qui avaient quelqu'un à qui offrir un cadeau aient terminé de confectionner le leur, dans un brouhaha de ciseaux, de colle, de cartons et de rires.

Surprendre la conversation de deux mères minables pour qui le climax d'une journée se situait quelque part entre 16 h 25 et 16 h 35 : « Oh, mon Dieu, c'est Morgane, la pauvre petite, sa mère est morte... – Mais tu sais qui c'était, sa mère ? Diane de Peretti ! – Ah non, j'ignorais... » Sa mère est morte, mais, comme sa mère a vaguement connu son quart d'heure de gloire d'héroïne féministe des années quatre-vingt, ça va, c'est ça ?

Plus tard, j'aurais voulu avoir quelqu'un avec qui passer le casting mère-fille de Comptoir des cotonniers pour rigoler, être recalée, se moquer de celles qui auraient été sélectionnées. Quelqu'un à qui demander comment on met un tampon avec applicateur, quelqu'un à qui parler de mon premier amoureux, quelqu'un à qui j'aurais pu dire que le prof de gym de cinquième passait beaucoup de temps à replacer les muscles des fessiers des filles au volley et à vérifier dans les vestiaires si elles avaient bien enfilé leur tenue.

Quelqu'un qui aurait convaincu papa de me laisser regarder *Hartley, cœurs à vif*, et de ne pas s'endormir sur le clavier de son Amstrad, cigarillo à la main, quelqu'un à qui j'aurais osé demander de m'emmener chez un gynécologue et de me payer une plaquette de pilules, quelqu'un à qui j'aurais piqué son *ELLE*, son vernis, ses chaussures, quelqu'un qui m'aurait appris qu'on ne se maquille pas à la fois les yeux et la bouche, quelqu'un dont j'aurais pu dire, moi aussi, en crapotant devant le lycée : « En ce moment, elle me soûle, ma daronne », quelqu'un que j'aurais pu prévenir en terminale, avant qu'Émilie et moi nous perdions de vue, quelqu'un qui m'aurait fait réviser mon oral du bac, quelqu'un qui m'aurait pris dans ses bras et qui m'aurait murmuré : « Ma petite fille, ma petite fille, ne pleure pas », quelqu'un qui m'aurait expliqué comment calculer ma taille de soutien-gorge, quelqu'un qui m'aurait avertie que me faire vomir tous les soirs risquait de m'abîmer les dents, quelqu'un qui m'aurait dit que je n'avais pas besoin de boire des litres de Manzana et de finir systématiquement les soirées dans les toilettes avec des inconnus pour me faire aimer, quelqu'un à qui j'aurais présenté Basile avec fierté, quelqu'un qui m'aurait offert une orchidée quand nous avons emménagé ensemble, quelqu'un que j'aurais enregistré en mémoire numéro 1 dans mon BlackBerry avec le nom « Maman », quelqu'un qui m'aurait mis la honte sur Facebook en me postant des cœurs niaiseux quand j'essayais de faire ma pub, et quelqu'un que je pourrais appeler, ce soir, sous la pluie, au terminus du bus 189, un test de grossesse dans mon sac à main et le dessin d'une bite au feutre sur ma joue droite.

Émilie

Chaque matin, je m'autorise dix bonnes minutes de retard à l'école. Ça met Franck hors de lui : il en fait une affaire de standing. « Ce sont les chômeurs qui arrivent en retard ! » martèle-t-il, très digne dans son costume de représentant médical. La classe commence à 8 h 30, mais j'ai déjà repéré que les portes ne ferment qu'à 8 h 40. L'an dernier, comme je venais d'accoucher, on me laissait bénéficier d'une marge de tolérance que je n'ai pas l'intention de lâcher cette année. En général, après moi arrivent les Vandappe (deux enfants et leur mère qui a dû dire trente-quatre fois depuis la rentrée qu'elle rentre d'un an d'expatriation à L.A. – prononcez Elley) et un garçon que j'appelle l'enfant-loup parce qu'il à 5 ans et demi, une clé soudée autour du cou et que je n'ai jamais croisé ses parents.

En ce jeudi matin trop chaud pour être honnête, je comprends dès le réveil que j'exploserai tous mes records de retard et que l'arche de Noé des élèves de l'école Jean-Jaurès arrivera bien avant moi. Éliott a vomi dans son lit. Dali refuse de s'habiller tant que je ne rallumerai pas *Ludo* sur France 3. Franck a visiblement renversé sa tasse à café et jugé préférable de s'en servir une nouvelle, de la boire et de partir avant de ramasser les débris de l'ancienne et de mettre la nouvelle dans l'évier. Habituellement, en cas d'urgence, je sacrifie ma douche : j'accompagne les enfants en pyjama, un vague imper long enfilé par-dessus, des bottines et un chouchou de Dali dans les cheveux, ni vue ni connue. En cas de retard extrême, je sacrifie aussi le petit déjeuner, posant un biberon de lait tiré décongelé en équilibre sur le siège auto d'Éliott et jetant un Kinder Bueno au chocolat blanc (« et aux phtalates », aurait ajouté Franck) à Dali.

Mais ce jeudi, pour arriver à l'heure – c'est-à-dire avec dix minutes de retard – il aurait fallu que je puisse abolir les douches, l'habillage, les petits déjeuners et même le trajet. Voire, remonter un peu le temps. Je décide de dépenser trois précieuses minutes pour me concentrer et élaborer un plan d'attaque/rattrapage de retard.

Bon, je peux laisser une clé sous le vase de l'entrée pour les ouvriers. Le pyjama de Dali fera office de tenue de jour : un legging, un T-shirt, parfait. Je mettrai mon imper malgré les 21 degrés. Et personne ne mangera. En voiture ! À 8 h 50, je me gare en double file et aperçois l'enfant-loup sonner à l'Interphone de la directrice. Miracle, nous n'arriverons pas si seuls… je bénis ses parents de ne pas daigner l'accompagner à l'école, me faisant passer pour une mère sacrificielle en comparaison. Tout essoufflée, transformée en pieuvre, je porte Éliott sous le bras droit, Dali pend au bout de la main gauche, et je ne sais pas quelle main porte mon sac et mes clés. Je me jette sur la porte d'entrée, que je bloque d'un pied.

– Bonjour, madame Beauzor, pardon pour le retard…

– Mais alors, la maman de Dali ? Que se passe-t-il ? (Ah oui. Arrêtons-nous là-dessus un bref instant. Pour les enseignants de l'école de ma fille, pour le pédiatre, pour les mères d'élèves, pour les voisins, je n'ai pas de nom. Je ne suis pas « Émilie », encore moins « Mimi », ni « Percheron » ni « Benoît », je n'ai pas l'occasion de militer contre l'usage supposément misogyne d'un « mademoiselle » ou de m'offusquer de l'emploi vieillissant d'un « madame ». Je ne suis que « la maman de... ».) Des soucis, ce matin ? (La directrice de l'école me déteste, mais elle adore ma fille, qui a été diagnostiquée précoce et a un an d'avance. Elle s'imagine que c'est un genre de valeur ajoutée pour son école, je crois...)

– Oui, pardon, madame Beauzor, je... j'ai un... des problèmes, euh... je... Éliott est malade.

Sans prévenir, sans savoir pourquoi moi-même, je fonds en larmes d'un coup et n'arrive plus à m'arrêter. Je sanglote tant que je suffoque. La fatigue, la pression, le fait que quelqu'un me parle dans la journée pour me dire autre chose que « ça fait 43,50 euros » ou « j'ai un courrier pour vous » ?

– Oh, mon Dieu ! Mais c'est grave ? Je me disais aussi, c'était bizarre qu'il ne marche toujours pas à son âge. Il a un handicap ? C'est pour ça que vous l'allaitez toujours ? Oh, pauvre petit... Mais oui, bien sûr, ça explique vos retards répétés...

Alors là, je suis sidérée. Est-ce à cause des larmes qu'elle se fait ce film ? Je n'ai jamais trouvé qu'Éliott soit en retard sur quoi que ce soit. Je connais beaucoup de bébés qui ne marchent toujours pas à 10 mois, et je ne vois pas le rapport avec l'allaitement. Qu'on ait pu trouver que mon bébé semble avoir un handicap me terrorise encore plus, je pleure de plus belle, et n'arrive plus à prononcer un mot, ce qu'elle prend pour une réponse positive.

– C'est promis, je ne dirai rien. Écoutez, au vu de l'état de santé de votre fils, je vous accorde l'autorisation d'arriver un peu plus tard le matin…

Je hoche la tête en guise de remerciement, ne sachant pas si je devrais démentir le handicap imaginaire de mon fils ou si je devrais me taire et profiter de ce sursis matinal que m'octroie le dieu du petit déjeuner Ricoré par l'intermédiaire de la directrice de l'école. Après tout, moi, je n'ai pas menti. Dali disparaît sous le préau.

– Je vais t'accompagner, ma puce. Bonne journée, la maman de Dali… et surtout : bon courage, dit-elle en jetant un regard plein de pitié vers mon petit Éliott, en pyjama sale, la morve au nez à cause de sa rhinopharyngite.

De retour chez moi, j'allume *Amour, gloire et beauté* pour avoir de la compagnie. Ridge et Brooke se marient pour la septième fois en cinq ans. Je m'installe à table avec un paquet de Granola, mets Éliott au sein et allume l'ordinateur. Aucun mail qui pourrait justifier le retard des ouvriers… Je me demande si cette maison sera terminée avant que les enfants ne la quittent. En attendant, le tour des forums peut commencer. Le fils de Saminamina dit « maman » (enfin, si on la croit, son fils dit aussi « australopithèque », donc bon).

Je poste un mot et une photo des enfants prise ce week-end dans le jardin (j'ai pris soin de cadrer de telle manière qu'on ne distingue ni le vis-à-vis, ni la partie à tondre, ni le tas de terreau retourné).

Ensuite, direction le forum Allaitement long. Puis le forum des Dukanettes. Celui-ci, j'y vais de moins en moins : je ne respecte pas vraiment les instructions, comme en témoigne le paquet de Granola se vidant à mesure que je clique. Aucune envie de me faire e-lyncher pour consommation de gluten.

Éliott recrache un peu de lait sur mon pyjama d'allaitement préféré, le MamaNana. Je le pose dans son transat. Les ouvriers ont maintenant une bonne heure de retard, j'ai beau leur téléphoner, ça sonne dans le vide. J'en profite pour taper sur un moteur de recherche « âge premiers mots bébé ». La sonnerie de mon téléphone ravive l'espoir que les ouvriers daignent honorer leur contrat en se montrant sur le chantier, mais, ô déception, ce n'est que ma mère.

– Allô, chérie ? C'est maman, ça va ? Tu es à la maison ? Je suis bête... tu es toujours à la maison ! (Rires.)

– Tu sais, je sors parfois, hein...

– Rhabillez-vous, je vous retrouve dans le cabinet.

– Quoi ?

– Non, je parle à une patiente... Alors ça va, ma chérie ?

– Oui, écoute, c'est marrant que tu m'appelles, je voulais ton avis. Ce matin la directrice de l'école m'a fait une réflexion à propos d'Éliott. Elle pense qu'il est retardé parce qu'il ne parle pas. Tu crois qu'il aurait quelque chose ?

– C'est un kyste, mais c'est bénin.

– Quoi ?

– Non, je parlais à ma secrétaire qui me montrait un dossier. Il n'est pas très en avance, mais que veux-tu ? Toi aussi, tu étais un peu momolle.

– Je n'ai pas le sentiment d'avoir été momolle ! J'avais toujours de bonnes notes, j'ai quand même frôlé la mention au bac. (J'envisage un instant de lui parler de mes retrouvailles virtuelles avec Morgane, mais je sais d'avance ce qu'elle en penserait, je m'abstiens donc.)

– Comment va Dali ?

– Bien, elle a fait un magnifique...

– Ah, fort bien, fort bien, bon j'y vais, chérie, à bientôt !

– ... dessin. À bientôt, maman.

Dois-je prendre le « tut-tut » du téléphone pour un « Bonne journée » ? Ma mère. Elle est comme ça avec tout le monde, elle appelle, pose une question, lance une vacherie, n'écoute pas la réponse et raccroche.

À 11 heures, je ne suis toujours pas douchée, je n'ai pas de nouvelles des ouvriers, je dois aller chercher ma fille à l'école, et l'ensemble de mon entourage trouve mon fils attardé.

Le dieu des parents d'élèves me hait : je croise Justine Després complotant à voix basse avec le père d'un garçon surnommé Thorrible.

Vous connaissez forcément Justine Després. Enfin, je veux dire, vous ne connaissez pas forcément *Justine Després,* mais vous avez forcément *une* Justine Després près de chez vous. Justine Després est présidente de l'association des Parents d'élèves, elle ne travaille pas, mais porte tailleurs, talons de 12 centimètres et Brushing dès 7 h 45 du matin, a breveté une recette de gâteau-maison-bio-équitable dont elle nous fait l'aumône d'apporter des prototypes à chaque kermesse, elle a eu trois enfants mais met du 36. C'est le 1 % de mères qui n'ont eu ni nausée, ni épisiotomie, ni dépression post-partum, c'est aussi le 1 % de mères qui ont eu autant de places en crèche que d'enfants. Ses dents sont anormalement blanches et son mari est B&B (bronzé et blindé). En trois mots, je-la-déteste.

Tous les deux me fixent. Ils se disent probablement que je suis une très mauvaise mère, toujours en retard, mal coiffée, avec un fils arriéré. Je meurs d'envie de leur crier : « Quoi, quoi ? Je vous emmerde, tous ! » À la place, j'esquisse un sourire aussi sincère que celui d'une vendeuse H&M en période de soldes et me dirige vers le tableau des volontaires. J'inscris mon nom pour accompagner une sortie scolaire, dans l'espoir de passer pour la réincarnation de Caroline Ingalls. Pendant la pause déjeuner, j'amène ma fille au bazar de jouets. Je lui achète un jeu rectangulaire et blanc qui marche à piles et coûte 14,99 euros. Elle pense que je viens de lui offrir un iPad. Elle est pleine de gratitude. Je ne démens pas. On n'est plus à une omission près.

Morgane

Je ne peux pas attendre de rentrer chez moi pour être fixée. Après avoir hésité à pénétrer dans l'un des bars sordides des abords du bois de Boulogne, je remercie le capitalisme mondial et Howard Schultz d'avoir mis sur ma route un des cinquante-quatre Starbucks de Paris, renonce aux 190 calories du Chai Tea Latte Soja et attrape une petite Évian pour avoir accès au sésame : le code des toilettes.

Contrôler son jet d'urine pour qu'il arrive pile sur un bâtonnet d'une largeur d'environ 4 millimètres est aussi difficile que de trouver trois pages successives sans pub dans un magazine féminin. Finalement, j'ai atteint ma cible. Quelqu'un frappe à la porte des toilettes et hurle en anglais que ce n'est pas amazing du tout de ne pas attendre son tour. Je l'ignore et jette un œil au test : négatif.

Je le glisse dans mon sac à main, j'ouvre la porte avec mes coudes pour éviter la poignée, m'enduis de solution antibactérienne, donne un coup d'épaules aux Américaines en passant – bien fait, quelle idée d'aller au Starbucks à Paris ? Est-ce que je vais à La

Brioche dorée à New York, moi ? – et je sors. Je ne suis pas enceinte.

Bon. Je ne suis pas enceinte. Tant mieux. C'est exactement ce que je voulais. Ce n'est pas le moment. C'est une très bonne nouvelle. Mais, alors, pourquoi est-ce que je sens cette grosse boule se former dans ma gorge ?

Mon BlackBerry vibre. Jusqu'à 18 degrés cette semaine à Corte, 14 à Paris. Un texto de mon père. Parler de la pluie et du beau temps, c'est une vocation pour lui : il a été ingénieur prévisionniste avant de devenir chercheur en environnement et ressources naturelles à l'université de Corte, peu après que j'ai mon bac. Ce n'est qu'à 18 ans, en partant de chez lui, que j'ai compris l'ampleur de la tâche qui incombait à ce père célibataire. J'avais passé douze ans à l'empêcher de vivre. Il avait tenu jusque-là comme en apnée depuis la mort de ma mère, occupant un poste de technicien à Météo France, poste qui présentait l'avantage d'être dispensé des permanences les soirs et week-ends. Finalement, l'ironie du sort avait voulu qu'il trouve un poste à Corte, sur l'île qu'il avait quittée à l'âge de 20 ans pour trouver du travail « sur le continent ».

Trois mois avant son départ, il avait épousé Brigitte, ma nouvelle belle-mère. Cette Bretonne passe son temps à demander à mon père s'il fera moins chaud le lendemain, ce qui leur fournit un inépuisable sujet de conversation. Quant à moi, même avec les mots météorologiques de notre Radio Londres familiale, je ne pourrai jamais lui rembourser le temps passé à m'élever seul au détriment de sa propre vie.

Mon BlackBerry vibre encore : Basile m'informe qu'il passe me chercher. Je le vois de loin, derrière la coupole de Saint-Lazare, grand et droit en costume-cravate sur sa Ducati SuperBike rouge, comme un prince charmant des contes de fées de mon enfance, sauf qu'il est noir et que son cheval a un moteur. Il pile devant moi, me dit de monter d'un signe de tête en me tendant un casque. Je lance mon iPod, (*Dans la Merco Benz* de Benjamin Biolay) mets le casque et chevauche la moto. J'adore vadrouiller, coupée du monde, mon amoureux dans les bras et de la musique pour moi seule. Personne d'autre n'existe autour, que le vent sur ses épaules et le ronronnement du moteur.

Nous filons à travers le périphérique, voyons défiler les Portes de Paris, manquons de mourir à chaque fois que nous dépassons une voiture. Basile adore jouer à me faire peur en pilant entre elles, ce qui ne me fait absolument pas rire. L'intérêt de la moto, c'est qu'on n'a pas besoin de se parler, et l'intérêt du casque, c'est que personne ne me voit. Dans les vrombissements de voitures, au rythme des notes de musique, je ne peux m'empêcher de ressentir toutes sortes de sentiments contradictoires.

La gorge serrée à Porte Dauphine, mes yeux s'humidifient Porte de Passy, mes premières larmes coulent Porte d'Auteuil, je sanglote franchement Porte de Saint-Cloud, et entre la Porte de Vanves et la Porte d'Orléans, je crie dans mon casque. Les Portes défilent au rythme de mes larmes. Je ne sais même pas pourquoi je pleure précisément, sur mon espoir de bébé mort-né, contre le comportement de Jean-Jé, pour autre chose… Tout ça me semble trop dur, trop lourd à porter. Quand nous arrivons à Montparnasse, j'ai vidé tout mon soûl. Je refuse de montrer ma tristesse à Basile, aucune envie de me faire psychanalyser toute la soirée par quelqu'un qui a fait un demi-semestre de psycho à la fac de Nanterre. « Le casque te fait une de ces têtes ! » se moque Basile en descendant de sa moto. Il gare sa Ducati, et nous montons main dans la main dans l'ascenseur. Il ne me pose aucune question. Les étages défilent silencieusement, alors qu'il pense sans doute à sa journée de travail, je chasse les pensées noires de mon esprit. Après tout, je serai enceinte plus tard, je suis ridicule de me mettre dans des états pareils... Basile interrompt ma réflexion en sortant de l'ascenseur.

– On commande indien pour ce soir ?

– Il me reste des points Alloresto, fouille mon sac, j'ai noté le code sur un papier. Ouvre vite la porte, je dois aller faire pipi !

Joignant le geste à la parole, tout en me dandinant sur place pendant qu'il ouvre notre porte, je tends mon gros sac BB de Lancel à Basile (« Suppôt du capitalisme ! » aurait crié mon père) qui plonge la main dedans. Je fonce dans la salle de bains. À travers la porte, Basile lance :

– Un jour, tu rangeras ton bordel !

Il sait que ça me crispe totalement qu'il me parle dans ce genre de moments, je me concentre pour ne pas faire le moindre bruit depuis les toilettes.

– On n'est pas dans *Belle du Seigneur*, et tu n'as qu'à ranger ton sac ! Je trouve... des mouchoirs... un vieux mascara... un gel pour les mains... une batterie de BlackBerry...

Enfin, Basile s'est tu. Je me lave les mains, sors, et tombe nez à nez avec lui.

– Tu allais me le dire quand ?

– Te dire quoi ?

– Bon, allez... c'est la fête ! Oublie l'indien, j'appelle les potes, direction La Closerie des Lilas, il faut fêter ça ! Tu n'es pas heureuse ? C'est génial ! Je suis comme un fou...

– T'es sous coke ou quoi ? Tu vas te calmer tout de suite. Je n'ai pas encore eu ma promotion. On la fêtera quand je l'aurai.

Basile fait deux gros yeux ronds. Il brandit un stylo… en fait, c'était mon test de grossesse. Un large sourire vint fendre son visage. Une croix rose foncé barrait la fenêtre de résultats.

– Mais il était négatif tout à l'heure !

– Tu avais bien attendu ?

– Dix secondes, comme indiqué.

– Non, dix secondes c'est le temps qu'il faut uriner dessus. L'attente c'est trois minutes !

Basile m'impressionne toujours avec ces petits détails qu'il semble connaître par cœur. Il me serre très fort dans ses bras, me soulève en criant « Yihaa ! » De la déception, je passe à la joie franche. C'est merveilleux d'imaginer ce minibébé implanté dans mon ventre, qui a probablement les mêmes yeux ronds que Basile et qui sera parmi nous dans quelques mois. Un petit bébé que je pourrai nommer, bercer, nourrir, élever, et qui nous soudera à jamais. Mais, surtout, je vais devenir MÈRE ! Une personne aura besoin de moi, m'aimera, me réclamera pour dormir le soir, cherchera mon regard… Je me sens adulte, responsable, grande, mature, sage. Une mère. Je vais devenir mère. *Maman.* J'adore ça.

Il n'y a qu'une petite ombre au tableau, un léger inconfort, la même sensation que celle que j'avais le dimanche soir quand je n'avais pas terminé mes devoirs. Cette dissonance, c'est la voix d'Annick qui répète en écho dans ma tête : « Pas un poste pour une gonzesse… Faut avoir des couilles… Un môme n'est pas une option… »

Émilie

La maîtresse a mis un mot dans le cahier de classe. « *Pour la maman de Dali. Je suis navrée d'apprendre que votre fils souffre d'un handicap, j'espère que ce n'est pas trop difficile. Voulez-vous prendre un rendez-vous avec la psychologue scolaire pour Dali ? Elle est dans l'établissement jeudi prochain. Cordialement, Béatrice Cazenave.* » Tiens, elle, elle a droit à un nom complet.

J'envisage un instant de détacher le mot pour éviter que Franck ne le voie, mais il n'y a aucun risque : il ne sait même pas que ce cahier existe. J'écris : « *Merci, madame Cazenave, mais elle est déjà suivie par ailleurs. La maman de Dali.* » Peut-être devrais-je vraiment l'envoyer voir un psy ? Dans l'après-midi, les ouvriers ont fini par venir, mais celui qui semble être le chef de chantier a décrété que la priorité était d'enterrer la gouttière tant qu'il ne pleut pas. Il a donc creusé un énorme trou au milieu de la pelouse, s'est aperçu que son tuyau n'est pas aux bonnes dimensions, est parti en chercher un autre. Et m'a appelée pour me dire, en espagnol, qu'il ne reviendrait que le lendemain. Franck va râler, quand il rentrera, dans trois heures. Tiens ? C'est le bip du portail, ce bruit ? Les ouvriers auraient-ils finalement trouvé une gouttière ? Je n'ose y croire... je décale le rideau de la cuisine et, ô surprise, aperçois notre break entrer dans le garage.

Franck a dû être libéré plus tôt. Inespéré ! Il va pouvoir prendre le relais avec les enfants pendant que j'irai m'occuper du linge en retard. Ou je l'enverrai acheter un sapin de Noël en avance – l'an dernier, nous n'avions qu'un faux sapin en plastique démontable, j'avais détesté ça. Où est l'esprit de Noël sans les épines et les odeurs ?

« Papa ! Papa arrive ! » chante Dali, délaissant Shiper le renard. Moi aussi, parfois, je voudrais disparaître de la maison du matin au soir et n'avoir qu'à rentrer peu avant le coucher des enfants pour être accueillie en héroïne de retour de la guerre, comme si j'avais sauvé le monde. Pour avoir vendu quatre accessoires dentaires à des centrales d'achat régionales, Franck a droit tous les jours à un accueil digne d'une finale de Coupe du monde. Pour un peu, les enfants entonneraient *I will survive*. La porte du garage laisse entrer Franck, précédé par une drôle de grimace. Mme Beauzor a dû l'appeler à propos du « handicap » d'Éliott...

– Je peux tout t'expliquer !

– Ah bon ? J'en serais ravi ! Vas-y ! Explique-moi, Émilie ! Dis-moi comment nous allons faire maintenant...

– Eh bien... pour commencer, dire la vérité à l'école.

– Nous sommes bien d'accord. Et pour le reste ? Comment penses-tu que je vais gérer ça ?

– Tu n'auras rien à dire autour de toi...

– À un moment il le faudra bien.

– Il n'y a que l'école...

– Mais de quoi tu parles ?
– Et toi, de quoi tu parles ?
– De mon licenciement ! Voilà de quoi je parle !
– Comment... ? Mais ? C'est pas toi qui pilotes le plan social ?
– Et quoi de plus pratique, je te le demande, que de virer le type qui a viré les autres ? Marchal et Arfaoui le savaient depuis le début ! Les traîtres ! Dire que j'ai joué au golf avec ces types, que je les ai emmenés au club de strip-tease, que...
– Au club de strip-tease ?
– Ça va Émilie, c'est pas le moment ! C'est l'usage chez les représentants médicaux. Tu le sais. Ton père a probablement été chez...
– Ne mêle pas mon père à ça, s'il te plaît.
– Enfin, voilà. Je suis viré. C'est fini. Finis, les travaux ! Finis, les cours de baby gym pour eux et l'abonnement Dukan pour toi ! On va devoir vendre la voiture. (Je décide d'ignorer cette allusion à mon unique dépense personnelle mensuelle, comme si c'étaient les 17 euros du club des Dukanettes qui nous mettaient dans le rouge.)
– Mais tu vas toucher des Assedic, non ?
– Tu veux savoir la meilleure ?
– Vas-y.
– Ces dix-huit derniers mois, j'étais payé en primes exceptionnelles.
– Hein ? Je ne comprends pas !
– C'est simple, pour payer moins de charges, la boîte a fait comme si j'étais salarié dix heures par semaine et me payait le reste en primes. Et, bien sûr, ça n'entre pas en compte dans le calcul des Assedic ! Je toucherai 70 % de 600 euros, soit environ 400 euros par mois. Moins que ton congé parental. Je me suis bien fait entuber !

– Mais c'est illégal ! Poursuis-les !

– Avec quel argent, Émilie ? T'es sourde ou quoi ? J'ai plus rien ! On n'a plus rien ! On va passer un joyeux Noël, je te le dis. On va devoir vider les comptes des enfants…

– Ah non ! Pas les comptes des enfants !

– Et comment on va faire ? Vivre de ton « congé parental » peut-être ?

Il lâche les deux mots « congé parental » avec un tel mépris que la question me blesse autant que s'il m'avait mis une gifle.

– Je pourrais travailler…

– Ah ah ! Pardon, mais torcher des gosses, c'est pas un métier.

– C'est toujours agréable d'entendre ce que tu penses de moi. Si, c'est un métier, je pourrais être assistante maternelle, je garde déjà la petite Inès de temps en temps… mais avec les travaux je n'aurai pas d'agrément.

– Et ton ancien employeur ? Il est délocalisé quelque part en Bulgarie d'après les dernières nouvelles, donc impossible que tu reprennes ton ancien poste.

– Bon, comme tu es là, pendant qu'on réfléchit, tu m'aides pour le bain des enfants ?

– T'es pas bien de me demander ça avec ce que je traverse ?

Je comprends confusément à cet instant que ce licenciement sera une excellente excuse pour tout ce que Franck fera ou ne fera pas dans les mois à venir. Et je comprends aussi inconsciemment qu'il va changer ma vie, même si je ne sais pas encore dans quelle mesure.

Après avoir baigné, nourri et couché les enfants (je peux désormais ouvrir un Nigloland dans la salle de bains), je passe devant notre chambre. Franck s'est endormi sans même avoir dîné, à moitié couché sur la couette, son ordinateur portable posé devant lui.

« Déjà sur Cadremploi ! » pensé-je, émue par tant de dévouement de sa part et m'en voulant de l'avoir maudit intérieurement à tort. Je m'approche de lui, dépose un chaste baiser sur son front, attrape l'ordinateur pour le ranger. Les images figées sur son écran m'intriguent. Mais... deux femmes nues, sous leur tenue de soubrette, à quatre pattes ! J'ai été éloignée longtemps du marché du travail, mais je sais que ça ne ressemble pas à un CV vidéo. En fait de recherche d'emploi, il regarde un porno en ligne ! Il est connecté, il a même un pseudo : « VasyFrancky28 », et dans la fenêtre de profil, à droite de l'écran, il est qualifié de « membre d'or ». J'hésite à le réveiller, j'imagine déjà sa réponse : Ce ne serait pas le moment, avec ce qu'il traversait... Voilà le genre de choses qu'on ne poste pas sur Facebook. Je ferme l'ordinateur en silence et descends voir s'il reste des Granola.

Morgane

Ma meilleure copine Géraldine, députée européenne, vit une histoire compliquée avec un ancien ministre très médiatique, très socialiste et très marié. Pendant des années, il lui a promis, juré, craché : un jour, sa femme sortirait de sa dépression, il la quitterait et ils auraient un enfant ensemble. Géraldine a déjà un fils en section tennis de sport-études à 750 kilomètres de Paris et a longtemps rêvé d'un nouveau modèle de bébé avec celui qu'elle appelle en public « l'amour de ma vie, nan j'déconne ».

Elle a mis cinq ans à réaliser que sa femme était aussi dépressive que Oui-Oui sur son taxi jaune, qu'il ne la quitterait jamais, que non seulement ils n'auraient pas d'enfant ensemble, mais qu'en plus, dans l'intervalle, il en avait fait deux supplémentaires à Madame. Elle a fini par faire le deuil de ce futur enfant et a promené un dossier d'adoption de bureau d'assistante sociale en organisme institutionnel, attendant qu'un enfant soit assez orphelin pour pouvoir être adopté. En revanche, elle n'a pas pu se résoudre à faire le deuil ni de son amant ni de son dossier « naissance », gros classeur bleu rempli de coupures de presse et de prospectus sur la maternité.

Elle a mené une véritable étude de marché de l'ensemble des maternités de la région parisienne. Elle a même un top 3 : l'hôpital franco-britannique de Levallois en 1, la clinique Sainte-Thérèse du 17e en 2, l'hôpital américain de Neuilly en 3. Bien sûr, ils sont éloignés de chez moi – sa veille a été faite en fonction d'elle. Mais, si ça veut dire accoucher convenablement, je suis prête à manger une heure de métro par mois pour me rendre aux cours d'accouchement sans douleur – car il est évident pour moi, à ce moment-là, que cours d'accouchement sans douleur il y aura. Je l'entends sautiller derrière son Galaxy :

– Où es-tu inscrite pour accoucher, poulette ?

– Nulle part... tu es la deuxième personne à le savoir, après Basile. (En réalité, c'est la quatrième après mon père et la mère de Basile, mais comme on leur a laissé des messages ça ne compte pas vraiment. Et puis quatrième, ça fait moins VIP que deuxième.)

– Nulle part ? Tu veux accoucher dans la rue ou quoi ? Je t'envoie mon top maternité par mail... Voilà, checke tes messages et bouge ton boule ! Lundi, je t'amène mon classeur bleu à la zumba.

Un passage par la case laboratoire d'analyses sanguines confirme que je suis bien enceinte de cinq semaines. Je vois exactement quand on a conçu le bébé : devant un replay de *The Voice*. Je crois même que j'ai un peu fantasmé sur Nikos, on a déliré avec Basile en imaginant que le présentateur grec était bi, et enfin, bon... Pas hyperglamour. NB : Trouver une version plus romantique quand je raconterai à mon enfant l'histoire de sa conception.

Après une matinée de travail où j'ai le plus grand mal à ne pas m'endormir, vomir et trahir mon secret, je file à l'hôpital franco-britannique. Le bus 93 me dépose rue de Villiers. De l'extérieur, le bâtiment est magnifique, un léger givre recouvre le toit, je me vois totalement donner la vie ici.

Je m'imagine déjà, dans les allées du parc, mon nouveau-né dans les bras, enveloppé d'un linge blanc suspendu à mon sein au lendemain de l'accouchement, tandis qu'une brise fraîche caresserait mes cheveux ondulés (il faudra que je pense à emmener mon fer à lisser à la maternité) sous les clic-clac de l'appareil photo de Basile, qui nous mitraillerait, le fruit de notre amour et moi, en riant... Nous ferons encadrer ces photos, ou les développerons sur une toile, en noir et blanc, et nous l'accrocherons dans l'entrée, en face de la porte, de façon à montrer notre enfant si pur à chaque visiteur.

Arrivée à l'accueil, je défais deux tours de mon écharpe Burberry rose, retire un gant assorti et lance un « Bonjour ! » joyeux et fleuri. Personne ne me répond. « Bonjour ! » insisté-je d'une voix tout droit sortie d'un champ de marguerites.

– C'pour quoi ? me demande le sosie de Larry Kubiac dans *Parker Lewis ne perd jamais*, un Mars en main, greffé à son siège à roulettes, sans quitter son ordinateur des yeux sur lequel on voit nettement la recherche « Léa Seydoux nue ».

– Une inscription ! réponds-je la voix toujours aussi fleurie, bien décidée à ne pas me laisser gâcher mon plaisir.

– Au fond.

Levant subrepticement les yeux au ciel, je suis les flèches et arrive à un genre de secrétariat. Sur les chaises, trois dames aux Brushing très lisses et aux ventres tout aussi lisses attendent. À l'écart, un jeune père tapote sa cigarette éteinte, l'air absent, tandis qu'un autre scrute la brochure « Atelier parole de pères » avec un air studieux de premier de la classe.

– Bonjour madame, je viens pour m'inscrire, car je suis enceinte... (Ah, j'adore dire ça, je me sens au top de ma féminité ! Je suis enceinte, et pas toi, tralala !)

– Prenez un ticket.

Pas de félicitation ? Bon... Je prends un ticket, donc. J'ai le numéro 26. Le numéro 19 est appelé. Après un bon quart d'heure, vient mon tour. J'entre dans un petit bureau duquel une vieille blonde moustachue ne daigne pas faire l'effort de lever le regard jusqu'à moi.

– 26 ! Votre numéro de préinscription ?

– Euh, ben, 26. Héhé.

– Mais non, mademoiselle. Votre numéro de préinscription.

– ...

– Celui qu'on vous a donné sur Internet ?

– Sur Internet ?

– Quand vous avez rempli un dossier.

– Je n'ai pas rempli de dossier sur Internet...

– Mais que faites-vous là alors ?

– Je viens me préinscrire, justement.

– Il faut d'abord un numéro de préinscription...

– Mais puisque je suis là ! Préinscrivons-moi ! (J'ai très légèrement perdu mon ton fleuri.)

– C'est impossible, mademoiselle. Si tout le monde faisait ça... La procédure veut que vous soyez d'abord préinscrite sur Internet.

– Vous voulez que je sois préinscrite sur Internet ? OK je me préinscris sur Internet ! (Je sors mon BlackBerry.) Alors, dites-moi sur quel site ? J'y vais immédiatement, là. (Mon ton n'est plus fleuri du tout.)

– C'est ridicule, mademoiselle...

– Et arrêtez de m'appeler mademoiselle ! Je suis enceinte, je ne suis pas une demoiselle, d'accord ?

– Je sais que les hormones vous jouent des tours, mais la procédure exige que...

« Vous savez où vous pouvez vous la foutre, la procédure ? Je veux juste m'inscrire pour pouvoir avoir l'honneur de vous filer un paquet de fric pour démouler ici mon putain de gosse dans huit mois ! Merde, vous êtes trop bouchée pour comprendre ça ou c'est la ménopause qui vous rend complètement conne ? », c'est ce que je réponds dans ma tête.

– Bon ! Je vais donc rentrer chez moi me préinscrire sur Internet et revenir un autre jour avec un numéro... ?

– Voilà, c'est ce que je vous dis depuis tout à l'heure. Suivante !

Dans le bus du retour, je décide de renoncer à cet hôpital malpoli. Je tente de m'inscrire à la maternité n° 2 de Géraldine. J'envoie un mail très-gentil-très-poli pour leur demander comment me préinscrire, cette fois. Moins de dix minutes après, la réponse. Il suffit d'amener divers documents (à côté de ça, un dossier pour une demande de location parisienne semble vraiment peu documenté) et un chèque de caution de 3 000 euros. D'après mon interlocuteur, je perds mon chèque de caution si j'accouche ailleurs ou si... je perds le bébé ! L'idée de devoir payer pour compenser le fait que je perdrais mon bébé ? Le comble de la double peine. Je laisse tomber.

Choisir un endroit où accoucher s'avère bien plus compliqué que je ne l'aurais pensé ! Et, si la simple inscription dans une maternité doit me faire péter les plombs, nul ne sait comment je vais pouvoir gérer la suite. Je me sens nulle, nulle, nulle, j'ai honte de rentrer dire à Basile – qui s'entraîne déjà à respirer par le ventre en vue des contractions – que j'ai échoué dans une mission aussi simplette que m'inscrire dans une maternité. Géraldine est adorable et bien informée… sur la théorie. Moi, j'ai besoin d'un genre de guide qui puisse me dire, par exemple, que j'aurais dû me préinscrire sur Internet avant de me pointer à l'hôpital franco-britannique…

Émilie ! Elle a deux enfants. Elle est déjà passée par là. J'ai besoin d'elle. Il est temps de nous revoir, et de la faire entrer dans ma vie d'adulte. Je l'invite aussi officiellement qu'un mail le permet à venir boire un verre chez moi la semaine suivante, avec une proposition précise en tête.

Émilie

Sur le calendrier du frigo, cette date est entourée d'un gros cercle rouge. Je n'ai plus vu Morgane depuis le bac. Ai-je changé depuis lors ? Évidemment. Je n'ai plus grand-chose pour moi, physiquement.

Heureusement, j'ai mes enfants. Ma fierté. Dali est magnifique, son petit corps tout maigre, ses cheveux blonds coupés droit au carré, ses grands yeux verts, son sourire enjôleur, ses reparties fines comme des coups de fleuret… « Tes enfants sont ton bouclier égotique », m'a un jour dit ma mère. J'ai brûlé de lui répondre : « Et tu penses que ça a un rapport avec le fait que rien ne soit jamais assez bien pour ma mère ? » À la place, je suis allée dans la cuisine chercher le dessert, une tarte Tatin que j'avais faite spécialement en l'honneur de sa venue. Et je l'entendais, dans la salle à manger, continuer à dire à mon mari tout le mal qu'elle pensait de moi, pendant que je remplissais sa petite assiette à dessert ébréchée…

Franck a promis qu'il viendrait, puis a dit : « J'ai jamais promis, j'ai dit on verra », puis il a vu. Se farcir deux heures d'embouteillages pour aller rencontrer une amie de lycée de sa femme, c'est « difficile, avec ce qu'il traverse ». En plus, il a justement prévu de finir d'enterrer la gouttière. « Impossible de garder les enfants, je serai concentré sur les travaux », a-t-il asséné. J'ai donc pris Éliott en poussette et Dali au bout de ma main et, tous les trois, nous avons pris le train pour Paris. Sur l'Escalator de la gare Montparnasse, les samedis après-midi passés avec Morgane à la galerie Gaîté, avant qu'elle ne devienne un vrai centre commercial, me reviennent. Quand il n'y avait qu'un tatoueur-vendeur de piercings, une boutique de tapis orientaux et un bazar indien où nous passions des heures à choisir du henné pour nos cheveux, des grigris, de l'encens au patchouli pour couvrir l'odeur des Marlboro light dans ma chambre, des livres de spiritualité tibétaine. Et, à l'étage, le squat : un immense plateau de bureaux inoccupé où nous allions écouter de la musique au baladeur quand nous séchions les cours, et nous cacher quand nous entendions les pas du vigile faire et refaire sa ronde prévisible. Aujourd'hui, il y a un opticien, un magasin de vêtements pour hommes et un grand Tati pour bobos radins.

– Maman ? T'es dans tes pensées ?

– Oui, chérie, quand maman était jeune, elle jouait beaucoup ici.

– La télé n'existait pas encore ?

– Si, ma puce, la télé existait. Mais maman préférait sortir avec sa copine, s'amuser.

– Et maintenant tu n'aimes plus t'amuser ?

– Si, pourquoi ?

– Tu ne t'amuses jamais.

Voilà la rue de Morgane. De porte à porte, j'ai mis une heure cinquante-cinq. Bon, deux heures vingt si je compte la porte de chez moi et pas la porte du train.

Je plie ma poussette d'une main en me félicitant, la pose dans un coin du hall et porte Éliott dans les bras pour prendre l'ascenseur. J'ai vu Morgane en photo sur Facebook. Mais pendant que sa porte s'ouvre je me la figure telle que je l'ai quittée : avec son éternel pantalon noir Pimkie, ses baskets compensées, son haut trop court et trop moulant, ses cheveux brun-roux et son sweat zippé Tacchini. J'ai toutes les peines du monde à superposer les deux visions, la Morgane de 17 ans lycéenne ascendant hip-hop, et la Morgane de 30 ans cadre sup' ascendant modasse. Elle porte les cheveux lissés très droits, un chemisier à jabot, un slim bleu électrique et des talons à semelles rouges. Avec ses bijoux et son maquillage, elle semble prête à poser pour le classement Forbes des cent personnes les plus influentes des médias.

Derrière elle, apparaît un type immense et musclé – Basile Cissé, sans doute. Il porte un costume (sur mesure ?) et des chaussures qui doivent coûter un SMIC. « Elles viennent de Rome, c'est un artisan qui fait les patines », dira plus tard Morgane. Mes efforts pour paraître présentable me semblent dérisoires. Ma tunique n'est pas repassée, Éliott s'est essuyé les mains dessus dans le train. Mon legging a un trou à l'entrecuisse. La semelle de ma ballerine se décolle, et ma coiffure est, au top de ce que je peux faire : un chignon-crayon. Je cherche quelque chose de spirituel à dire pour commenter nos retrouvailles, mais Dali me souffle la priorité :

– J'ai envie de faire caca.

– Euh, excusez-moi… je peux l'emmener ?

Morgane se penche vers elle et lui dit très, très doucement en faisant des gestes :

– Si tu veux, tu peux utiliser la salle de bains.

Je pense : « Elle est enfant, pas stupide », mais je dis juste :

– Tu sais, elle parle notre langue...

Basile Cissé, le « in a relationship » de Morgane, rit de bon cœur.

– Installez-vous, pendant ce temps, Morgane va accompagner votre fille...

Morgane me sourit et, derrière sa panoplie de working girl, je reconnais sans hésitation ma copine d'adolescence, celle qui en faisait voir de toutes les couleurs aux profs et organisait des concours entre les garçons du lycée pour savoir lequel serait le plus accro.

Chaque jour, les participants devaient lui offrir un présent, une clémentine, des bonbons, des cigarettes, et celui qui lui apportait le plus beau cadeau avait le droit de déjeuner à côté d'elle à la cantine. Et de moi, aussi, accessoirement. Mais moi...

Sortie de mes pensées, j'apprends que Basile, l'avocat d'affaires, ne plaide plus, qu'il a rencontré Morgane en représentant une grosse entreprise pour laquelle elle devait communiquer. Tous les deux sont surdiplômés, surriches et surbookés. Difficile de me trouver le moindre point commun, la moindre aspérité à laquelle me raccrocher avec ce couple digne d'une pub The Kooples. Je tente une approche sur l'actualité avec une allusion aux écoutes téléphoniques de Sarkozy diffusé en boucle sur BFMTV. Basile me confie :

– J'ai presque pleuré quand il a annoncé son retour !

Je savais bien qu'une discussion sur un ennemi commun serait fédératrice...

– Moi aussi ! Après tout ce qu'il nous a fait, l'hypercommunautarisme, la stigmatisation de l'autre, les coups de canif dans la loi de 1905, et passer le code du travail à la déchiqueteuse…

Basile et Morgane, revenue de la salle de bains, se fixent.

– Basile n'ose pas te l'avouer, mais il a pleuré de joie, pas de tristesse ! Il est membre fondateur de La France Droite, pour lui NKM est la femme idéale.

– C'est vrai, notre pays a besoin d'un socle ferme sur lequel construire la citoyenneté, répond Basile.

C'est un gag ? Comment peut-il être de droite ? Il semble lire mes pensées :

– Parce que je suis noir, je dois être de gauche ? Mais qu'a-t-elle fait, la gauche, pour nous depuis toujours ? Nous donner un ballon pour qu'on fasse un foot dans la cour de la MJC pendant l'été ? Non, franchement, je préfère libérer les énergies entrepreneuriales…

Comme tous les discours de droite, ça ne veut rien dire. Mais, surtout, c'est surprenant de la part de Morgane. Elle a passé toute l'année de seconde à manifester contre je ne sais plus quelle réforme du gouvernement Jospin qu'elle trouvait trop « libérale » et ensuite elle est sortie avec un basketteur malien qu'elle a envisagé d'épouser pour lui donner la nationalité française. J'ai imaginé Morgane avec un mari moche, un mari pauvre, mais un mari de droite, ça, jamais ! Je reste muette.

Depuis ce canapé qui tient plus de l'objet Art déco que du meuble confortable, je scanne la pièce. Les meubles sont tous assortis, accordés avec application, comme choisis un à un par un apprenti décorateur postulant pour passer dans *Question Maison*. Leurs bibliothèques présentent des collections complètes classées par ordre alphabétique. Les efforts faits pour avoir « tout bon » sont palpables. À y regarder de plus près, aucune personnalité ne filtre de ces meubles, qui ne disent rien de leurs habitants. Les cadres photos ne sont même pas remplis. Le triptyque en face duquel je suis assise présente une photo de catalogue, un caniche (?) et un fond avec l'inscription « Insérez votre photo ici ». Tout est blanc. Immaculé. Curieusement inhospitalier. Pas un meuble dépareillé. Pas une seule poussière. Un rêve pour femme de ménage.

Quand je prends Éliott sur mes genoux pour l'allaiter, Morgane frôle l'AVC et lance un regard effrayé en direction de son plaid blanc. Basile s'éclipse discrètement pour préparer l'apéritif. Je me demande si on va rester longtemps dans le registre de la langue de bois policée. Morgane, la première, se lance, déglutit puis, avec un enthousiasme forcé :

– En fait, il y a vraiment du nouveau pour moi, t'es prête ? J'attends un bébé !

Je m'efforce de chasser le flash qui m'apparaît de Morgane à 17 ans.

– C'est merveilleux, félicitations ! Tu vas voir, c'est que du bonheur, mens-je, me réjouissant néanmoins sincèrement pour mon amie.

– Merci, merci... Justement je dois t'avouer que je t'ai invitée pour te revoir, mais aussi pour que tu me donnes quelques conseils... serais-tu d'accord ?

– Je veux bien, mais des conseils sur quoi ?

– Sur la maternité. Je lis tout et n'importe quoi sur Internet. Et puis, j'ai l'impression qu'il faut choisir son camp pour tout et rien. Chant prénatal ou haptonomie ? Accoucher avec ou sans péridurale ? Allaiter ou donner le biberon ? Crèche ou nourrice ? Liniment ou lingettes ? Trop d'infos tue l'info. J'ai l'impression que la maternité est une suite de choix binaires et que chaque choix va déterminer la vie entière de mon futur bébé… je panique un peu, je t'avoue. Par exemple, je ne savais pas qu'il fallait se préinscrire sur Internet pour s'inscrire pour accoucher…

– Je ne savais pas non plus. Ça doit dépendre des maternités.

– Tu m'en veux de vouloir profiter de tes connaissances ?

Je retire tout ce que j'ai dit sur leur déco pourrie. Je suis très flattée que Morgane considère que j'aie des connaissances, alors que 99 % de mon entourage pense qu'une mère au foyer n'a aucune compétence valable. En fait non : 100 % de mon entourage. Même ma copine Assia répète souvent qu'elle au moins est « chef d'entreprise » parce qu'elle anime un e-commerce de trucs pour bébé de chez elle.

– Au contraire. Pour tout te dire, je commence à me demander si je ne devrais pas chercher du travail.

– Formidable !

– Euh non, pas franchement formidable. Mais Franck, mon mari, a été licencié. Je dois trouver quelque chose en urgence, ou pour lui ou pour moi. On n'a plus un sou. Tu penses pouvoir m'aider à devenir recrutable ? Ça doit faire sept-huit ans que je n'ai pas envoyé un CV.

– Mais bien sûr ! J'ai une meilleure idée ! Faisons un pacte : je t'aide à entrer dans le monde du travail, et toi, tu m'aides à entrer dans le monde de la maternité ?

– Génial, je savais qu'on avait raison de se revoir !

Toute contente, je me lève pour lui serrer la main solennellement. Elle recule avec une grimace pour éviter le lait qu'Éliott recrache. Si un simple reflux la dégoûte déjà, la route promet d'être longue. Nous échangeons un sourire dans le regard, qui scelle tacitement notre accord.

En sortant, je savoure les décorations de Noël dans les vitrines, mon fils endormi et ma fille émerveillée par les rues de Paris. Arrivée à la gare, je me précipite sur mes mails pour raconter à Assia que j'ai peut-être retrouvé une future ex-meilleure amie.

DÉCEMBRE

Morgane

Alors que je profite d'une arrivée matinale pour remplacer le fond d'écran corporate de Jean-Jérôme par une photo porno gay – ne me jugez pas –, sa ligne fixe sonne. Par réflexe, je décroche :

– Bureau de Jean-Jérome ?

– Bonjour, Jean-Jé est là ?

– Pas encore.

– Vous êtes sa secrétaire ?

– Euh, non...

– Pardon, vous êtes sûrement son « assistante personnelle... », j'oublie toujours que vous, les secrétaires, vous êtes à cheval sur vos titres. Pouvez-vous noter un message ? Vous lui dites que son pote JBC a appelé pour lui dire qu'*on* va bientôt lancer un appel d'offres au PE avec un lot com' instit'. Et que j'espère le voir à la soirée de la promo Boris Vian pour lui en dire plus. Vous avez eu le temps de tout noter ?

– Oui, oui...

– Au revoir, mademoiselle.

Maintenant, je fais office de dactylo pour Jean-Jé. Ça m'apprendra.

Je termine à peine de noter le message sur un Post-it quand Jean-Jé arrive, accompagné par Hugues, le DG du groupe. Le Groupe est un genre de gouvernement fédéral qui coordonne plusieurs agences, dont ECG, le tout sous la coupe du CA. Visiblement, Jean-Jé n'a pas prévu que son petit tour du propriétaire inclue un rappel de mon existence. Je m'apprête à lui faire part de son message quand il clame :

– Alors, Morgane, dans ton HLM on ne t'a pas appris qu'au bureau chacun a une place bien déterminée ? Les gonzesses, faut toujours leur dire de rester à leur place. Ou c'est de vivre avec un Noir, toi aussi tu te mets à voler ! Ah, ah ! Je plaisante, hein, va pas me coller un procès à la HALDE !

– La HALDE n'existe plus, c'est le Défenseur des droits maintenant, ignare.

Une fois de plus, je me maudis d'avoir pu penser une minute, en arrivant à l'agence comme stagiaire six ans auparavant, que Jean-Jé et moi aurions pu devenir amis. Il s'était confié à moi, père dominateur et exigeant, mère omniprésente mais intelligente, scouts, internat, lycée Hoche à Versailles, bac avec mention, prépa et première déception amoureuse quand sa petite amie Anne-Sophie, trois ans de plus que lui, est partie en Erasmus. Je lui avais un peu parlé de moi, mon adolescence entre mon HLM sur le périphérique et mon lycée du 16e grâce à un détournement de carte scolaire et une option russe providentielle, ma mère célèbre mais morte, mon père reparti à Corte avec sa nouvelle femme, et ma rupture avec mon copain de fac, le jour de sa demande en mariage. Jean-Jé ne manquait pas une occasion de s'en servir contre moi. Depuis, je ne raconte plus rien à personne, je déjeune seule dans le parc d'en face ou dans Paris avec Géraldine, je ne parle aux autres qu'à l'impératif. Dans mon dos, la créa me surnomme la « reine des glaces ». Quand on tente de sympathiser, je réponds ce qu'on attend d'une directrice conseil parisienne de 29 ans trois quarts : « J'aime les Brigitte, Airnadette, le cinéma d'auteur, je suis abonnée à *Technikart* et aux *Inrocks*, je fais mon shopping chez Antoine & Lili, Colette et Merci, je rêve de me faire mettre une fessée par Gaspard Proust ou Nicolas Bedos (rire hystérique). » Personne ne sait que mon idéal masculin se situe quelque part entre Alain Juppé et Booba.

Je marmonne quelque chose sur le service informatique et mon ordinateur en panne. Jean-Jé se tourne vers Hugues et fait une réflexion sur les femmes et l'informatique. Leurs costumes, leurs chemises, leurs cravates et leurs chaussures sont presque identiques : Jean-Jé copie soigneusement le style de Hugues. Ce fourbe rit à gorge déployée en tapant sur l'épaule de mon rival.

Rien ne m'oblige donc à lui donner son message. Je retourne à ma place. « JBC »... qui cela peut-il bien être ? Je me connecte sur Facebook et fais défiler la liste des amis de Jean-Jérôme. Deux « JBC » potentiels : Jean-Benoît Carron et Jean-Baptiste Curnonsky. D'après son profil, le premier est diplômé de Supélec et travaille à Dubai. Le second, de Sciences po, vit à Boulogne. « La promo Boris Vian... » Je clique sur sa photo pour l'agrandir : une belle tête de vainqueur. Il travaille à Bruxelles. « Un appel d'offres en com' instit'... » Le Parlement européen va pitcher notre agence ? Mais nous ne sommes pas censés en être informés avant la publication de l'appel d'offres ! N'est-ce pas légèrement illégal ? Et à quoi bon prévenir sans donner le cahier des charges ? « J'espère le voir à la soirée de la promo Boris Vian... »

Je tape un SMS à Géraldine, en vacances avec son fils :

« Si un appel d'offres en com' instit' se profilait au Parlement européen, tu me ferais signe ? »

« Ça pourrait me valoir au moins trois chefs d'inculpation, t'as pas un mec avocat ? »

« Tu connais un Curnonsky à la direction de la com' ? »

« Morgane, je ne peux plus poursuivre cette conversation à moins qu'elle ne s'oriente autour de ma Mooncup, au moins pour ça je ne risque pas l'inéligibilité #marchéstruqués. Bisous. »

Toute la matinée, les questions me sautent au visage comme les oiseaux sur Tippi Hedren. Est-ce de cette manière que Jean-Jé remporte ses budgets ? Ce JBC est-il un meilleur ami pour Jean-Jé que Géraldine ne l'est pour moi ? Et, surtout, est-ce qu'il y aura encore le bar à soupe ce midi, à la cantine ? Il n'est que 10 h 30, mais je meurs de faim. Au pays de la grossesse, comme au pays des alcooliques, il est toujours midi quelque part.

Émilie

En cachette, je consulte quotidiennement l'historique Web de Franck. Je n'y trouve jamais la moindre trace de quoi que ce soit qui pourrait ressembler de près ou de loin à une offre d'emploi. Du porno, ça oui, il y en a ! Des femmes avec des femmes, des hommes avec des hommes, des jeunes, des vieilles, des grosses, des Asiatiques, des Blanches, des Noires, des petits, des salons, des stades (?)... je n'aurais jamais imaginé que mon mari avait des goûts aussi éclectiques. Des « cocks », des « blow jobs » et des « big boobs », j'enrichis mon vocabulaire de nouveaux termes à mesure que je consulte son historique. Il peut ajouter « anglais courant » sans mentir sur son CV.

Je coche les jours comme un prisonnier. Quatorze jours qu'il a été licencié. Au début, je consultais son historique pendant qu'il prenait sa douche, mais très vite ses douches se sont espacées. Il peut rester trois jours sans se laver les dents et sans trouver ça gênant. Si j'avais imaginé qu'il aurait au moins pu m'aider à m'occuper des enfants le matin, j'ai rapidement déchanté.

– Avec ce que je traverse, tu peux pas me demander ça ! a-t-il ronchonné les trois premiers matins, avant de mettre la couette sur sa tête.

– Je peux au moins te laisser garder Éliott pendant que j'amène Dali ? Il a mangé, il faut juste le surveiller...

– Ah non ! Je ne peux jamais dormir dans cette maison ! Pour une fois dans ma vie que je peux me lever sans réveil, j'aimerais au moins en profiter...

Pour éviter le conflit, j'ai ravalé mon agacement, enfilé mon imperméable sur mon pyjama Betty Boop et installé ma troupe dans la voiture. C'est son fils, quand même ! Ce n'est pas un service que je lui demande ! Et si je disparais subitement, comment fera-t-il pour prendre en charge les enfants, alors qu'il ne peut même pas garder 50 % de sa propre marmaille pendant vingt minutes ? Par la suite, je ne lui ai plus jamais demandé de m'aider, et il ne l'a pas proposé de lui-même. À l'école, on garde la porte ouverte pour moi jusqu'à 8 h 45. Je ne croise plus aucun parent le matin, supportant les regards inquisiteurs uniquement à 16 heures, quand Justine Després, ses ombres et le père de Thorrible regardent dans ma direction sans jamais venir me parler.

Samedi. Pas d'école à l'horizon. Je n'ai pas à sortir tôt, mais j'espère que nous pourrons profiter du week-end pour commencer une activité en famille. À 13 heures, Franck ne s'est toujours pas levé. La sortie semble compromise. Vers 14 h 30, alors que Dali saute sur le canapé en terminant la troisième glace lui tenant lieu de repas devant *Rio* (que je peux réciter par cœur à force de le subir), Franck descend l'escalier. Il se frotte les yeux, étire l'élastique de son caleçon HOM et se laisse tomber sur le canapé. Des fois qu'il reste debout trop longtemps...

– T'as bien dormi ?

– Oui, et toi ?

– Moins que toi, disons. Je suis debout depuis 7 heures. Tu n'as pas entendu les enfants crier ?

– Non, j'avais les boules Quies.

– Forcément. J'avais pensé qu'on aurait pu emmener les enfants à Chartres, visiter la cathédrale ?

– Tu peux pas me demander ça, avec ce que je traverse...

– Te demander quoi, au juste ? De passer un après-midi en famille ?

– Commence pas... Je suis fatigué là. Je viens de me lever.

– Je sais, figure-toi que ça fait sept heures non-stop que je m'occupe seule des enfants ! Quasiment une journée de travail ! Tiens, en parlant de ça, où en es-tu de tes recherches ?

– Tu peux pas me demander ça, avec...

– Ce que tu traverses, oui, c'est bon, ça va, on a compris ! Mais figure-toi que justement, si, je peux te demander ça. Si je garde les enfants, c'est que tu dois travailler. Sinon, tu me dis que tu ne veux plus travailler, tu gardes les enfants, et je travaille !

– Mais je ne peux pas les garder, je vais... suivre une formation.

– Une formation ? D'où ça sort ?

– Je l'ai trouvée sur Internet. (À moins qu'il ne s'agisse d'une formation pour devenir community manager de site porno, ça m'étonnerait beaucoup.)

– Ah bon ? Et pour faire quoi ?

– Sculpteur sur bois.

J'hésite un long moment, interdite, entre un grand éclat de rire et une crise de nerfs. Franck est tout, sauf habile de ses mains. Quand l'ampoule de la salle de bains avait grillé, nous nous étions lavés dans le noir, à la lueur de la lumière du couloir, pendant près d'un mois.

Les rares fois où il fait la vaisselle, il ébrèche une assiette, l'unique meuble qu'il a monté lui-même est une tour de Pise, et c'est moi qui ai fixé tous les cadres de la maison. C'est moi qui ai choisi notre perceuse, et même la tondeuse il ne parvient pas à la manier.

– Grâce à cette formation, je pourrai terminer les travaux de la maison moi-même, ce qui nous fera des économies, poursuit-il très sérieusement.

Je choisis de me concentrer sur l'aspect financier du problème :

– Mais... des économies sur quoi exactement ? Si tu ne travailles pas, on ne va pas vivre sur mon congé parental, comme tu l'as gentiment fait remarquer ?

– On pourra se relayer pour garder les enfants. Quand j'irai à mes cours de sculpture sur bois, tu les garderas et, si tu trouves un travail à mi-temps pour compléter, je les garderai moi pendant ce temps.

Cette solution aurait dû me ravir. Mais – et ça me fait mal de l'avouer – je n'ai aucune confiance en Franck pour s'occuper des enfants. La dernière fois que je lui ai demandé de les garder pour aller à une rencontre des Dukanettes, je suis rentrée à 23 heures, ils n'étaient pas couchés, Éliott avait la même couche qu'au moment de mon départ à 17 heures, Dali avait mangé deux paquets de Granola et gribouillé sur son frère.

Je me dirige vers l'ordinateur, où je trouve un nouveau message privé. Morgane me demande si on se revoit bientôt. Je lui propose de venir passer un dimanche chez moi – ça me fera une activité avec des adultes, et surtout nous pourrons commencer à honorer notre pacte. Je lui indique avec un enthousiasme feint que nous ne sommes qu'à vingt minutes de Paris.

Morgane

Dans le train, la newsletter *Doctissimo* m'apprend que je suis enceinte de presque deux mois, en conséquence de quoi je *sais maintenant où je vais accoucher*. Sauf que non. J'ai mis quelques semaines à assimiler le concept : à Paris, si on n'est pas inscrite, on n'a pas le droit d'accoucher. Comment fait-on, alors ? On arrive comme dans les films, étendue sur un brancard du SAMU, pliée en deux, criant « j'ai mal, j'ai mal ! » à une infirmière en surchaussures en plastique bleu canard ? La newsletter m'informe aussi qu'une grossesse sur cinq se termine par une fausse couche au premier trimestre. Chouette.

Nous allons passer la journée chez Émilie. Comme j'avais initialement prévu d'aller à Levallois chez Géraldine – l'écouter dire qu'elle n'a pas besoin d'un homme pour être heureuse dans la vie en regardant son portable dans l'attente vaine d'un signe de vie de son ex-ministre marié (c'est ce qu'elle fait à chaque fois) –, Émilie l'a invitée.

Tandis que nous buvons notre apéritif – diabolo-grenadine pour moi, je suis en *rehab* de Coca light –,

Basile discute de sujets plus soporifiques les uns que les autres avec Franck (1/ La mainmise financière du Qatar sur le PSG n'est-elle pas immorale ? 2/ À quelle longueur faut-il porter ses rouflaquettes cette année, et est-ce que ça ne fait pas trop métrosexuel de mesurer ses rouflaquettes ? 3/ Le taux d'emprunt de l'an dernier n'était-il pas plus avantageux, si on se base sur l'indice de construction et en prenant en compte les récents amendements de la loi Robien 2 ?).

C'est amusant de voir ma meilleure copine du lycée rire avec ma meilleure copine de ma vie d'adulte... le passé et le présent, si différentes. Je crois qu'à l'époque du lycée j'avais surtout besoin d'avoir une amie fidèle et complémentaire, qui me suivrait partout.

Devenue adulte, je ne cherche plus les mêmes qualités chez mes amies. Géraldine est plus âgée que moi, et pas du genre à suivre qui que ce soit où que ce soit. Indépendante, grande gueule, grosse fumeuse, du genre « mère indigne revendiquée », avec un grand fils dont elle aime raconter qu'elle a accouché en une heure par césarienne parce que, elle, elle n'a « pas que ça à f**** d'accoucher » et qu'elle « ne compte pas rester bloquée au Parlement européen toute sa vie, l'an prochain c'est un ministère ou rien », Géraldine a toujours un avis sur tout. Elle parle cinq langues et connaît assez de personnalités politiques pour avoir toujours une anecdote croustillante à raconter sur un maire ou un ministre délégué. Élue sans étiquette dans un groupe écolo apatride, elle s'est parfaitement entendue à la fois avec Émilie et avec son mari Franck, obsédé par les OGM et les phtalates (sauf dans la bière, visiblement). Géraldine s'entend toujours bien avec les maris des autres.

Géraldine et Émilie n'ont pu échapper à la traditionnelle rivalité entre ex et nouvelle meilleure amie.

Elles ont tenté de jouer à « qui connaît le mieux Morgane » : Émilie a préparé des lasagnes au chèvre, mon plat préféré au lycée, et un tiramisu au Nutella (dont Franck nous apprend qu'il peut donner onze formes de maladies de la thyroïde). Elle ne pouvait pas deviner que mon régime ne me permet plus ce genre d'excentricités. Une ligne comme la mienne s'entretient ! Ce n'est pas en mangeant des lasagnes et du Nutella que je pourrai passer le cap des 30 ans avec des abdos dignes d'une pub Oenobiol.

Géraldine a immédiatement compris et, d'un accord tacite, nous avons tu l'existence de ma diététicienne (qui aurait fait un infarctus en voyant ce menu sur le thème « hydrates de carbones en folie »). Géraldine aurait pu clamer : « Ah, ah, tu as perdu, Émilie ! Le plat préféré de Morgane est : une canette de Coca light avec paille pour protéger l'émail de ses dents et un sachet hyperprotéiné. » D'ailleurs, Émilie a commencé par mentionner sa copine Assia en la qualifiant de « meilleure amie », et en fin de repas elle est juste devenue « une copine », peut-être pour ménager ma susceptibilité. Comme si l'attribution du qualificatif « meilleure » renfermait toute une suite de privilèges et d'apanages enviables. Pour ma part, je ne trie plus mes copines depuis le lycée : potes de soirées, amies, confidentes, belles-sœurs, Facebook friends rentrent toutes dans la vaste case « mes copines ». Et puis, après plus de douze ans sans nous voir, nous ne pouvons décemment pas exiger l'une de l'autre d'être restée fidèle à un lointain souvenir d'amitié. Mais je n'ai pas envie de penser à la façon dont celle-ci s'est terminée, je secoue la tête pour chasser cette pensée comme on chasse une mouche.

Avant le dessert, Émilie me sort de son garage un énorme sac de vêtements de grossesse, comme l'a déjà fait la sœur de Basile, Perle, le week-end dernier. En fait, quand vous êtes enceinte, l'ensemble de votre entourage semble voir un gros panneau accroché sur votre dos : « une pièce en plus – garde-meuble-stockage ». J'ai annoncé ma grossesse à six femmes, et sur les six, cinq ont immédiatement proposé – imposé – de me « prêter des affaires de grossesse, tu me les rendras plus tard ». Comme si j'allais me souvenir de ce qui appartenait à qui !

J'ai donc déjà une baignoire pour bébé (« Il manque le bouchon, mais tu peux bricoler un truc, elle n'a servi qu'à six bébés »), un porte-bébé du début des années 2000 (visiblement interdit depuis, car plus aux normes, d'après mes différentes recherches Web) et deux valises de vêtements bas de gamme immondes.

Émilie est calée sur la maternité, mais elle est aussi douée pour la mode que Jaime Lannister pour la médiation. Un grand sourire aux lèvres, comme si elle me remettait un bijou familial, elle me tend un nouveau sac de vêtements de grossesse. En ouvrant les fermetures, l'odeur de vieille cave moisie et le brillant du synthétique me sautent au visage. Je n'ai pas besoin de lire l'étiquette « 100 % polyester » pour savoir que je ne porterai pas une seule fois ces vêtements de grossesse qu'elle-même doit tenir d'une belle-sœur quelconque. Je remercie poliment, et la supplie hypocritement de ne pas m'en sortir d'autres « faute de place ».

Je tripote une immonde minibrochette sur cure-dents « rond non identifié mais trop sucré/framboises confites/fraises Tagada » à 500 calories la bouchée. Je me dis que si j'étais aussi sympa que Basile j'aurais fait un compliment sur l'harmonie des couleurs. À cet instant précis, j'entends ma moitié dire à Franck :

– Ta femme est très douée pour allier les couleurs en cuisine.

Franck hausse les épaules et fait un commentaire sur la gélatine à base de cartilage de porc des Haribo.

Émilie enchaîne :

– Ah oui, faut t'inscrire ! Moi, à six mois, j'ai eu un problème, eh bien, on m'a dit d'aller à l'hôpital où j'étais inscrite.

Sa sollicitude me donne des remords, et je me jure de porter au moins une fois l'un de ses vêtements de grossesse (sous un pull) (et d'envoyer la photo à un site de fashion police). Émilie me demande alors si j'ai des nausées ou si je vomis, si j'ai des fuites urinaires, si je suis constipée, si je veux son reste de crème antihémorroïdes et si mes tétons gouttent déjà du colostrum. Elle précise qu'il s'agit d'un pré-lait épais et jaunâtre qui perle parfois au bout des seins des femmes enceintes, pour mieux préparer le lait de la « tétée de naissance ». Je prie pour que Basile n'ait pas entendu ça. Elle enchaîne sur l'inconfort qu'ont suscité les pertes de colostrum lors de sa deuxième grossesse. Géraldine ne semble pas choquée outre mesure par ces conversations très... corporelles, elle confirme qu'elle trempait ses draps les derniers mois de sa grossesse à elle. Glamour. Si être enceinte, c'est parler sans pudeur des aventures de nos fluides à table, je ne suis pas sûre d'apprécier.

Je n'ai pas vu les deux heures du retour passer, tout à ma joie d'avoir renoué avec mon amie Émilie et de voir que nous n'avions pas évolué si différemment l'une de l'autre. Je n'ai pas l'impression d'avoir retrouvé une amie perdue de vue pendant plus de dix ans, j'ai juste l'impression de poursuivre une conversation après une parenthèse de quelques années mises sur « pause ». Même si aucune de nous n'a encore osé aborder directement la raison de notre éloignement de l'époque...

Le lendemain, dès le réveil, il me semble que les odeurs sont décuplées : dans l'escalier de mon immeuble, une odeur de pierre et de renfermé, devant la porte de la voisine, une odeur de vieux chien mouillé – son labrador, ou l'haleine du facteur, je ne sais pas. Dehors, j'identifie les voitures à leurs différents pots d'échappement, je reconnais nettement les différents parfums des passantes et le fumet de la rôtisserie, à jeun et à 8 heures du matin, me donne envie de rendre mon dîner au gluten de la veille.

Arrivée au bureau, je badge, passe le portillon maudissant intérieurement Pablo, le Brésilien de la cafète, dont l'odeur de café noir envahit le hall. De l'entrée, je peux voir une Audi garée en double file. À l'intérieur, mon collègue Lorenzo galoche une blonde à pleine bouche. Je rejoins l'ascenseur en me demandant si je la connais et pourquoi il arrive si tôt.

– Salut, ça va ? Un café ? me propose Édith, une chef de pub.

À mon étage, seules deux femmes ont des enfants. Marie-Anne, dont tout le monde se moque parce qu'elle parle au téléphone à ses enfants comme s'ils étaient ses clients : « Je te trouve sous-staffé en termes de devoirs, je vais chercher une presta pour te briefer en maths et on va tenir l'objectif de 14 » (on a même un jeu : clients ou enfants ? qui consiste à deviner à qui elle parle), et Édith, donc.

Elle arrive chaque matin avant tout le monde pour pouvoir repartir aussi avant tout le monde, nous regardons alors tous nos montres : « Édith s'en va, il est bientôt 18 heures ! » Au début, elle avait chouiné : « La crèche ferme à 19 heures... » Nous avions tous répondu : « La Poste aussi. Fonctionnaire... », comme si c'était une insulte.

Bien sûr, j'ai hurlé avec les loups, alors qu'au fond je savais cela injuste : non seulement les fonctionnaires ne finissent pas tous avant 18 heures, mais en plus Édith a une productivité démente. Ce matin, je suis tentée de lui dire que je suis enceinte, par connivence, que j'ai été injuste de me moquer d'elle et lui demander comment elle fait pour tout gérer, et si elle n'est pas frustrée de n'avoir pas plus de reconnaissance pour une histoire d'horaires et de ne voir ses gamins qu'après 19 heures. Contrairement à Émilie, Édith travaille déjà tout en ayant des enfants. Après tout, même si elle est proche de Jean-Jé, elle se ralliera sans doute à moi quand je serai nommée vice-présidente.

– Édith, je...

Une remontée de nausée me surprend.

– Je...

Mais pourquoi une quadra s'obstine-t-elle à porter Coco Mademoiselle ? L'odeur de vanille de synthèse envahit mes narines.

– Je suis désolée !

Je pars en courant vers un lieu que la décence m'empêche de décrire ici, mais Édith doit penser que j'ai un pli urgent à déposer au courrier, au sous-sol. Je me console en me disant que j'ai sans doute évité d'hériter d'un énième carton de vêtements taille 12-18 mois. Je croise Jean-Jé qui évoque avec Édith la fête du Nouvel An organisée chez lui, à laquelle toute l'agence est visiblement conviée, sauf moi. De toute façon, même si j'avais été invitée, je ne serais pas venue. Basile et moi sommes contre le concept même de Nouvel An, à savoir une fête arbitraire où le dogme du bonheur sur commande règne en maître. Nous avons donc prévu, comme chaque année, de rester chez nous regarder des séries sur mon ordinateur et commander des plats chinois. Mais, avant cela, mon père et Brigitte doivent venir passer Noël à Paris. Je découvre qu'un utérus habité a le pouvoir d'aimanter nos propres parents : ceux de Basile aussi doivent nous rendre visite après les fêtes. J'ai aussi hâte de les voir que de recevoir ma déclaration d'impôts.

Émilie

Un Noël de plus à classer dans le dossier « photos à développer » de l'ordinateur.

Nous avons fêté le réveillon chez nous, avec la famille de Franck. Les yeux brillants de ma fille quand elle ouvrit ses cadeaux et les rires de mon fils quand il froissa les papiers scintillants consolèrent un peu ma nostalgie. Je me suis attachée à ce qu'ils aient chacun exactement ce qu'ils avaient demandé dans la lettre envoyée au pôle Nord quelques semaines plus tôt.

Ma belle-mère a régenté Noël comme elle avait déjà régenté notre mariage, prenant tout en main ou, plus exactement, me prenant tout des mains. Elle a installé sa nièce Cécile à côté de Franck et a oublié de me donner une place. In extremis, on m'a reléguée à la table des enfants, pour ne pas perturber le plan de table. Sous le sapin, au milieu des paquets-cadeaux, j'ai trouvé une crème antivergetures et un bon pour une vidange étiquetés à mon nom. La mère de Franck a vanté à Cécile les qualités de mon mari, et j'ai eu envie de crier : « Allô, Franck est déjà marié, et, même si Noël est une fête de famille, ce n'est pas une fête où l'on flirte avec les membres de sa propre famille ! » Mais évidemment je ne dis rien du tout, j'accompagnais en play-back les chants des enfants et, dans l'indifférence générale, j'ai prétexté une indigestion pour aller faire un tour voir ailleurs si la 4G y était, juste après le passage du « Père Noël » (l'oncle Thierry, bourré à l'alcool de poire, avec une barbe synthétique et des baskets Nike – il ne rentrait pas dans les bottes du déguisement).

Qui se soucie de faire croire aux mères de famille que le Père Noël existe en leur offrant ce dont elles rêvent ?

En me promenant, dans ma robe à paillettes un peu ridicule, avec ma doudoune achetée en solde au supermarché, il me semble avoir aperçu au loin le père du petit Thorrible, copain de classe de ma fille. Je n'ai pas osé l'approcher, je n'avais pas mes lunettes, et puis comment justifier de me retrouver dehors sur une route de campagne le soir de Noël ?

Dès le lundi suivant, j'ai retrouvé le casse-tête chinois des formalités administratives et son cortège de conversations kafkaïennes :

– Bonjour-bienvenue-à-l'antenne-de-la-CAF-de-Chartres, récite une voix monocorde.

– Bonjour, madame ! Je vous téléphone car je vous ai envoyé un courrier et je voulais savoir si vous l'aviez bien reçu ? Il s'agit d'une demande de fin de congé parental, pour me permettre de chercher un emploi.

– Vous avez regardé sur Internet ?

– Oui, je voulais vérifier sur Internet, mais j'ai égaré mon identifiant.

– Donnez-moi votre nom et votre identifiant ?

– Comme je vous le disais, j'ai perdu mon identifiant.

– Mais pour accéder à votre dossier et vous renvoyer un identifiant, je dois rentrer d'abord votre identifiant. Sinon, je n'ai pas accès à votre dossier et donc pas à votre identifiant.

– D'accord... alors, pouvez-vous juste me dire si vous avez reçu mon courrier ?

– Quel est votre identifiant ?

– Mais... je vous dis que je l'ai perdu ! Je veux juste savoir si vous avez bien reçu mon courrier.

– Dans ces cas-là, il va falloir nous envoyer un courrier...

– Pour vous demander si vous avez reçu mon courrier ?!

– Voilà. Le délai de réponse est de dix jours environ. N'oubliez pas d'indiquer votre identifiant sur le courrier.

Je ronge mes ongles des auriculaires, les derniers qui restent un peu longs, et attaque un premier paquet de Granola en essayant de me calmer. Je prépare les enfants en un temps record et file directement au Pôle Emploi. Je ne sais pas exactement à quoi je m'attendais, peut-être imaginais-je une vaste maison accueillante et chaleureuse dans laquelle des dizaines d'écrans d'ordinateurs feraient défiler des centaines d'offres d'emploi. Après une très longue attente, un zombie vient au comptoir de l'accueil :

– Je viens pour chercher un emploi.

– Vous êtes inscrite ici ?

– Non, je suis en congé parental.

– Dans ces cas-là, vous n'êtes pas en recherche d'emploi.

– Mais si ! Je cherche un emploi ! Justement, je voudrais retravailler.

– Ici, on ne s'occupe que des demandeurs d'emploi inscrits.

– Bien. Alors j'aimerais consulter les offres d'emploi disponibles, et laisser un CV, peut-être.

– Permettez ? Paulette ! Viens voir la dame, là. Tu vas rigoler : elle cherche un travail. Elle veut nous laisser un CV ! Ah, ah, ah...

Ladite Paulette se traîne jusqu'à l'accueil où elle retire ses lunettes pour mieux vérifier la bonne blague, rit franchement, me toise et retourne s'asseoir en répétant : « Un CV, elle est bien bonne... » Je sors tout de même un CV de mon sac et le punaise sur le panneau en liège, puis vais chercher Dali – elle débranche la photocopieuse – et la poussette où Éliott vient de vomir. Je rentre chez moi. Après un échec. Encore. J'ai fini le paquet de Granola avant de partir. J'envisage d'attaquer les ongles de mes orteils. À défaut, je me rabats sur les cuticules en criant « SILENCE » aux enfants et à Gulli à travers mes doigts.

Franck suit toujours sa formation, non rémunérée. Nous avons pu payer notre mensualité pour la maison ce mois-ci, mais notre découvert s'élève à 1 200 euros. (Enfin, – 1 221,90 euros puisque la BNP nous a adressé un courrier facturé 21,90 euros pour nous informer que nous étions à découvert, au cas où nous ne saurions pas que nous n'avons plus de revenus.)

Tandis que je ramasse le puzzle Princesses de soixante-huit pièces que Dali a étalé au sol en un temps record (et refuse de ranger, le générique des *Winx* a commencé), mon téléphone portable sonne.

– Dali, tu peux répondre, s'il te plaît ?

– Nan, je regarde les *Winx*, maman.

Je ramasse mon téléphone en soufflant :

– Allô ?

Voix au téléphone : – Madame Benoît ? Ici Kelly Intérim, à Chartres. Nous avons bien reçu votre CV...

Moi, le cœur pulsant à 2 000 à l'heure : – Oui ?

Voix, un peu sèche : – Votre profil peut nous intéresser, mais nous avons besoin de savoir si vous êtes motivée pour retravailler après si longtemps.

Dali, chantant : – Si tu veux, demain tu peux être avec nous ! On est les Winx !

Moi, à voix basse, main cachant le téléphone : – Chérie, maman est en ligne pour du travail, silence !

Voix, impatiente : – Donc ? Nous disions, vos motivations ?

Moi, fort, dans l'appareil : – Oui, oui, je suis très motivée. Je veux travailler.

Dali : – Moi, je suis Bloom ! Bloom c'est la plus belle des Winx ! Elle est plus belle que Stella ! (en chantant) : Chaque jour, on va s'amuser, chaque jour on vit dans un conte de fées...

Voix : – Oui, mais pourquoi ?

Dali, en chantant encore plus fort : – Parce qu'on est les Winx !

Voix : – Je vous dérange, madame Benoît ?

Moi, stressée, survoltée, agitant les bras vers Dali pour lui faire signe de se taire : – Non, non, pas du tout, je pense que, oui, je suis motivée. (Je baisse le son de la télé.) J'ai besoin d'argent. Mon mari a été licencié.

Dali (montant le son de la télé) : – Maman, j'entends plus rien !

Moi, montant l'escalier quatre à quatre pour m'isoler : – Oui, je vous disais, mon mari a été licencié, donc je...

Dali (me poursuivant dans l'escalier) : – Maman ! J'arrive pas à mettre la robe de ma poupée Winx !

Moi, courant dans ma chambre, fermant la porte derrière moi : – Et donc, je cherche...

Dali, hurlant : – Maman ! On ferme pas les portes ! Vite, mets la robe de ma Winx ! Allez, maman, je rate tout le dessin animé, dépêche-toi !

Ses cris ont réveillé Éliott, qui hurle désormais de concert avec sa sœur un « Mamaaan » plaintif. J'ouvre prudemment la porte puis fonce au rez-de-chaussée, espérant semer Dali, je file jusqu'à la cuisine où j'ouvre la fenêtre pour masquer les cris avec le bruit de la tondeuse du voisin.

– Madame ?

– Je suis là, oui, on disait, on est les Winx...

– Pardon ?

– Non, excusez-moi, je mélange un peu tout, je garde mes deux enfants, là, et ils font du bruit.

– Mais vous n'avez pas de mode de garde ?

– Pas encore, mais j'en chercherai un plus activement dès que j'aurai trouvé un poste fixe.

– Je crois que je vous dérange, là. Rappelez-moi plus tard.

– Oui, à quel numéro ?

– Celui qui s'affiche.

– C'est un numéro inconnu.

– Alors je vous rappelle après le 1er janvier. Au revoir.

Inutile de préciser qu'elle ne rappela jamais.

J'ouvre la porte de la cuisine et, un bref instant, je lève la main et envisage de mettre à ma fille la première claque de sa vie. Je vois la petite tête de Dali, sa poupée Winx à la main. Passer un simple entretien téléphonique avec une agence d'intérim devient, avec des enfants, une mission digne de l'ascension de l'Everest en solitaire. Aussitôt, je m'en veux de lui faire porter la culpabilité de mon échec professionnel.

Elle s'approche de moi : « On a bien rigolé, maman, en faisant la course dans la maison, hein ? » Ma mignonne. À l'étage, Éliott hurle de plus belle. C'est officiel : je suis la pire mère du monde.

Morgane

Comme toutes les personnes en manque d'imagination, pour les fêtes, nos familles nous noient sous les box en tout genre. Nous disposons d'une box « week-end insolite » (chouette idée, enceinte, je rêve de passer la nuit en équilibre sur un baobab), une box « sport extrême » (« Ceci est un bon pour une fausse couche immédiate »), une box « restau gastronomique » dans le Périgord (je pourrais ainsi proposer à un site collaboratif un billet « J'ai testé pour vous… la toxoplasmose »). Nous avons aussi reçu un genre de prie-Dieu fait maison envoyé par la mère de Basile et un bon d'achat à dépenser chez Ikea.

Basile et moi avions toujours été d'accord sur ce point maintes fois débattu : une fois enceinte, je lèverais le pied. Plus question de travailler le week-end, le soir, de courir les promotions et les augmentations. En six ans chez ECG, j'ai gravi tous les échelons, stagiaire, assistante média, chef de pub, chef de groupe, directrice conseil…

Tous les ans, j'ai une promotion. Aussi nous en étions convenus : la Morgane working girl tournerait sur elle-même à toute allure comme Wonder Woman, et son BlackBerry se transformerait en biberon. Magie ! Basile me répète sur tous les tons : « J'espère que tu ne seras pas nommée VP, ça t'évitera d'avoir à refuser le poste. »

La vérité m'oblige à dire que Basile est peut-être un tout petit peu plus impliqué que moi dans *notre* grossesse. Pour un peu, c'est lui qui aurait envie de fraises. Il commence à prendre du ventre, a des sautes d'humeur et même parfois des nausées matinales. Il suffit que j'aie un symptôme pour qu'il le développe aussi. D'après un mail d'Émilie, ça s'appelle la couvade. J'ai eu le malheur d'apprendre ce terme à Basile et, depuis, dès qu'il a le moindre mal, il râle : « C'est ma couvade, ça... », comme il dirait : « C'est ma chimio, ça... » Le soir du Nouvel An, à 23 heures, il a fallu appeler SOS médecins, un peu surpris qu'on les dérange pour une histoire de bassin bloqué chez un futur papa.

Ce samedi, nous avons prévu d'aller chez Ikea pour dévaliser le rayon bébé. Notre appartement, « dans un esprit loft » avait dit l'annonce – expression légèrement exagérée pour désigner un F1 bis de 71 m^2 –, dispose d'un salon tout en longueur comprenant une cuisine séparée par un bar. Au fond, une porte coulissante distingue le salon de la chambre, un cube avec juste assez de place pour un lit et une table de chevet.

Par un jeu de meubles et de paravents, nous avons prévu de déplacer l'espace bureau du salon pour créer une chambre pour le bébé. Après deux allers-retours chez Ikea à moto, nous devons y retourner valider notre commande.

Notre première discussion me revient, au Cubana Café. Sous prétexte de faire visiter Paris à ce nouveau prestataire originaire de Marseille, j'ai réussi à l'embrigader dans une grande marche à travers la ville, à la tombée de la nuit. Nous nous étions moqués des couples « mariés, deux enfants » qui passaient leurs samedis chez Ikea, nous avions omis de manger et, avant de nous embrasser entre le Luxembourg et La Closerie des Lilas, nous nous étions promis que jamais nous ne deviendrions un de ces petits couples routiniers qui possède une table et quatre chaises de cuisine, un labrador, des pyjamas assortis, des serviettes de toilette « Elle & Lui », un monospace et un abonnement à un programme télé. Jusque-là, nous avons tenu bon notre idéal. Aussi, cette virée chez Ikea n'est pas seulement un acte de consommation, elle marque notre entrée du côté des vieux, des parents, des darons.

L'amour dure trois ans : « La première année, on achète les meubles, la deuxième année, on déplace les meubles, la troisième année, on partage les meubles. » Beigbeder se trompe. La véritable étape cruciale en termes de meubles, la vraie mort mobilière du couple, ce n'est pas « choisissons entre ton lit et mon lit, mettons ta télé dans la cuisine et achetons des rideaux ». Non, l'étape mobilière qui sonne le glas du couple, c'est l'achat d'une chambre de bébé.

Désormais, notre vie ne sera plus jamais une comédie romantique comme lorsque, libres et heureux, nous faisions l'amour dans des halls d'immeubles à 3 heures du matin ou lorsque nous marchions des heures durant sans destination précise dans Paris la nuit, seuls au monde comme tous les amoureux, ignorant les SDF, les gens bourrés en sortie de bars, les touristes égarés ou les bus de nuit SAMU social. Nous ne les voyions pas, alors, nous ne voyions que notre amour, la lumière des réverbères dansant sur la Seine, les phares des voitures qui saluaient notre union, les scintillements lointains de la tour Eiffel (« Elle brille pour toi ») et les bancs publics qui semblaient n'attendre que nos baisers.

Nous avions le sentiment d'évoluer dans le décor d'un film de Woody Allen. Il n'y a bien que deux catégories de personnes pour trouver Paris romantique : les cinéastes américains et les amants. Quand un couple urbain commence à prendre Paris en grippe, méfiance : c'est signe que son amour se délite.

Basile ne veut plus sortir le soir. Ses amis m'inondent de SMS pensant que je le séquestre au gré d'un chantage au placenta. « Allez, Morgane, secoue Basile, passez Chez Prune, il y a un groupe de pop indé. » « Basile et toi venez voir notre nouvel appart jeudi soir ? Soso » « Séance Ken Loach à L'Entrepôt, permission de minuit pour Basile ? » Ils ont même créé un « Front de Libération de Basile Cissé », page Facebook comptant vingt et un fans réclamant que Basile sorte de nouveau. Peine perdue, il ne répond à rien ni à personne, ne consulte même pas son répondeur et dédaigne ses SMS.

À peine notre semblant de dîner avalé, il disparaît et revient quasi aussitôt en pyjama. En pyjama ! Est-ce qu'il tourne aussi sur lui-même comme un anti-superhéros ? Invariablement, il se frotte les yeux : « Je vais me mettre dans le lit. Je dois recharger mes batteries. » Dans le lit, impossible de lui faire faire autre chose que dormir. *Game of Thrones* lui donne la nausée. La lumière lui donne la migraine. Mon corps ne lui donne pas envie de quoi que ce soit. Quand j'arrive à le persuader qu'un minimum syndical de sexe serait bienvenu, il me fait l'amour poliment, par courtoisie, comme un hôte dit à ses invités : « Oui, allez-y, vous pouvez fumer », alors qu'il ne pense qu'à une chose : vivement qu'ils s'en aillent, que je me précipite sur les fenêtres pour aérer et brûler du papier d'Arménie !

Au fond, sous ses airs politiquement incorrects, Basile a des aspirations de vie bourgeoise. Cette virée chez Ikea semble être, pour lui, le summum. L'instant qui l'intronisera Père de Famille, avec plat de l'épée posé sur l'épaule et ruban rouge accroché à la veste, au nom du Père, du Futur Fils et du Saint-Esprit. Choisir un lit à barreaux en contreplaqué à 59,99 euros me déprime d'autant plus que bébé, à Corte, je dormais dans un berceau en ébène dans lequel ma mère avait dormi avant moi – impossible de remettre la main dessus.

Le tintement de mon BlackBerry annonce un nouveau mail. Annick convoque l'ensemble des destinataires (Lorenzo, Jean-Jérôme, Sophie et moi) dans une heure à son bureau. Un « gros fail sur la prés' » à résoudre immédiatement. Nous avons utilisé Arial, qui saute sous Mac et plante le reste de la mise en page. 247 slides. Les *sales* sont furieux.

Basile sort de la salle de bains où il s'est longuement passé du fil dentaire (« Il faut prendre soin de ses dents pendant la grossesse »). Il agite fièrement le catalogue Ikea, d'où dépassent de nombreux Post-it fluo. « Prête ? » Je m'efforce de prendre l'air contrarié et grimace :

– Annick nous convoque tous.

– Tu rigoles ?

– Non, Annick demande...

– Annick ! Annick ! C'est Annick qui va monter la chambre du bébé peut-être ?

– T'énerve pas... Écoute : va chez Ikea. Je vais à Suresnes. J'en ai pour moins d'une heure. Je te rejoins là-bas, on passe nos commandes comme prévu et on finit l'après-midi ensemble. Ça te va ?

Basile met deux sucres et une bouteille d'eau dans un sac à dos au cas où « l'affluence lui donne le tournis », dépose un baiser chaste sur mon front, une caresse appuyée à destination du bébé sur mon ventre et file.

À mon arrivée, tout le monde s'affaire déjà. En voyant la tête d'Annick, je comprends que je ne serai jamais chez Ikea avant la fermeture. Lorenzo dit qu'il était en pleine partie de baise avec une blonde, Sophie qu'elle rate son rendez-vous pour une épilation du maillot chez la nouvelle esthéticienne chinoise de la rue de Belleville et Jean-Jé que, pour une fois, il était tranquille sans sa femme et faisait des recherches sur le bénévolat en Birmanie (mais bien sûr). Annick nous muselle du regard :

– Dis-moi, Morgane, ça ne te dit rien un AO du Parlement européen avec un lot com' instit' ?

– Non. (Si, j'ai détourné un message téléphonique de Jean-Jé, pourquoi ?)

– Fais-toi briefer par Jean-Jé en fin de journée. Il a des *pipes*. On continue...

À 17 heures, nous n'en sommes qu'à la slide 24 et j'ai onze appels en absence. Tous de Basile. La sonnerie du fixe. Annick, Jean-Jérôme et moi nous fixons (Lorenzo et Sophie sont allés se repoudrer le nez de l'intérieur). Qui peut bien nous appeler un samedi après-midi au bureau ? Annick décroche, hoche la tête, fait « hmm, hmm », repose le combiné.

– Morgane, tu peux rentrer chez toi, dit-elle sans lever la tête de son ordinateur.

– Mais, non, je veux...

– Rentre.

Je ne comprends pas bien, je rassemble mes affaires et pars. Mon téléphone sonne :

– Tu devais en avoir pour une heure ! J'ai fini par appeler Annick.

– Et quelle excuse tu as donnée ?

– Quelle excuse ? Tu plaisantes ? Ce n'est pas à moi de donner une excuse ! C'est à elle de trouver une excuse pour faire venir bosser ma femme un samedi après-midi ! Je suis devant l'immeuble. Je lui ai juste dit que j'étais en bas, que j'étais venu te chercher et que je t'attendais.

– Tu es à Suresnes ? Et Ikea ?

– Si ce n'est pas important pour toi, ce n'est pas important pour moi.

Mi-romantique, mi-furieux.

Annick craint un peu Basile. Son cabinet d'avocats et notre agence partagent plusieurs gros clients. Et, à choisir, les clients écoutent plutôt leur avocat d'affaires que leur conseiller en communication… Il faut dire que Basile a un genre de don. Autant je peux m'embrouiller dans la rue avec des inconnus pour une raison obscure, autant lui part toujours de tout avec un a priori positif. Les gens l'apprécient naturellement.

Dans un bar, c'est toujours vers lui que les gars bourrés viennent dire « t'es mon meilleur pote », et ce même si leur seul échange a été de se tenir la porte des toilettes. Une fois, un type a sonné chez nous pour nous vendre des calendriers. Basile lui a parlé trois minutes. Le type est reparti en s'excusant. L'année d'après, on l'a vu en portrait dans *Management* : il avait créé le plus gros site français de calendriers personnalisés.

Quand j'ai rencontré Basile, j'ai commencé par trouver qu'il était attirant, avant d'apprécier son travail, ses expressions marseillaises dissimulées sous un faux accent parisien (« On craint dégun ») et d'aimer ses amis. Je crois qu'à l'époque j'étais même amoureuse de ses chaussettes sales.

J'ouvre mon ordinateur et profite de cette virée annulée pour envoyer un long mail à Émilie dès notre retour chez nous. À mon tour d'honorer ma partie de notre pacte. J'écris une belle lettre de motivation et même une lettre de recommandation à en-tête ECG dans laquelle j'explique avoir fait appel à Émilie comme consultante indépendante sur des « clients libéraux » (moi). Je lui liste les phrases à ne surtout pas dire, comme « mes loulous sont ma priorité absolue <3 » (son dernier statut Facebook).

Émilie

Après le fiasco du rendez-vous téléphonique, j'ai enfin un premier entretien d'embauche. Les conseils de Morgane sur la façon de mettre mon expérience de maman en valeur sur mon CV ont porté leurs fruits. Sur mon répondeur, une voix féminine m'a appris que M. Zeller se réjouirait de me rencontrer. Une grande surface culturelle de Chartres cherche une libraire/vendeuse de livres pour son rayon « puériculture ». Je suis imbattable, je peux réciter tous les livres par cœur et je possède la plus grande collection de guides de maternité de la région Île-de-France-Centre. Avec en plus mon expérience personnelle et mes études de médecine, impossible de trouver une candidature plus adaptée que moi. Pour la première fois, je me sens pleinement compétente !

Sur le forum, ma copine Assia a créé un topic : « Déposez ici vos bonnes ondes pour Mimimaman qui passe un entretien d'embauche ☺ ! » Oui, Mimimaman est un pseudo ridicule, mais *si fueris Romae, Romano vivito more*. Même Virginie Despentes enceinte prendrait un pseudo du type « Fleurdamour » sur les sites de maternité.

Pleine d'un entrain dynamique, aussi excitée que Many devant ses outils, je suis décidée à ne pas faire remarquer à Franck que ça fait aujourd'hui quatre ans exactement que nous habitons cette maison, qu'il lui manque encore des cloisons, des peintures, des fenêtres et une rampe à l'escalier. Non. Rien ne gâchera mon bonheur, ce jour qui marque mon retour à la vie active. Enfin, des gens vont m'appeler autrement que « la maman de... », me demander mon avis, s'intéresser à moi, me féliciter pour ce que je fais – chose qui ne se passe jamais à la maison. J'attends avec une impatience enfantine son retour de formation pour partir à la rencontre de ma nouvelle vie. J'ai tiré du lait pour Éliott, préparé le goûter de Dali, imprimé trois CV (un pour le recruteur, un pour moi et un en cas de problème, conseil de Morgane) et revêtu mon plus beau tailleur. Certes, il est un peu étriqué – la dernière fois que je l'ai porté, c'était après une longue phase Protéines Pures, pour l'anniversaire de Dali. Depuis, j'ai repris ces kilos en triple – mais il est impeccablement repassé, et même assorti d'un ensemble de bijoux turquoise. Je maintiens soigneusement Éliott à distance pour éviter tout incident relatif à un reflux gastrique. Il me reste un tour d'horloge pour régler deux-trois détails comme le sérum antipointes sèches périmé depuis 2010 (c'est ça ou rien), les coussinets d'allaitement, la dernière touche de gloss.

Je m'efforce d'éviter mon regard dans la glace, mais je ne peux échapper à mon sourire forcé plus effrayant que « performant ». Je ressemble au Joker.

Si Franck arrive maintenant, je pars dans la foulée, j'aurai même dix minutes d'avance à mon rendez-vous. Je m'entraîne devant la glace de la salle de bains, avec une brosse en guise de micro, comme si on allait m'interviewer – conseil de Morgane : « Oui, merci, j'ai beaucoup de connaissances sur les livres de puériculture… C'est mon rayon, huhu ! Vous savez, j'ai deux enfants… j'ai fait des études de médecine ! » Il faudra que je pense à rentrer le ventre tout de même, histoire de ne pas faire péter le bouton du chemisier. La sonnerie du téléphone retentit.

– Dali, va répondre !

– Je peux pas, je regarde *Dora*.

– Va répondre, c'est un ordre !

– Je vais rater *Dora* ! Tu veux pas que *j'apprende* à parler anglais ou quoi ? chouine ma fille en commençant à simuler le bruit des larmes.

– Dali, tu décroches tout de suite ce téléphone, sinon j'éteins *Dora* et j'appelle les vampires pour qu'ils mordent ta Barbie Raiponce !

Ne me jugez pas. J'entends ma fille se lever, soupirer, mettre pause sur son dessin animé et répondre au téléphone. Pendant que je descends l'escalier, elle me tend le combiné :

– Tiens, c'est papa.

Franck ? Il a dû égarer son bip de portail.

– Allô, je suis désolé…

– Pitié, Franck, dis-moi que tu m'appelles du coin de la rue ?

– Non, je suis navré. Je suis bloqué, l'atelier n'est pas terminé, et malheureusement je dois rester jusqu'à la fin si je veux valider mon certificat.

– Franck, on parle de mon avenir, là. De ce qui va nous faire vivre, payer nos remboursements de la maison, les repas des enfants, l'EDF…

– Désolé, t'as qu'à repousser. T'iras au prochain ?

– Au PROCHAIN ? Mais c'est mon premier entretien depuis des mois ! Franck, tu te fous de moi, là ? Dis-moi que c'est une blague… ?

Le silence au bout du fil me confirme que ce n'est pas une blague. Hors de question que je renonce à cet entretien d'embauche, pour lequel j'ai tant bataillé ! Je pense demander à ma mère de venir garder les enfants mais, en cinq ans, elle n'a trouvé le temps de lâcher son cabinet et ses bouteilles de vin blanc pour mes enfants que deux fois.

Et encore, elle a abrégé la deuxième fois : mon frère lui a demandé de venir le chercher de toute urgence au Trocadéro où il venait de se faire voler son portefeuille. Quand je lui ai demandé de garder Dali pour que j'aille accoucher d'Éliott, elle m'avait répondu : « Ça ne m'arrange pas. »

Et la mère d'Inès ? J'ai assez gardé sa fille, gratuitement qui plus est, pour qu'elle me rende ce petit service. Sa réponse tombe : « C qui ? je connais plsrs Émilie. Merci davance. » Il reste les parents de Franck... J'ai peu envie de parler à sa mère qui essaye toujours de recaser son fils avec une de ses nièces (la consanguinité, ça lui dit quelque chose ?). Je compose tout de même son numéro. « Bonjour, vous êtes au 06... » Je ne peux compter sur personne.

Une petite voix en moi me rappelle cette internaute toute fière d'avoir raconté : « Moi, tous les matins, je bois mon petit café en ville pendant que mon bébé dort seul à la maison, j'en ai pour moins d'une heure, il ne lui est jamais rien arrivé. » Je me dis qu'il serait chouette de pouvoir leur laisser une litière comme le chat et un biberon d'eau accroché au lit à barreaux, comme à la cage d'un hamster, et je rougis aussitôt de cette pensée.

Djingle. « Vous êtes bien sur Europe 1, aujourd'hui David Abiker décrypte le buzz du jour, une mère égoïste et carriériste abandonne ses enfants chez elle pour aller passer un entretien d'embauche. Le courageux papa suivait une formation professionnelle, il est abasourdi. Les internautes en appellent au rétablissement de la peine de mort, David vous nous expliquerez cela après le flash de 18 heures. »

J'imagine l'incendie, l'inondation, la chute dans les escaliers, et moi, éplorée, serrant très fort leurs doudous devant leurs petits corps inanimés ; je visualise les policiers me passant des menottes, et Justine Després au micro de France 3 Paris-Île-de-France-Centre : « Je me doutais qu'elle était peu fiable, les ongles de sa fille étaient rarement bien coupés, et elle arrivait toujours en retard à l'école. On dit qu'on a retrouvé un désordre inhumain dans la maison, elle ne vivait manifestement plus chez elle... » Mauvaise idée. Je n'ai pas le choix, je vais emmener les enfants avec moi.

J'achève *Dora* d'un coup de télécommande, tandis que Dali se roule par terre en criant : « T'es une méchante maman ! Je te *péteste* ! » (déteste, j'imagine), j'enfile son Babygro à Éliott, glisse son biberon de lait tiré dans mon sac à main, fais sortir tout le monde et installe les sièges auto en un temps record. Avec juste dix minutes de retard, je me gare devant la rue piétonne, retouche rapidement mon maquillage et fonce dans la FNAC, me ruant vers l'accueil :

– Bonjour, j'ai rendez-vous avec M. Zeller.

– Oui, vous êtes ?

– Émilie Percheron Benoît, je viens pour l'entretien d'embauche.

J'accroche mon sourire de candidate idéale. J'ai bien détaché les syllabes « d'entretien d'embauche ». L'instant est si solennel qu'à tout moment un genre de valet en perruque et costume d'époque pourrait surgir et taper trois coups par terre avec un sceptre, puis me conduire à mon audience. L'hôtesse regarde la poussette où Éliott mange ses crottes de nez, puis Dali, les yeux rouges et les joues marron de Nutella. Elle me scrute de haut en bas, s'arrête un temps sur mon ventre, prévient sans un mot pour moi ledit M. Zeller de ma présence. Il descend juste avant que Dali n'ait le temps de mettre ses mains pleines de chocolat sur les beaux livres exposés.

– Alors, où est Émilie Benoît ?

– Là, monsieur Zeller...

– Bonjour ! lancé-je joyeusement.

Il fixe les enfants, incrédule.

– Je vous présente Dali, notre artiste. Et Éliott, mon garçon. Le dernier, rassurez-vous ! (Je fais un petit rire, genre message subliminal je ne vais pas partir en congé maternité, embauche-moi, merci, bisous.)

– Madame Benoît, vous m'aviez dit au téléphone que vous n'aviez pas de problème de mode de garde. Vous ne pourrez pas venir travailler avec vos enfants, vous le savez ?

– Oui, mais... en fait... j'ai un mode de garde. Je suis venue avec eux pour... vous... montrer comme je connais bien le monde des livres de puériculture. Tenez, par exemple : Éliott a de la fièvre. Il a le nez qui coule. Pour faire un autodiagnostic, il faut acheter : *Mon bébé est malade* aux éditions Baby. En attendant le rendez-vous chez le pédiatre, lire *Soigner vos enfants avec les plantes*.

En disant ça, j'attrape les livres repérés sur la table « nouveautés ». Je lui en ai mis plein la vue ! Il ne peut que m'embaucher. Je montre mes canines. Il recule.

– On peut continuer comme ça.

– Oui, on pourrait, on pourrait même continuer longtemps comme ça. Mais ici, ce n'est pas une émission de télévision, madame Benoît. C'est un lieu de travail. Manifestement vous avez beaucoup de connaissances, mais nous cherchons quelqu'un qui saura les mettre à profit, en arrivant à l'heure par exemple. Et sans enfants. Bonne journée, madame.

Qu'est-ce qu'il me fait, là ? Ça ne peut pas se terminer comme ça ! Où est ma première journée, ma nouvelle vie, mon moment de gloire, mon interview au JT de Marie Drucker ? Je ne suis même pas montée dans son bureau. Il faut que je fasse quelque chose. Surtout, ne pas pleurer. Chasser ces larmes. Il a déjà rebroussé chemin, il me montre son dos et se dirige vers l'escalier... Allez, Émilie ! Il faut que je le persuade sans avoir l'air désespérée...

– Je vous en supplie !

C'est sorti malgré moi. Pour l'air pas désespéré, c'est mal parti. Je me racle la gorge.

– Monsieur Zeller, je... J'ai apporté un CV ! dis-je en sortant de mon sac la pochette en plastique contenant mes trois CV.

M. Zeller se retourne. Il interroge du regard l'hôtesse d'accueil, qui ouvre les mains d'un air impuissant. Les clients défilent entre nous, fixant alternativement mes enfants et mes CV. C'est donc comme ça que se sent une mendiante roumaine ?

– Bon... je vous accorde trois minutes. Stéphanie, vous jetez un œil sur ses enfants ?

Ladite Stéphanie acquiesce. En montant l'escalier, je me répète :

« Études de médecine... deux enfants... beaucoup de livres chez moi... » Nous arrivons dans son bureau, il ferme la porte et désigne une chaise – j'imagine que c'est une invitation à m'asseoir.

– Alors, vous vous y connaissez, en livres ?

– Parfaitement ! J'adore les livres ! Je m'y connais bien en enfants, aussi, j'en ai deux… ben, oui, vous les avez vus, c'est vrai.

– Alors, comment définissez-vous un best-seller ?

– Comment… je définis ?

– Oui, à combien de ventes ? Ou à quel ratio exemplaires tirés/exemplaires vendus ?

– À combien… ?

– Bon, madame Benoît, vous avez un livre chez vous, c'est formidable. Vous avez des enfants, c'est merveilleux. Mais là je vous parle de gérer des stocks de livres, de les vendre, d'être en relation avec les diffuseurs…

Il se tait. Je n'ai même pas pu mentionner mes études de médecine. Il fixe mes seins, ce que je trouve vraiment inapproprié. Dois-je lui faire une remarque ? Lui dire que c'est grossier ? Qu'ai-je fait de mon manteau ? Il me tend un paquet de mouchoirs.

– Merci, mais je n'en ai pas besoin !

Que croit-il ? Que je vais pleurer ? Pas du tout ! Enfin, pas tout de suite.

– Si, vous en avez besoin… insiste-t-il en me tendant le paquet fermement, le regard toujours rivé sur ma poitrine. Je baisse la tête. Mon beau chemisier est orné de deux énormes auréoles foncées autour de chaque sein. Les auréoles s'étendent, et celle de droite goutte même ! Mon départ précipité… bien sûr ! J'ai omis mes coussinets d'allaitement. Je me sens nue, ridicule, minable… J'aurais été encore moins gênée si j'avais été *vraiment* nue.

Je ne suis bonne à rien, à rien, tout au plus à être mère, et encore : j'ai affublé mon fils d'un handicap imaginaire pour me permettre d'arriver en retard à l'école de ma fille… Sans dire un mot, je me lève, mets mes mains sur la poitrine dans un geste de pudeur vaine, et sors du bureau. Je dévale les escaliers quatre à quatre, fonce vers l'accueil où Dali tape son frère avec un livre de poche, attrape mes enfants et m'enfuis en courant de cet endroit où je ne veux plus jamais, jamais revenir. Je veux rentrer chez moi, enfiler mon pyjama d'allaitement, lire des blogs de mamans, allumer *Les Maternelles*, manger des Granola et envoyer ce moment gésir dans le cimetière de ma mémoire avec mes souvenirs de l'année du bac.

Morgane

Dans une vie antérieure, la mère de Basile était gorgone professionnelle. D'ailleurs, elle en a gardé la coiffure. Pour une raison qui m'échappe, il l'adore. Quand nous nous sommes rencontrés, il s'apprêtait à se faire tatouer « Maman » sur le bras. Quel miracle que Basile soit intelligent et indépendant, avec une mère pareille, ce n'était pas gagné d'avance. Il incarne la preuve vivante qu'une personne peut partir avec de mauvaises bases, tant sur l'inné que sur l'acquis, et s'en sortir quand même.

Elle nous honore de sa présence depuis 23 h 55, « le train était en Prem's ». En quatre minutes, elle a réussi à critiquer ma tenue, mon maquillage, nos meubles, notre quartier et même la forme de mon ventre « due au stress du travail ». Si je stresse, c'est plutôt à cause de son arrivée... Je souris poliment pendant que, très docte, elle nous dispense un cours magistral sur ces femmes douillettes incapables d'accoucher sans péridurale.

En m'endormant, je prie pour qu'elle prenne soin de mon plaid blanc en soie sauvage, un Armani Casa de leur ultime collection, avant qu'ils n'arrêtent d'en produire. J'ai prévu une surprise : un week-end tous frais payés à Barcelone pour quatre personnes, Basile, sa mère, son père resté à Marseille et moi, à la date de leur choix. Ils n'ont qu'à indiquer leurs disponibilités à l'agence de voyages, nous nous calerons.

En essayant de trouver une position pour respirer, je commence à regretter mon achat impulsif, que j'impute aux hormones.

Le lendemain matin, comme prévu, mon plaid en soie sauvage Armani Casa est tout ruiné par le maquillage de la mère de Basile (bon sang, elle n'a jamais lu un magazine féminin de sa vie, ou quoi ? On ne se couche pas sans se démaquiller, ça bouche les pores de la peau, même moi qui n'ai pas de mère, je sais ça). Elle ne cesse de demander : « Vous avez mis le chauffage ? » ajoutant à quel point le climat marseillais est délicieux, en comparaison, et combien sa vue sur les calanques lui manque – en réalité, vous apercevrez effectivement la mer de chez elle si vous êtes capable de sortir le buste par la fenêtre puis de tourner la tête à plus de 180 degrés comme dans *L'Exorciste*.

Basile, absorbé par sa contemplation du site Web de la maternité que nous avons finalement choisie, esquisse un sourire. Thérèse aboie :

– Doux Jésus, mon fils, la Vierge Marie, louée soit-Elle, a accouché dans la paille ! Si Elle avait attendu de trouver « l'endroit parfait », notre Seigneur ne serait jamais venu au monde…

J'ouvre grand les yeux pour signifier à Basile que c'est le moment de clouer le bec de sa mère. Il choisit de temporiser et propose de passer à table. La mégère en profite pour annoncer à la cantonade qu'une étude scientifique (lue sur un site créationniste ?) affirme que toutes les femmes peuvent allaiter si on les stimule. Elle se dévoue donc tout naturellement pour allaiter elle-même le bébé puisque je m'y refuse. Basile étale courageusement les fourchettes sur le bar pour éviter de s'en mêler. Sa mère en profite pour faire une remarque sur l'ourlet « mal fait » du pantalon de Basile et le lui retire presque de force.

Basile, en caleçon, mâchonne un morceau de pain.

– Hmm, Morgane ne sait pas coudre.

Quel hypocrite ! Ni lui ni moi ne *reprisons*, et il a fait faire ce costume sur mesure près de Saint-Lazare par le tailleur le plus cher de Paris.

– Oh, Morgane, mon petit, tu ne sais pas faire un ourlet ? Pauvre Basile, tu es tombé sur une femme moderne !

C'en est trop ! Elle est imbuvable. Elle a prononcé ces deux mots, « femme moderne », comme si elle avait dit « grosse souillon ». J'aurais tant voulu qu'il lui réponde qu'il m'aimait comme j'étais, qu'il ne regrettait pas son choix, et qu'à notre époque les avocats d'affaires étaient capables de déposer eux-mêmes leur pantalon à la conciergerie d'entreprise. Mais Basile reste muet.

– Tu ne comptes pas répondre ?

– Elle te trouve moderne, c'est plutôt sympa !

Basile entame une autre brochette d'agneau. Je repousse mon assiette.

– Non, Thérèse, je ne sais pas faire un ourlet. Vous savez pourquoi ? Parce que le dieu de la libération des femmes, avant d'engrosser la Sainte Vierge et de la laisser accoucher toute seule dans la paille comme une clocharde, a inventé Alloresto, les pressings et les BIBERONS !

Basile me fixe avec étonnement.

– Je crois qu'on a compris, Morgane…

La moue de Thérèse déforme sa bouche.

– Et je ne veux pas accoucher comme en l'an de grâce – 1 avant Jésus-Christ avec les trois barges en turban qui brûlent de l'encens devant moi en criant « Poussez ! » en araméen. Et non je ne veux pas allaiter, oui je veux une péridurale, et ça ne fait pas de moi une sous-mère, à part chez les intégristes de la Manif pour Tous et les barges comme vous !

– Morgane !

Basile ne me soutient pas du tout. Il se tient debout, à côté de sa mère, mi-vexée mi-triomphante, la main sur son épaule.

Elle prend une petite voix de victime :

– Je devrais peut-être aller à l'hôtel…

– Non, maman, reste là.

– Oui, restez là, Thérèse. Vous savez quoi ? C'est moi qui m'en vais !

J'attrape mon sac à main et m'apprête à faire une sortie théâtrale. Sauf que j'ai encore une serviette de toilette sur les cheveux et des pantoufles aux pieds. Je reviens en arrière, mets des bottines posées devant la porte, retire la serviette et la jette plus ou moins dignement sur le canapé.

Je sors la tête haute, munie seulement de mon sac à main.

Je claque la porte et me jette dans l'escalier quand j'entends la porte reclaquer derrière moi. Basile. Surtout rester digne. Ravaler mes larmes.

– Morgane !

– Quoi ?

– Tiens. Prends ça. Je sais que tu es têtue comme une mule et que tu ne remonteras pas, alors pars avec des copines, tu en as plus besoin que ma mère.

Basile me tend les vouchers pour Barcelone. Je me retiens de lui sauter au cou. Je sais que Géraldine est à Levallois cette semaine, elle prépare sa campagne de réélection, erre dans So Ouest ou se gave de sablés Michel & Augustin trempés dans de la Zubrowka pour oublier que l'ex-ministre-de-sa-vie est au Club Med d'Agadir avec sa femme et ses enfants. Dans la nanoseconde, elle me répond par texto : Prête ! L'agence de voyages me confirme que nous pouvons partir dès aujourd'hui.

J'envoie un SMS à Émilie : 3 jours à Barcelone tous frais payés entre filles, partante ? Si oui, tu as une copine à emmener ? J'ai 4 places en tout et Géraldine et moi motivées ++. Départ 15 heures.

Émilie

Pour la première fois depuis sept ans, je pars en week-end sans mari et sans bébé. J'ai cru que Morgane me faisait une blague ! Son SMS est arrivé à point, alors que je lavais les inscriptions de neige artificielle « Joyeux Noël et Bonne année ! » des baies vitrées, avec pas du tout deux mois de retard. Miraculeusement, alors que je me lamentais de cette belle occasion ratée, Franck a proposé de garder les enfants. Pour compléter, ma copine Assia est partante aussi : ses enfants sont chez leur père, ses beaux-enfants chez leur mère et le bébé avec ses grands-parents. Un miracle : la mère de ses deux beaux-enfants ne les « prend » pas aussi souvent que le jugement de divorce ne lui en laisse le droit. Les planètes sont probablement bien alignées… comme quoi, quand elles veulent !

Il me faut moins de trois minutes pour jeter un pull, un jean presque propre, une trousse de toilette et des dessous dans un vestige de sac de sport dont j'extrais deux Pom'potes écrasées.

Ce week-end à Barcelone entre copines est inespéré. Un voyage entre filles ! Pile le genre d'aventure qui me fait rêver. L'étranger, l'Espagne, l'El Dorado ! Barcelone, les plages, les bars : de vrais bars, avec de l'alcool, des cigarettes et des hommes.

Arrivée à l'aéroport, dans un Point Relay où Morgane essaye de cacher son *Closer* avec un *Philosophie Magazine*, je présente Assia : mère et entrepreneuse (elle dit : « mompreneur »), elle gère un site de e-commerce pour familles nombreuses « 4-5 kids » (il y a apparemment un jeu de mots avec « four » et « five », mais je ne suis jamais certaine de bien le comprendre, parce que les gens restent un peu trop silencieux pour un jeu de mots quand je l'explique). Assia a deux filles à elle, elle élève aussi les deux fils dont son mari a la garde et Tess, leur bébé commun. Elle a tout plaqué à la naissance de sa dernière fille pour travailler de chez elle. Assia est le genre de personnes qui a une centrale vapeur et un épilateur électrique, qui utilise les deux, qui étiquette ses sacs congélation et qui remplit les talons des chèques. C'est aussi le genre de personnes à se souvenir de la date de ta fête, de la date de l'anniversaire de tes enfants, de la date des résultats d'examens de ton chat. Franck l'adore : lui et elle ont passé des heures à décrypter l'étiquette « composition » des Granola avec passion pour en conclure que « je maltraitais mon corps en lui infligeant ça. »

Elle a deux fois plus d'enfants que moi et elle ne se plaint jamais, et se réjouit toujours de passer du « quality time » avec eux, même dans la file d'attente du RSI.

Je feuillette la brochure donnée d'autorité par Géraldine à l'aéroport. La couverture représente une fille de taille moyenne, vêtue d'un camaïeu de beiges, les bras croisés, barrée d'un très grand « Avec le Parlement européen, je dis NON à la contrefaçon ». Dans l'avion, Cindy Lauper hurlait « *Girls just wanna have fun* » dans ma tête.

Dans le taxi qui nous conduit de l'aéroport à notre hôtel, Assia lit précautionneusement son petit dictionnaire de poche Français/Espagnol. Elle essaye de comprendre ce que raconte le chauffeur de taxi. D'après la traduction de Géraldine, qui fume à la fenêtre du siège avant, il débite en catalan une somme de clichés sur les Français. Je perçois les mots « Zidane », « football » et « Zlatan ».

– En gros il trouve que, le foot français, c'était mieux avant. Et que les Espagnols vont gagner ce soir.

– Demande-lui comment on dit *dopage* en catalan ! lance Morgane.

Par l'intermédiaire de notre interprète, le taxi espagnol nous conseille de ne jamais aller au sud de notre hôtel.

– Not kiddind. Very danger ! Dangerous ! insiste-t-il, retourné vers la banquette, les sourcils froncés.

Il ajoute, un filet de bave aux lèvres, que nous sommes « muy guapitas », louche sur les fesses d'Assia et sort nos bagages du coffre. Après avoir posé nos affaires à l'hôtel et découvert une chambre digne d'un pensionnat de jeune fille, avec ses quatre lits simples alignés et son crucifix au mur, nous sortons en quête d'un bar. Rapidement, nous nous retrouvons devant une table garnie de tapas sous un écran géant.

– Qu'est-ce qu'on boit ?

– Ben, moi, de la limonade…

– On est solidaires. Quatre limonades !

– Je peux avoir un supplément grenadine ?

– Je peux avoir un supplément champagne ?

– Trois champagne-grenadine, et un diabolo-grenadine alors. Avec des pailles ! implore Morgane, psychotique de l'émail de ses dents.

Tandis que les commentaires footballistiques fusent, nous trinquons :

– Au mec le plus sexy de France.

Toutes en chœur :

– À Guillaume Canet !

Sauf Morgane, qui s'écrie :

– À Alain Juppé !

Avant de reprendre :

– Euh, non, à Guillaume Canet, bien sûr...

Le match de foot commence. Au moment de *La Marseillaise*, nous échangeons un regard et nous levons toutes quatre, main sur le cœur, pour entonner faux et à tue-tête : « Allons enfants de la patriiiiie, le jour de gloire eeeeest arrivééé ! » Les Espagnols nous regardent amusés, l'un d'eux lève son verre et crie : « Viva Francia ! » Tout le bar reprend en cœur : « Viva Francia ! » Alors que le coup de sifflet de l'arbitre retentit, un des Espagnols assis devant l'écran géant, écharpe du Barça autour du cou, se met à entonner : « Aux Champs-Élysées... Lalalala... Aux Champs-Élysées... Au soleil, sous la pluie... » Nous poursuivons en chœur : « À midi ou à minuit, il y a tout ce que vous voulez, aux Champs-Élysées... », et tout le bar chante à tue-tête : « Aux Champs-Élysées... » À la fin de la chanson, ils nous applaudissent en criant : « Bravo ! » Pendant que les silhouettes des joueurs s'agitent sur le fond vert du terrain, Géraldine se hisse dans une allée pour esquisser un french cancan sous les « Viva ! ».

Rien à voir avec les mornes soirées foot de Franck, sur le canapé, quand il monologue sur l'immaturité des joueurs, ses miettes de chips et sa bière tiède posée à même le sol.

Le barman nous remet une troisième tournée de champagne-grenadine – limonade pour Morgane – offerte par la maison. Un but pour la France : tout le bar crie avec nous. Nous sommes vraiment les reines du soir, déesses du football, ambassadrices de la France à l'étranger et, cerisa on el cako, personne ne vient nous réclamer de biberons/de dessins animés/le pot. Nous sommes Madonna.

Après une quatrième puis une cinquième tournée de champagne-grenadine, ponctuée à chaque fois d'un « Vive la France ! », on peut le dire clairement, on est torchées. Techniquement pas soûle, Morgane suit le mouvement. Sur notre table, s'étalent les preuves des offrandes des mâles alentour, des coupes, des tapas, des verres de tequila vides, et même quelques roses achetées à un Paki providentiel. « Penalty ! » hurle le commentateur puis, quelques secondes après, nous parvient un « Goaaaal ! » suivi de hurlements dans le bar.

Une grande blonde bronzée, en minishort, perchée sur deux improbables talons d'au moins 15 centimètres, apparaît à la porte. Le barman se tourne vers elle.

– Ola...

Elle pose son imposante poitrine sur le bar, attirant du même coup tous les regards, pour faire la bise au serveur.

– Bon, on s'éclate, les filles, mais ça ne me donnera pas un boulot ça... Il doit quand même exister quelque part un job pour une mère de famille ! Je sais que passer mes journées sur les réseaux sociaux et les blogs de jeunes mères n'est pas un métier, mais bon...

– Arrête de pleurnicher et regarde plutôt cette morue qui vient d'entrer dans le bar...

– Laisse-la vivre...

– Attends, elle fume sur le bébé de Morgane, quoi !

Géraldine montre sa cigarette et crie :

– He, ombra... El tabagismo pacifico... Bambino of ma copine is sniffing your clope... Non esta la reine del mondo, blondasse espagnole !

– Mais fous-lui la paix, Géraldine ! Tu lui fumes dessus depuis une heure... t'as même fumé dans le taxi.

– Nan, pourris-la !

La mauvaise foi palpable nourrit nos éclats de rire, dans ce raisonnement typiquement féminin et machiste à la fois, qui vise à trouver qu'une femme qui réussit « n'a en fait aucun talent, on se demande pourquoi elle est là » et qu'une belle femme « est sans doute une fille facile/stupide, on se demande pourquoi elle est là ». Bref, dans tous les cas, si vous êtes une femme, que foutez-vous là ?

– Elle est pas si belle, hein : elle a un bouton là, sous ses dix-huit couches de fond de teint !

– On dirait une prostituée discount des pays de l'Est...

– Et elle est trop maigre, c'est moche les gros seins quand on est maigre.

– Elle est canon.

– Je veux être elle.

– Je veux l'épouser.

– Je veux du champagne... Compañeros ! Ouna tournée del champagne-grenadina por favor ! fait Assia, dont la confiance en elle grandit proportionnellement à son taux d'alcoolémie.

But de l'Espagne ! Cris de joie dans le bar, bruits de verres, tournée générale. Nous applaudissons aussi, très fair-play, quand la blonde fonce sur nous :

– Bonsoir, mesdames…
… Elle parle français !
– Euh, bonsoir… Euh…
– Je vous ai entendues…
– On le pensait pas du tout.
– Enfin, si, vous êtes canon.
– Chuuuut !
– Excusez notre amie, elle est soûle.
– C'est à vous que je voulais parler. Vous cherchez du travail ? Mon frère qui travaille à Paris veut recruter une mère de famille avec l'expérience du Web et le sens de la diplomatie. Il ouvre une entreprise en France et veut quelqu'un pour le service salariés-parents. Mais il est débordé par le marketing, la comptabilité, la prospective…
– Oui, je vois, je suis chef d'entreprise aussi, énonce Assia.
La blonde sourit :
– Appelez-moi à ce numéro. Fixons un rendez-vous demain ? Bonne soirée, mesdames !
Elle dépose une carte de visite sur notre table.

– T'y crois, toi ?
– Ouais, elle est sexy ET elle a un frère chef d'entreprise. Y a pas de justice.
– Moi aussi je suis chef d'entreprise !
– Oui, Assia, c'est ça, tu es chef d'entreprise…, répète Morgane.
– Qu'est-ce que ça veut dire ?
– Auto-entrepreneur, ce n'est pas chef d'entreprise ! Tu bosses deux heures par jour pour mettre en ligne trois photos de bodys bio teints en bleu entre la cantine et le goûter…
– T'es gonflée, madame Je-n'ose-pas-dire-à-mon-patron-que-je-suis-enceinte-j'ai-trop-peur-de-sa-

réaction… Et je te signale que je ne fais pas des bodys bio, je fais des outils de puériculture pour…

– N'use pas ta salive, si ça n'a rien à voir avec du champagne-grenadine, on s'en fout !

– Non seulement je suis sexy, MAIS je suis recrutable à Barcelone ! Viva España !

Et tout le bar crie :

– Viva España !

Morgane

Après avoir quitté la bulle hors du temps du bar où nous devenons mystérieusement attirantes malgré nos grossesses et embauchables malgré nos enfants, nous nous promenons sur la marina en chantant *Wannabe* des Spice Girls. Comme Assia, Géraldine et Émilie ont abusé du champagne, nous hélons un pousse-pousse prévu pour trois. Dans un flou alcoolisé, nous marchandons avec le conducteur :

– Soy… embarazada.

– Il dit qu'il veut bien, mais qu'il faut que celle qui est enceinte monte devant pour équilibrer les poids.

Il fait signe à Émilie de s'avancer.

– Euh non, c'est elle qui est enceinte…, fait-elle en me désignant, prétendant trouver le quiproquo rigolo.

Arrivées au niveau des quais, nous lui donnons un beau pourboire, il est en nage, épuisé d'avoir trimballé quatre nanas pleines de liquides alcoolisés à la force de ses pédales. Un couple s'embrasse contre un arbre.

– Compañeros, y a des hôtels pour ça ! leur crie Assia.
– Assia, on ne dit pas compañeros pour tout le monde...
– Je m'en fous, compañeros... Je me demande ce que font mes enfants...
– Moi pas du tout ! Je ne sais pas de quels enfants tu parles...
D'un pouce, sans sortir mon BlackBerry de mon sac à main, je tape un texto à Basile.
Je suis restée vague quant à la provenance de ces quatre billets d'avion pour Barcelone avec les filles. Aucune envie d'admettre que j'ai peut-être un peu traité la Vierge Marie de clocharde. Mais elle non plus n'a pas été cool avec moi.
Basile me manque, mais je n'ai pas envie de l'avouer à mes copines, au risque de casser notre trip libertaire mauvaises-mères-mauvaises-épouses.
– Ouais, au diable les mecs et les enfants ! je lance, profitant de l'obscurité pour caresser discrètement mon petit ventre rond, disant mentalement à mon bébé « sauf toi ».

Géraldine s'éloigne.
– Je... j'ai envie de faire pipi. Je vais chercher des toilettes publiques, j'en ai vu derrière. Je reviens, ne bougez pas.
Sa silhouette de cuir transperce le brouillard avant de disparaître complètement, quelque part entre le gris-bleu des nuages et le bleu-gris de la mer agitée.
Assia, Émilie et moi continuons à nous moquer du couple de jeunes. Devant un arbre, nous mimons leurs poses langoureuses tandis qu'Assia nous prend en photo avec son téléphone. Je ris trop, je n'en peux plus, je suis pliée en quatre...

– Je vais essayer de trouver Géraldine, je dois absolument faire pipi moi aussi…

Les joies de la grossesse.

Après quelques pas dans la pénombre, je finis par tomber nez à nez avec Géraldine, une paire de lunettes de soleil dans la main et l'autre sur le nez, en train de négocier le prix avec le marchand ambulant !

À force de fumer, de marcher sans regarder dans quelle direction, nous avons fini par quitter le centre-ville de Barcelone. Les ruelles se sont faites plus étroites, plus fines, plus sombres, plus glauques, aussi.

– Dis, tu veux pas aller à l'expo Dali demain, Émilie ? Il y a une rétrospective avec des commentaires manuscrits d'époque, écrits par Gala. Ils ont retracé la rupture avec Paul Éluard, il y a aussi des créations autour de son anagramme Avida Dollars, des courtes vidéos… ça a l'air génial.

– Franchement ? Non ! Je ne sais même pas de quoi tu me parles, là. Je ne suis pas très peinture.

– Et pourquoi tu as appelé ta fille Dali alors ?

Émilie soupire :

– C'est une longue histoire… Promettez-moi de ne pas vous moquer.

– Promis ! mentons-nous.

– En fait, quand j'étais enceinte, la mère de Franck a fait un AVC. Et elle m'a dit que son plus grand regret, c'était de ne pas avoir eu de fille… Sinon elle l'aurait appelée Dalida…

Nous commençons à réprimer un rire nerveux.

– Ta fille s'appelle Dalida ?

– Non, l'histoire n'est pas terminée… Donc, pour lui faire plaisir, on s'est mis d'accord avec Franck. On appellerait notre fille Dalida, en hommage à sa mère sur son lit de mort. Ma fille est née. On l'a appelée Dalida. Mais sa mère s'est remise ! Donc on a décidé de changer le nom et de l'appeler Dali.

Nous sommes carrément pliées en quatre de rire. Je prends l'accent de Dalida et louche :

– Émilie ? C'est toua là-bas dans le nouarrr ?

Nous ne pouvons plus respirer tellement nous rions. Au lycée, Émilie disait toujours qu'elle appellerait sa fille Simone, pour Beauvoir et Signoret. À quel moment a-t-elle dévié à ce point ?

– Sérieusement les filles, je me demande où nous sommes, là. Je crois qu'on est trop au sud, là, on est dans le quartier dangerous du chauffeur de taxi...

Une voix venue de la rue sombre répond : Melquiades. Une vieille femme nous propose de nous lire notre futur dans les cartes.

La vieille nous entraîne dans un coin, sur un très petit tabouret en équilibre sur deux pavés, pieds nus, si on peut appeler ça comme ça : ses pieds ne sont qu'une vague ampoule cornée...

Elle tire ses cartes sorties de nulle part et pose sur ses genoux la carte de la tour, puis murmure en espagnol.

– Elle dit : tu dois perdre une chose pour gagner une chose. Tu vas aller sur une île... une île avec une femme.

– Une île avec une seule femme ? C'est Lesbos, son île ?

– Dis-lui qu'on a écouté son avenir, maintenant, qu'elle nous donne notre chemin pour rentrer...

La sorcière de l'Ouest nous dit d'aller toujours tout droit.

Émilie

En me réveillant, j'ai un réflexe maternel : j'ai oublié de me lever, on est sans doute en retard à l'école, où est Dali ? Pourquoi Éliott n'est pas encore réveillé ? Et pourquoi ma poitrine est-elle gorgée de lait ? Je tâte mes seins machinalement pour évaluer le niveau d'engorgement et mets un long moment à me souvenir où je suis. Comme si mon karma se vengeait, je ressens simultanément toutes mes migraines inventées pour esquiver le devoir conjugal. Dans le lit d'à côté, Assia ronfle encore plus bruyamment que Franck – un exploit. Géraldine gît écrasée, face contre le matelas, les membres pendant de chaque côté du lit simple, toute habillée. Le lit de Morgane est vide.

Un bruit puissant m'apprend qu'elle est dans la salle de bains où ses nausées de grossesse ne sont pas encore passées.

Puis, tout me revient subitement. La soirée. Le bar. La blonde. Ses mains manucurées qui plongent dans son sac de luxe et en sortent sa carte de visite. « Appelez-moi demain... » Je me mets à fouiller dans mon sac, à la recherche de la carte. 13 heures ! Si je veux avoir le temps de la voir avant de monter dans notre avion de retour, je dois mettre la main sur cette carte… Qu'en ai-je fait ? Morgane sort de la salle de bains.

– Quelle soirée, hier !

– Dis, t'as pas vu la carte de visite de la blonde du bar ?

– Non, désolée…

– Tout s'effondre juste parce que j'ai perdu cette carte. Je vais rentrer dans ma maison pas finie et surveiller mes enfants jusqu'à leur majorité, avant de me faire expulser… J'aimerais tant avoir tes facilités dans la vie professionnelle !

– Et moi les tiennes dans la maternité ! Comment tu as supporté deux grossesses ? Je n'en suis même pas à trois mois et j'ai envie de faire don de mon utérus à la science.

– Oh, tu sais… ce n'est qu'un long et douloureux moment à passer.

Nous tombons dans les bras l'une de l'autre. Géraldine ouvre un œil.

– Une partouze lesbienne ? Fallait me prévenir, j'aurais emmené des amies moi aussi…

– Assia se réveille d'un seul coup.

– Quoi quoi quoi ? On est en retard pour l'école ? Ah, non, on est toujours en Espagne… Aïe, ma tête…

Géraldine porte un T-shirt « Free Pussy Riot » et un short de foot, Assia une nuisette en chanvre, et les cheveux de Morgane défient les lois de l'apesanteur.

Je leur explique le problème, elles se mettent immédiatement à retourner la chambre dans tous les sens pour retrouver la carte de visite de la blonde du bar. Notre chambre style Couvent des Oiseaux est sens dessus dessous.

– La carte ! La carte de la blonde, elle est là !

Le petit carton de quelques centimètres carrés gît par terre, sous une table. Je bondis dessus et le saisis. En moins de temps qu'il n'en faut pour le dire, je compose le numéro :

– Allô, bonjour, vous êtes la blonde, euh…

– C'est moi-même. Émilie ? J'attendais votre appel. J'ai téléphoné à mon frère, il est enthousiaste. Si vous êtes toujours intéressée, envoyez-moi vos coordonnées par SMS. Charles vous contactera.

Charles va me contacter ! Puisque ma bonne fée le dit.

Émilie

Le reste du temps, nous l'avons passé assises sur des serviettes, emmitouflées dans des pulls, vivifiées par l'air frais de la plage de Barcelone, à ne strictement rien faire. Morgane a posé mon ordinateur diffusant *Rapattitude* pendant qu'on grignotait des churros en silence, lunettes de soleil sur nos fronts. J'ai toujours pensé que le degré d'intimité se mesurait au temps qu'on peut passer ensemble sans se parler et sans être mal à l'aise.

À reculons, nous avons fini par traîner nos gueules de bois jusqu'à l'aéroport. Dans l'avion, assises à nos places, nous profitons de ce dernier moment de répit avant le retour à nos vraies vies. Géraldine corrige son discours pour sa conférence du 8 mars sur son iPad. Elle veut lancer pour l'occasion une grande manifestation réunissant à la fois les thèmes du féminisme et de la maternité. Assia somnole. Morgane lit *Cent ans de solitude* de Gabriel García Márquez et moi, je parcours *Public* que j'ai trouvé par hasard au rayon « people » du kiosque, et qui est arrivé tout aussi par hasard dans mon sac en échange de 1 euro.

Chacune est plongée dans son propre univers, mais nous savons toutes que ce week-end sera le mythe fondateur de notre nouvelle amitié, de notre amitié recouvrée, de notre amitié commune.

Je contemple les nuages, rêveuse, notant que plusieurs d'entre eux ont des formes incongrues (un biberon, une souris verte, et même une Sophie la girafe).

Morgane tapote sur son appli « compteur de calories » et nous reproche nos choix de repas, disant qu'on lui a fait ingérer beaucoup trop de glucides et qu'à cause de nous elle ne fermera plus son pantalon Mulberry ramené de Coachella. Assia et moi échangeons un regard de connivence.

Sans prévenir, Morgane se retourne brusquement :

– Vous pouvez arrêter de donner des coups de pied dans mon siège s'il vous plaît ? fait-elle au passager de derrière, un jeune cadre dynamique antipathique, qui soupire quelque chose sur les bonnes femmes.

Morgane a une manière de dire « s'il vous plaît » qui vous fait comprendre : « je te hais ». Sa courtoisie hautaine ne me dit rien qui vaille. Sur ce point, elle n'a pas changé depuis le lycée : plus elle parlait mal, plus elle vous aimait. Plus elle était sur un mode agressif, plus elle était d'une courtoisie glaciale. Si elle vous traite de pute, vous êtes sa meilleure amie. Elle commence à faire tourner son pendentif autour de sa chaîne et se retourne de nouveau.

– Cher monsieur, j'apprécierais que vous eussiez l'extrême gentillesse de cesser instamment de vous ébattre sur mon dossier.

Il soupire ostensiblement :

– Oh, mademoiselle la douillette, vous commencez à me...

– Géraldine lui bondit dessus.

– Madame ! MADAME la douillette ! Pas Mademoiselle !

Je renchéris :

– Vous ne voyez pas que notre amie est enceinte ? Vous aimeriez qu'on fasse ça à votre femme ?

Assia rebondit, réveillée à point comme d'habitude.

– Je ne pense pas qu'il ait de femme...

Il hausse le ton :

– Je ne vous permets pas...

La BCBG à côté de lui proteste – sa femme, sans doute.

– Ces Arabes, ils sont tous un peu terroristes, toujours prompts à causer des désagréments dans les avions.

Assia, mal réveillée, se retourne :

– Ah bon ? Où ça des terroristes ?

– Euh... je crois que c'est toi, Assia.

– Je suis née à Dijon, je suis pas une moudjahidine.

– Et puis même si t'étais née à Kandahar, c'est quoi cet apartheid ?

Un type en uniforme nous fonce dessus et scande :

– Je suis chef de cabine. C'est vous qui avez dit moudjahidine ? Vous tenez une bombe ? demande-t-il en désignant l'iPad. Ceci est une menace terroriste ?

– Mais enfin, je suis pas terroriste, je suis chef d'entreprise !

– C'est pas le moment de plaisanter, Assia...

– Et moi, je suis députée européenne !

– Ça par contre c'est vrai...

Géraldine tend un badge « Member of European Parliament » au chef de cabine, qui le scrute :

– C'est bien vous ? Géraldine Lev Davidovitch Bornstein ?

– Mais tu t'es mariée combien de fois, en tout ?
– Vous êtes bien née le 10 juin 1976 ?
– Mais ça va pas non ? Ne lisez pas ma date de naissance !
– Tu n'as pas 33 ans ?
– Je trouvais ça louche aussi, qu'elle ait eu son fils à l'âge où elle rentrait en première année de fac...
– Mais t'es bête, pourquoi tu triches ?
– Je ne voulais pas quitter la trentaine si vite.
Et moi qui y suis entrée avec tant de difficultés...
Nos voisins, les chemises brunes, demeurent silencieux. À la sortie des trains d'atterrissage, Morgane murmure :
– C'est quand même beau, Paris...
– Je n'ose pas lui répondre que, là, on ne voit qu'un car Orly Ouest.
Le chef de cabine s'approche de nous :
– Excusez-moi pour le malentendu... Nous ne voulons pas que vous gardiez une mauvaise image de Skyteam. Veuillez accepter ces quatre allers-retours en dédommagement... Nous espérons que vous ne porterez pas plainte pour discrimination, et que Mme Bornstein voudra bien ne pas relayer cet incident au Parlement européen.
– Ah ? Euh... oui, eh bien nous verrons ça, fait Géraldine, majestueuse, qui n'a probablement même pas pensé à en parler à qui que ce soit et n'a de toute façon aucun pouvoir en matière de sécurité aérienne.

Je suis partie de Maintenon avec trois copines, sans emploi et sans confiance en moi, je rentre de Barcelone avec une promesse d'embauche, une énergie de pile électrique et trois véritables amies. La vie de mère n'est pas si ignoble que cela. Du moins, pas tous les jours...

CAF
Antenne de Chartres (28)

Madame Franck Benoît
17 rue Bernadette-de-Gasquet
28130 Maintenon

Madame,

Vous nous avez écrit le 12 pour nous demander si nous avions bien reçu votre courrier du 4/12.

Nous vous confirmons que nous avons bien reçu votre lettre au service courrier le 6/12.

Cordialement,

NB : Vous pouvez suivre vos courriers sur le site CAF.fr avec votre identifiant.

Émilie

Je ne viendais pas te cheche à l'aeopot. Visés. Franck. RIP la touche « r » de son téléphone mais j'ai bien compris le message. Dans la situation inverse, quatre mois auparavant, je suis venue spontanément le chercher à 22 heures à ce même aéroport et avec les mêmes enfants. Peu importe, rien ne pourra gâcher ma bonne humeur, je me dirige vers la file de taxis avec Morgane, Géraldine et Assia et m'efforce de ne pas penser au tarif de nuit. Je suis fermement décidée à laisser « l'effet Barcelone » agir sur moi aussi longtemps que possible.

Et puis, je suis heureuse de revoir mes enfants ! Je ne l'ai pas avoué aux filles pour ne pas passer pour une mamuniste qui n'a aucun autre mot à la bouche que les prénoms de ses enfants, mais j'ai pensé à eux chaque minute. Enfin, disons, chaque heure. Ma belle Dali, son caractère affirmé et son sourire enjôleur, mon petit Éliott, ses grosses joues à bisous et ses babillements... Il me tarde d'entendre Franck me raconter à quelles activités ils se sont adonnés ces deux jours. J'imagine ma puce dans sa chemise de nuit d'Indienne, sa préférée, endormie sur un *Max et Lili* ; et mon bébé dans sa gigoteuse, sous la lueur protectrice de son Barbapapa.

Après 97 euros de taxi (soit deux fois le prix du billet d'avion), j'arrive dans ma rue. J'inspire une grande bouffée d'air, ravie de regagner mes pénates. Ma maison est plus grande que dans mon souvenir, je trouve la porte d'entrée charmante, j'ai presque oublié que nous avions une plaque aussi mignonne. Beige et grise, avec un cœur et une jolie écriture annonçant : « Famille Benoît ». En tournant la clé dans la serrure, j'entends des bruits et lance : « Coucou, c'est moi !» Ils ont dû attendre mon retour, comme c'est attentionné de la part de Franck ! Peut-être a-t-il prévu de leur faire faire un dessin à mon attention ?

Je passe une tête dans le salon. Franck gît tout habillé sur le canapé. Assise à trois centimètres de la télé qui diffuse des clips de R'n'B à fond, Dali. Ma fille semble subjuguée par la danseuse topless qui s'applique à laver une voiture avec une éponge exagérément moussante et assez d'eau pour mettre définitivement fin à la sécheresse du continent africain. Elle a les yeux exorbités, injectés de sang. Je touche l'arrière de la télé, technique que je tiens de ma propre mère pour jauger de la durée pendant laquelle elle est restée allumée. Brûlante. Plusieurs heures au moins. Mon fils dort dans sa chaise haute. Je le détache précautionneusement. Ce qui me permet de constater que sa couche est assez pleine pour avoir débordé sur le plastique vert, où des restes de purée se mélangent à des traces non identifiées. L'effet Barcelone ? Déjà périmé. La lassitude et l'énervement reviennent peser sur mes épaules, qui se contractent instantanément. Alors que revoilà la dépression post-partum...

– Franck !

Pas de réponse.

– Franck !

Toujours pas de réponse. J'éteins la télé, me plante devant lui et hurle franchement :

– FRANCK !

Il sursaute.

– Hein, quoi ? Ah, tu es rentrée, on t'attendait...

Aucune envie de faire la conversation.

– Il est minuit. Tu n'as pas eu le temps de les laver, de les mettre en pyjama, de les coucher ?

Il se braque d'emblée.

– C'est pas facile de gérer les deux...

– Sans blague ? Dis m'en plus, j'ai jamais essayé.

Je monte les coucher et actionne les veilleuses.

Quand je redescends, Franck mime un débarrassage de table. Je me tourne vers lui.

– Ce soir, je dors dans la chambre d'amis.

Sa chasse aux miettes l'absorbe. Il doit sentir qu'il dépasse les bornes. Je veux bien rigoler des mauvaises mères avec mes copines, mais là, Franck ne se comporte pas juste en néoparent libéré des diktats éducatifs, mais carrément en parent négligent frôlant la maltraitance pour manque de soins. Je louche dans sa direction.

– Au fait, j'ai bientôt un entretien d'embauche. Tu te débrouilles comme tu veux, mais dès que j'ai la date de mon entretien tu gardes les enfants.

Franck reste interdit, peu habitué à m'entendre lui parler aussi fermement.

Dans la petite chambre d'amis (enfin, dans les trois murs et demi entourant un vieux Clic-Clac déplié qui n'a pas reçu d'*amis* depuis des siècles), je pense à mon entretien à venir. Hors de question que je le rate. Il me faut un travail. Il me faut un travail pour ne plus dépendre de Franck, il me faut un travail pour payer une nourrice digne de ce nom quand je veux sortir voir des copines, il me faut un travail pour parler avec d'autres adultes que Franck, sinon je vais finir par me pendre dans cette maison pas finie avec un mari pas tout à fait fini non plus. Il me faut un travail. Je me le répète, car je sens confusément qu'un métier serait la clé de ma liberté.

Le Clic-Clac vit ses dernières heures, deux ressorts piquent mon dos et la couette est trop fine pour être confortable. Mais cette nuit, sans les ronflements de Franck et sans qu'il ne marmonne soi-disant pour me taquiner que je prends toute la place avec mes grosses fesses, est la meilleure depuis longtemps. Cette fois c'est décidé : je vais me reprendre en main.

Morgane

Au téléphone, une secrétaire médicale me hurle dessus parce que je suis enceinte de trois mois, et on n'accorde jamais de rendez-vous sans un délai d'inscription d'un mois minimum, et elle va devoir chambouler le planning, et c'est inadmissible, et pourquoi les jeunes mères d'aujourd'hui se croient tout permis, et comment elle doit faire alors qu'elle a déjà plus de trois mille heures supplémentaires à rattraper, et qu'en penserait la CNI, et elle-même voudrait rentrer chez elle s'occuper de sa vieille mère malade, et est-ce qu'au moins j'ai déjà passé mon « écho data » ?

À Barcelone, Assia m'a harcelée sur le thème « la péridurale, c'est tabou, on en viendra toutes à bout ! », Géraldine m'a conseillé la césa programmée qui me permettrait de garder le contrôle des événements (« Ton vagin te remerciera »), et, en se balançant d'avant en arrière comme un vétéran aux prises avec des flash-back de guerre, Émilie m'a assuré qu'après l'épisio je ne verrais plus jamais les ciseaux de couture de la même manière. Après un millier de tergiversations avec Basile, nous avons finalement opté pour l'hôpital le plus proche de chez nous, qui avait le mérite d'être à moins de quinze minutes en taxi (dix si ça roule bien, vingt-cinq si les contractions se déclenchent pendant les heures de pointe, quatre à moto, mais Basile trouve ça trop risqué). J'ai réussi à passer l'épreuve de l'inscription et dois me rendre à mon deuxième rendez-vous.

En entrant dans la salle de bains, un hoquet persistant. L'odeur de mon gel douche : *Parisienne*, d'Yves Saint Laurent. Dans un genre d'instinct de survie, je cours dans la cuisine avaler un demi-Tuc, boire un demi-verre d'eau, puis reviens dans la salle de bains vider l'intégralité du flacon à 49,50 euros dans le lavabo. Après avoir pris ma douche avec un reste de savon de Marseille trouvé au fond du placard, je m'acharne à rentrer dans mon pantalon alors qu'il ne monte pas plus haut que la cuisse. Quant à mes robes, entre mon début de ventre et mes hanches, elles tombent cinq bons centimètres plus haut que d'habitude. C'est le moment de sortir les sacs de vêtements de grossesse. Je choisis la moins hideuse des tenues, l'enfile puis me regarde dans la glace. Avec ce jean à l'empiècement élastique et cette sorte de blouse bariolée, mes cernes et une nuée de boutons d'acné – alors que je n'en ai plus eu depuis la fin de *Friends* – je ressemble à Émilie, en moche.

Émilie et Assia ont promis de nous rejoindre, Géraldine et moi, à la zumba lundi soir, mais d'ici là il faudra que je trouve d'autres vêtements – sauf si je veux faire mon entrée à la maternité déguisée en Fantine des *Misérables*. En attendant, c'est dans cette tenue que je pars à la rencontre de la femme qui va mettre mon bébé au monde, du moins le croyais-je. Première erreur d'appréciation : elle sera prise d'un rire nerveux quand je lui demanderai à quel numéro je pourrai la prévenir que le travail aura commencé.

« C'est l'obstétricienne présente qui gérera ça le moment venu, selon le planning, si je suis à la plage ou à un repas en famille, je ne vais pas tout lâcher pour venir à chaque patiente ! Elle est bien bonne, celle-là, me téléphoner quand le travail commence ! Permettez, j'appuie juste une minute sur le haut-parleur pour le raconter à mes collègues… »

Dans les séries américaines, les femmes enceintes bénéficient de cours d'accouchement collectifs et rigolos. Mais où les personnages trouvent-ils le temps de quitter leur poste deux fois par semaine, qui plus est sans RTT ? Nous sommes paraît-il un pays de feignants, mais en France je n'ai jamais vu un couple disposer d'une journée complète hebdomadaire de préparation au statut de parent. Comment peut-on décemment se préparer à la naissance avec un travail à plein temps ? Dès la première minute, tout risque de sympathiser avec ma gynéco, dont le nom se termine par « escu » et que je surnommerai donc « Mme Ceauşescu » en référence à son incommensurable amabilité, a été écarté.

J'essaye de me persuader que les autres patientes sont moins jeunes et plus grosses que moi quand une voix scande : « Madame Berra… Madame Berra… ? » Toutes les femmes enceintes, moi y compris, s'interrogent du regard pour chercher cette Mme Berra qui nous fait perdre un temps précieux – la sage-femme a déjà plus d'une heure de retard sur ses rendez-vous.

– Morgane Berra ?

– Ah, ça doit être moi ! dis-je avec un sourire complice, attrapant sac à main et dossier sous les bazookas imaginaires des autres patientes. En fait, c'est Serra, avec un S… C'est Corse…

– C'est noté, madame Berras, donc B.E.R.R.A et un S à la fin, c'est bien ça ?
– Non, en fait, c'est...
– Suivez-moi !
Elle dandine son fessier carré vers un couloir étroit et sombre. Je cours derrière elle, essoufflée. Comment une si petite femme peut-elle marcher si vite ? Elle est à 6 grammes, je ne vois pas autrement. La gynécologue dont je ne comprendrai jamais clairement le nom me pose des questions sans même se retourner vers moi, pour me signifier que le rendez-vous a déjà commencé :
– C'est votre premier enfant ? Date des dernières règles ? Vous allez vous inscrire à la préparation à la naissance ?
Elle ne me laisse pas le temps de répondre, m'indique un placard à fournitures qu'elle nomme « son bureau », m'ordonne de me déshabiller et pousse du pied une balance.
– Pesez-vous !
Elle vérifie mon dossier :
– Plus 4 kilos, à 13 SA !
Elle écarquille les yeux pour manifester son mépris.
– Il faut vous tenir, un peu, madame Berra... après on va pas s'étonner de faire une pré-éclampsie...
Je n'ose pas demander ce que sont des SA ou une pré-éclampsie. Elle tamponne quelque chose, me tend un polycopié pâle et montre avec son stylo : colonne gauche, aliments interdits, colonne droite, aliments obligatoires. La colonne de gauche comprend à peu près tout ce qui constitue mon alimentation : sushis, légumes et fruits non lavés ou préparés hors de chez soi (qui « prépare » ses fruits soi-même ?), fruits de mer, fromages au lait cru, et encore une bonne dizaine

de mentions. Ce n'est sans doute pas le moment de lui demander à combien de litres quotidiens de Coca light j'ai droit ou si un sachet hyperprotéiné compte pour une portion de protéines, ou deux.

– On n'a pas le temps pour un toucher, vous n'avez pas mal ?
– Euh... ça dépend
– Ça ne dépend pas, vous avez mal ou pas ?
– Non ?
– Bon voilà ma carte, mais n'appelez pas, je ne réponds jamais. Si vous avez des questions, Internet est votre ami ! Prochain rendez-vous... mardi 7, à 11 heures. Vous payez à l'entrée.
– Je travaille mardi 7 à 11 heures, peut-on décaler au...
– Tout le monde travaille, madame Berras ! On fait un petit effort en vue du plus beau jour de sa vie quand même ?

Elle me met une petite tape sur les fesses, comme si nous avions été camarades de chambre au pensionnat.

– À mardi 7 !

Il faut que je pense à enlever le pansement de mon pli du coude dans le bus, sans quoi tout le service saura où j'étais ce matin. Dans mon sac, les résultats des analyses de sang faites le matin même à la demande de ma généraliste me prouvent l'incongruité de cette consultation. J'ai aussi un carnet sur lequel Basile et moi avons pris soin de noter toutes nos questions – une vingtaine – parmi lesquelles, comment sait-on quand on va accoucher ? Que faire contre les nausées ? Peut-on avoir des rapports jusqu'au dernier moment ? (Celle-là, elle inquiète surtout Basile qui craint de toucher le bébé et de le traumatiser in utero. J'ai prévu de lui répondre de toute manière que nous avons l'accord formel et la bénédiction du corps médical dans son ensemble.) Comment faisaient les futures mères avant Internet, et comment ferais-je si je n'avais pas Émilie ?

Dans le bus, une femme en tailleur traîne ses deux enfants vers le fond. Je meurs d'envie de la harceler de questions – contrairement à Émilie, sa tenue à elle suggère qu'elle travaille tout en étant mère : est-ce qu'elle avait eu des nausées ? Comment s'en était-elle débarrassée ? Sa gynéco se trompait-elle de nom quand elle lui parlait ? ou est-ce qu'elle aussi avait Internet pour ami ? Son boss avait-il bien pris l'annonce de sa grossesse ? Qui allait chercher ses enfants à l'école ? Elle descend avant que je n'aie le courage de l'aborder.

Annick ne sait toujours pas que je suis enceinte. Il me faut inventer des prétextes pour m'absenter, ce qui n'est pas du meilleur effet, en période de sélection pour le poste de vice-président. J'ai déjà prétexté un dégât des eaux, un accident « pas grave » de scooter et un oubli de clés. « Tu n'as pas un bon karma, en ce moment... », a commenté Jean-Jé avec fiel la semaine dernière. J'arrive à court d'excuses quand Annick me demande si l'assureur m'a indemnisée. Je ne sais plus de quoi elle parle et m'en sors avec un vague : « Tu sais, les assureurs... » Jean-Jé me regarde en coin.

Nous devons tous nous rendre dans le bureau d'Annick pour « checker ASAP les slides de la prés' ». En clair, vérifier dès que possible les pages de notre présentation. À douze dans une pièce exiguë qui ne compte que six chaises. De toute manière, Jean-Jé se tient debout du même côté qu'Annick, signifiant via ce langage non verbal qu'il appartient au côté des chefs. Hors de question que je m'asseye en face de lui comme si j'étais sa dactylo. Je me place à la gauche d'Annick, debout, et demande à Solange, une nouvelle CR en CDD, d'aller nous faire des cafés. C'est injuste de ma part, mais c'est un moyen d'asseoir mon autorité. Une légende urbaine circule sur ECG : il paraît que, pendant des années, dès qu'un nouveau DG était nommé, il virait quelqu'un au hasard, sans préavis, et en public. Ainsi, il inspirait le respect et la crainte. En envoyant quelqu'un faire nos cafés, je montre que : 1/ moi, je ne fais pas les cafés ; 2/ j'ai assez d'autorité pour décider *qui* fait les cafés.

Comme dans une cour de prison (ou de récréation), celui ou celle qui s'exécute devient ma *bitch*. Celui ou celle qui résiste gagne le respect général, et plus personne ne lui demandera jamais de faire des cafés. Solange m'aime bien, c'est pour ça qu'elle a accepté. Je viens de la sacrifier comme un pion dans une partie d'échecs, et elle semble l'ignorer. Elle arrive avec nos cafés sur un grand plateau, et je jurerais qu'elle dit : *Ave Morgane, morituri te salutant*. Je fais : « Merci, Solange », avec la voix de Scarlett O'Hara s'adressant à Prissy. Il faudra que je lui offre un truc pour me faire pardonner de ma conduite, mais dans l'immédiat c'est à elle de gérer son suicide professionnel. Vous me détestez ? Pas autant que je me déteste.

La chaleur est difficilement soutenable dans ce bureau surbooké, et toutes les odeurs décuplées par mes naseaux de femme enceinte. Impossible de m'évanouir en public. Hors de question. Tomber dans les pommes après être arrivée en retard, autant porter directement un bandeau de grossesse avec une inscription « 9 mois » ! Ou un bandeau clignotant dans l'air « Cette femme est enceinte » avec des flèches luminescentes dans ma direction. *En trois briques. Prises de sang. Placenta. Indemnités.* L'air ne circule pas, les fenêtres restent fermées de l'extérieur depuis qu'un DA s'est suicidé en sautant, il y a quatre ans. La moiteur de la pièce me fait tourner la tête.

Ça sent la sueur, le parfum, le papier, l'amidon, la laque pour cheveux, l'après-shampooing, le plastique, l'électricité, le café, le toner, et des relents de sauce nems envahissent la pièce dès que Jean-Jé ouvre la bouche.

Intérieurement, une lutte digne du dessin animé *La Vie* se joue entre mes hormones et mon surmoi. « Reste debout ! » m'ordonne mon surmoi, que j'imagine comme un vieux à barbe blanche et oreilles pointues, tandis que mes hormones me susurrent : « Laisse-toi tomber, tu n'en peux plus, arrête de lutter… »

Dans un genre d'instinct de survie, le petit vieux à barbe blanche ordonne à mes bras de retirer ma veste, ils obéissent docilement. Jean-Jé fixe mon avant-bras et dit très fort :

– Tiens, t'as fait une prise de sang ?

J'ai oublié de retirer mon pansement.

Émilie

Dans mon budget Excel, la colonne « dépenses » compte dix-sept lignes. La colonne « recettes », deux. J'ai une enchère à 11,75 euros pour mon vieux synthétiseur. J'aurais volontiers vendu mes bijoux en or si j'en avais eu, mais à part mon alliance je ne possède que des bijoux fantaisie. « Votre mari ne vous a jamais offert de bijou en or ? » m'a demandé au téléphone l'opératrice qui « estime la valeur » (à savoir, ordonne à tout le monde d'envoyer directement son or). Eh bien ! Non. Franck est pour les cadeaux utilitaires. Il offre des pulls l'hiver, de la crème solaire l'été, des meubles « pour toute la famille » à Noël. Le plus beau cadeau qu'il m'ait offert ? Pour mes 27 ans, une Wii avec un jeu Mario Kart et un seul volant. Du coup, il joue souvent tout seul.

En attendant de commencer un nouveau travail et de toucher un salaire providentiel, je dois tout de même trouver de quoi combler notre découvert, payer la maison, nourrir les enfants. J'allaite en partie Éliott, mais, si je ne mange rien, mon lait ne risque pas de le nourrir très longtemps. Et puis, il mange aussi des biscuits, de la viande, des purées... Et quand je commencerai à travailler, il faudra payer l'essence, la baby-sitter... J'envisage d'emprunter de l'argent sur le PEL de Dali : 345 euros, dont 250 non déblocables.

Affranchie de toute barrière morale, je monte vider sa tirelire Winnie. « Maman... l'argent c'est que de l'argent... », avait-elle dit la veille en me voyant contrariée. Je mets dix bonnes minutes à compter 7,44 euros en petites pièces. Je remets tout et me dis que je ne vaux pas mieux que ces mères d'enfants-stars qui prélèvent 50 % des gains de leur progéniture sous prétexte qu'elles les ont mis au monde et qu'elles ont appelé leurs amies à voter sur Facebook « pour le concours du plus beau bébé de l'année <3 <3 ».

Plus je réfléchis, plus je ne vois qu'une seule solution. Ma mère. Je ne suis pas particulièrement joyeuse à l'idée de lui demander de l'aide. La dernière fois, j'avais 12 ans, nous étions en vacances, et je lui demandais d'intervenir auprès de son associé pour qu'il cesse de me suivre dans la salle de bains. Elle avait répondu : « Ne commence pas à faire des histoires ! » À contrecœur, je cherche son numéro dans le répertoire de mon iPhone :

– Oui, allô, maman, c'est moi...

– C'est qui, moi ?

– Émilie, tu sais, ta fille aînée...

– Ah. Écoute, là, je suis en pleine préparation de réunion, tu choisis toujours mal tes moments pour m'appeler, ma pauvre chérie. Tu sais, les grandes personnes travaillent...

– Justement. On a un coup dur là, Franck vient de se faire licencier.

– Encore ?

– Comment ça, encore ? La dernière fois, c'était il y a cinq ans.

– Ça fait donc deux fois en cinq ans… C'est quoi le problème avec lui ? Il est instable ? Inapte au travail ? C'est quand même pas compliqué de garder un boulot, enfin ! Moi je n'ai jamais été renvoyée de ma vie entière.

– Tu es en profession libérale…

– Même ! Pourquoi a-t-il été viré ? Il a volé quelque chose ?

– Tu sais, maman, je ne sais pas si c'est parvenu jusqu'à tes oreilles, mais il y a un genre de crise économique en ce moment… Il y a 12 % de chômeurs. Ça ne signifie pas que Franck soit un bon à rien.

– Oui, oui… si tu veux. Mais comment vous allez faire ? Avec quel argent vous allez vivre ?

– Justement, je… je t'appelle parce que j'aurais besoin que tu me prêtes de l'argent, juste pour ce mois-ci.

– Mais enfin, Émilie, tu plaisantes ? C'est la crise pour tout le monde, comme tu dis si bien ! Je fais – 3 % de visites au cabinet, ma patientèle rechigne à faire des radios supplémentaires. L'autre jour, une dame m'a dit qu'elle ne voulait pas savoir si elle avait la côte fêlée ou cassée si ça devait lui coûter 190 euros. Bientôt les gens ne voudront même plus payer les dépassements ! Dans quel monde on vit…

– Bon, merci de ne pas avoir fait semblant d'essayer.

– Attends ! Ne sois pas si désagréable, à la fin… Tu en es où de ton régime ?

– J'ai perdu 8 kilos en tout.

– Enfin une bonne nouvelle.

– Je les ai tous repris.

– Bon… je vais t'envoyer un chèque pour ton remboursement de prêt. Tu payes combien pour la maison ?

– 1 200 euros.

– Par mois ? Pour ce taudis ? Tu t'es fait arnaquer, ma pauvre chérie ! Bon, je t'envoie le chèque. On le déduira de ton héritage. Désolée, je ne peux pas faire plus, ton frère est en train d'acheter un F3 à Meudon-la-Forêt, il a besoin d'un apport, donc je me serre un peu la ceinture, je voudrais lui donner au moins 70 000 euros, que la banque le prenne au sérieux. Qu'est-ce qu'on ne ferait pas pour ses enfants... D'ailleurs on sonne, ça doit être lui, je te laisse !

– Merci, maman...

– Ce n'est rien, tu me rembourseras avec ton premier salaire. À 30 ans... il serait temps d'avoir un premier salaire, d'ailleurs. Bon allez, je ne voudrais pas faire attendre ton frère.

Je n'essaye pas de téléphoner à mon père, il est en mission humanitaire en Afrique pour installer un puits pour des enfants, construire une école pour des femmes, ou l'inverse, ce qui est très cool pour les Africains, mais beaucoup moins pour moi. Et puis, depuis son divorce d'avec ma mère, je le vois beaucoup moins. Je me sens aussi un peu coupable qu'il ait été radié de l'ordre des médecins. À l'occasion, je lui dirai que je revois Morgane, je me demande ce qu'il en pensera après ce qui s'est passé. Enfin, ce n'est pas le moment de songer à tout ça.

Colonne « recettes » : 1 200 euros. Colonne « dépenses » du mois suivant : remboursement 1 200 euros. Je ne suis pas beaucoup plus avancée. Franck est à sa formation, je lui envoie un SMS pour lui demander de trouver un job alimentaire en parallèle, histoire de payer les factures. Sa réponse me parvient dans la seconde : AVEC CE KE JE TAVESE TU PEU PA ME DEMANDE ÇA.

Plus je tourne le problème dans tous les sens, plus je ne vois qu'une seule solution : que je trouve du travail au plus vite. Le frère de la blonde du bar à Barcelone ne m'a toujours pas contactée. Je commence à me dire que Morgane a vu juste. Peut-être n'est-ce pas plus mal, je devrais sans doute chercher une nourrice à plein temps, ce qui me reviendrait à lui verser directement mon salaire. Machinalement, j'ouvre une nouvelle fenêtre de navigation. *Mesloulous Mavie* m'accuse d'être à la solde du lobby judéo-maçonnique et de l'industrie du lait en poudre (ce qui revient au même pour les conspirationnistes du téton) parce que j'ai demandé comment sevrer mon bébé.

Je monte réveiller Éliott, le pose dans son siège auto et pars chercher Dali à l'école. Je choisis de passer cinq minutes dans la voiture pour éviter Justine Després – elle ne manquerait pas de me demander si je peux coudre un costume pour le prochain spectacle de l'école ou de venir trier les livres de la bibliothèque. J'évite aussi le père de Thorrible, qui ne cesse de me fixer du haut de son 1,90 mètre – Justine Després a dû lui dire qu'Éliott était handicapé, ça doit être de la curiosité morbide. De retour à la maison avec Dali et la petite Inès (sa mère a curieusement recouvré la mémoire et vu à quelle « Émilie » le 06 23... correspondait pour me demander de garder sa fille une heure ou deux, ou trois ou quatre).

Morgane

D'après Émilie, j'ai besoin de tout un tas de produits destinés à accueillir mon bébé dans de bonnes conditions. Sa liste envoyée par mail m'a semblé interminable. Nous devions nous retrouver au Monoprix pour qu'elle m'aide à choisir les premières affaires de mon futur minimoi. Je commençais à comprendre pourquoi tout le monde me donnait des affaires : ils savaient qu'il m'en resterait toujours au moins le double à acheter. Pendant mon troisième rendez-vous, Mme Ceauşescu m'a remis une liste des objets à apporter à la maternité.

Cette liste est kafkaïenne. Par exemple : pourquoi deux thermomètres, un pour la maman et un pour le bébé ? On ne peut pas attendre deux minutes trente, le temps de prendre la température du bébé, et me donner ensuite le thermomètre après un petit nettoyage ? Et si le bébé et la maman ont tous deux une fièvre forte au point qu'on ne puisse pas attendre deux minutes trente, ne peut-on pas nous prêter un thermomètre de l'hôpital – après tout, c'est le genre d'endroits où l'on trouve ça, non ? Pourquoi un stérilisateur de biberons alors que mon lave-vaisselle transforme la cuisine en hammam quand je l'ouvre ? Et si je range les biberons stérilisés dans le placard, on est d'accord, ils ne sont plus stériles ? Quant au babyphone, disons que j'entends assez bien ce qui se passe chez ma voisine pour savoir quand elle fait l'amour (rarement), passe l'aspirateur (le jeudi) ou regarde *Derrick* (tous les soirs – elle doit avoir l'intégrale en DVD), donc a priori je devrais pouvoir entendre mon bébé crier – de même que la voisine.

J'apprends aussi que je paierai 95 euros de dépassement par nuit pour une chambre qui ne disposerait pas de couverture pour le bébé, je dois donc apporter « deux gigoteuses plus deux couvertures ». Les biberons coûtent 10 euros l'un, et je dois en acheter six – à renouveler dans six mois –, le lait en poudre vaut 20 euros la boîte « pour 15 à 20 jours environ ». Si j'ai pu penser qu'allaiter était gratuit, j'ai vite déchanté en voyant sur le Net les prix des soutiens-gorge d'allaitement (45 à 180 euros), des tire-lait (75 euros), de la crème pour mamelons (?!) et des vêtements spécifiques (« Tu peux allaiter avec des habits normaux, mais tu en auras vite marre de soulever ton T-shirt et de te désaper à moitié alors que tu pourrais juste déclipser un truc », dixit Émilie).

Je suis bien décidée à prouver à Basile que je tiens plus de la mère d'Albert Cohen que de la mère de Hervé Bazin. Malgré sa motivation, j'affronte seule les rendez-vous avec Mme Ceauşescu, le quotidien à l'agence ou la rédaction des lettres larmoyantes pour la mairie. Si l'adjoint au maire ne verse pas une petite larme, c'est qu'il n'a pas de cœur.

Mon Caddie est vite rempli de hochets en tout genre, de Sophie la girafe, de livres de bain, d'un tapis de jeux interactif, de biberons, de goupillons à biberons, d'eau minérale, de lait en poudre ET de coussinets d'allaitement – au cas où je change d'avis – et je dois passer à la parapharmacie pour demander « des garnitures pour suites de couches ». Quand je demande à Émilie pourquoi un Tampax ne suffirait pas, elle émet un petit rire dont je ne comprendrai le sens que bien plus tard.

Bien sûr, nulle fontaine d'eau, nulle chaise disponible à aucun endroit du magasin. En revanche, des haut-parleurs diffusent du Justin Timberlake par-dessus lequel des démonstrateurs hurlent dans des micros pour annoncer qu'exceptionnellement, comme tous les samedis, il y a – 15 % sur la truite fumée. (J'ai très, très envie de vomir.)

Franchement, si c'est ça attendre un bébé, ça n'a rien à voir avec le shopping glamour chaque semaine dans *Public*, en mode « Tatiana Santo Domingo fait des emplettes avec ses amies » dans un magasin de luxe, assise sur un petit pouf en velours, à attendre qu'on vienne la servir, un smoothie à la main et une vendeuse à ses pieds. Note pour moi-même : interroger Basile sur la possibilité d'attaquer les magazines people pour publicité mensongère sur la maternité.

SMS de Géraldine : Ma directive sur les mères actives sera étudiée en session dans trois mois. #AO Hein ? Je ne comprends rien.

Je sors le ventre pour voir si les quatorze personnes devant moi à la caisse prioritaire vont daigner remarquer qu'elles ne sont ni handicapées ni sur le point d'accoucher, en vain.

Depuis que je suis enceinte, l'absence d'une mère se fait de plus en plus sentir. J'aurais voulu que ma mère soit là, avec moi, pour faire mes courses, et que ce ne soit pas à Émilie de pallier ce manque, de me guider dans les chemins de traverse de la maternité. Mais heureusement qu'elle est là, Émilie ! Seule, je n'aurais pas trouvé cette caisse prioritaire. Une dame attend juste devant nous, un Caddie dans chaque main, le tout rempli de bières, vodka et jus de pomme. Elle est frappée de cécité subite à l'arrivée de mon ventre moulé dans une tunique de grossesse. Je fais la liste de tout ce à quoi j'ai renoncé par rapport à mes objectifs de vie parfaite, comme m'abonner à une AMAP de réinsertion des handicapés pour me faire livrer des paniers bio.

Sauf que je n'ai pas envie de payer 69 euros par mois pour des rutabagas, alors que je ne sais même pas comment ça se cuisine, les rutabagas.

Dans quelques mois, je serai plus vieille que ma mère à sa mort.

MARS

Émilie

On se dit toujours que pour quitter son mari, on le frappera, on le quittera, on prendra les enfants sous le bras et on partira. J'ai imaginé mille fois la scène de notre rupture.

Tragique. Franck rentrerait du travail et nous trouverait, les enfants et moi, dans la voiture, le pot d'échappement tourné vers l'intérieur, morts par sa faute. Il jetterait son attaché-case (qu'il n'avait pas), déferait le nœud de sa cravate (qu'il ne portait jamais) et se ruerait sur nous en criant : « Non, pourquoi, pourquoi », saisirait ma main pendouillante par la fenêtre de la voiture, l'embrasserait, me serrerait dans ses bras et crierait : « Je t'aimais, pourtant ! »

À la *Friends*. Nous prendrions les voisins à témoin en clamant : « We were on a break ! » Je hurlerais : « Tout est de ta faute », je jetterais ses affaires par la fenêtre, je lui dirais que je ne veux plus le voir, jamais, et il démarrerait la voiture en trombe, sans dire au revoir aux enfants, pour aller rejoindre une pouf quelconque dans la réalité diminuée des amants-internautes.

Pathétique. M'accrochant à ses chevilles, par terre, en pleurs, répétant comme un disque rayé : « Ne me quitte pas... ne me quitte pas... ne me quitte pas... » J'aurais tout promis : « Je serai l'ombre de ton ombre, l'ombre de ta main, l'ombre de ton chien. »

Mais on ne promettait rien, on allait coucher les enfants, on essuyait ses larmes au Sopalin dans la cuisine, et quand son mari rentrait du travail, on montait le son du *Petit Journal*, on lui demandait machinalement s'il avait passé une bonne journée, on n'écoutait pas la réponse et on lui disait qu'il restait des pâtes sur la table.

Ce mardi, je boulotte des Granola dans la cuisine, au-dessus de l'évier, en me demandant si j'ai le droit de quitter le père de mes enfants sans raison particulière. Pour faire quoi, pour aller où ? Chez ma mère, qui trouvera le moyen de dire que je suis responsable de ce qui m'arrive ? Chez la maman d'Inès, qui sait toujours où me trouver pour me demander un service, mais ne se souvient plus de mon prénom quand je lui en demande un ? Chez une voisine, à qui je n'ai pas du tout envie de raconter mes déboires maritaux ?

De toute façon, Franck ne me trompe pas – enfin, pas à ma connaissance – et je n'ai aucune raison objective de quitter le père de mes enfants, l'homme à qui j'ai juré fidélité jusqu'à ce que la mort nous sépare devant Dieu et les quatre-vingts invités de nos mères.

Je maudis l'inventeur du mobile de me permettre d'attendre l'appel providentiel qui fera de moi une femme active ; d'avoir créé ce fil virtuel à ma patte qui ne me laisse pas une seule seconde de répit, aux toilettes, en voiture, sous la douche même, partout je pose l'objet à moins d'un mètre de moi. Au moindre bruit, j'ai l'impression de l'entendre sonner. Et, à chaque appel, je récite les chiffres du numéro : « 01 73... c'est la CAF... », « 06 29... non, c'est la mère d'Inès... » Je vérifie aussi régulièrement qu'il capte bien en appelant ma messagerie, mais la voix robotique indiquant « Vous-n'avez-aucun-nouveau-message. Pour changer votre message d'accueil, tapez 1... » prend un ton de plus en plus sarcastique. Si ça continue comme ça, l'hiver sera terminé avant que je n'aie trouvé un travail. Et combien de saisons, ensuite ? Une, deux, dix ? Allons-nous devoir vendre la maison, acheter un camping-car et vivre sur un parking, comme ces « travailleurs pauvres » d'*Envoyé Spécial* ? Que deviendraient ma Dali sans ses dessins animés tous les matins et mon petit Éliott qui a toujours faim ?

Un jour enfin, alors que je me documente sur Internet sur la meilleure manière de gagner de l'argent rapidement et sans faire garder les enfants – en bref, vendre des fioles de mon sang à des cyclistes ou animer une chaîne YouPorn –, il sonne. Comme au ralenti. D'abord l'écran qui s'éclaire, puis le tintement, et la légère vibration. Une voix d'homme avec un accent indéterminé :

– Allô, Émilie ? C'est Charles.

CHARLES. Joie intense, faites que cet instant s'arrête !

En fait d'entretien d'embauche, Charles m'a donné rendez-vous au Paradis du Fruit en bas de chez lui. Deux heures de trajet et des enfants à faire garder ? Peu importe ! J'ai calculé ma venue en fonction des horaires de l'école et de la disponibilité toute relative de Franck et conclu par quelque chose comme : « Je le note sur mon agenda, ça tombe bien je n'ai rien ce jour-là. » Il n'est pas obligé de savoir que les autres jours non plus.

Habillée, maquillée, parfumée, en terrasse chauffée, autour d'un smoothie ananas-banane servi par un barman slash mannequin slash sportif-de-haut-niveau-qui-a-dû-arrêter-à-cause-d'une-blessure-sinon-c'est-sûr-il-aurait-été-champion-olympique, Charles ne me demande pas : de réciter mes défauts et mes qualités ; pourquoi j'ai arrêté mes études ; comment je compte faire garder mes enfants. Nous parlons musique, littérature, surréalisme, et je meurs d'envie de travailler pour un type qui récite André Breton, « la beauté sera convulsive ou ne sera pas ». Quant à lui, il épilogue sur sa récente séparation d'avec « son ami, Stéph », ce qui me permet de déduire sans trop user les neurones rescapés de mes deux grossesses qu'il est gay.

Je réussis à caser toutes les expressions conseillées par Morgane en une seule et même phrase (« Si vous avez les data du brief, je challenge ASAP l'assesment »), mais Charles n'a pas l'air de comprendre. Il doit être moins anglophile que Morgane. Je travaillerai pour une nouvelle division, un service destiné aux jeunes parents salariés. Nous parlons longuement de mes amies, Assia qui a choisi de travailler de chez elle, Géraldine qui a envoyé son fils à 750 kilomètres, Morgane qui vit une grossesse classée secret défense... Et moi. Et Franck.

En parlant de Franck à Charles, je baisse les yeux en aspirant le vide de mon verre à la paille. Je ne suis pas préparée à ce qu'on me demande où en est mon couple pendant un entretien d'embauche et je me surprends à en dire plus que je ne le voudrais, comme avouer que mon mari n'est pas un mode de garde plus fiable qu'une station-service. Charles sourit :

– Nous avons un département chargé de trouver des rendez-vous amoureux aux salariés qui n'ont pas le temps de chercher par eux-mêmes...

– Quelle horreur ! C'est atroce.

– Vous trouvez ça plus atroce que les robots de sites de rencontres, ou les rendez-vous à l'aveugle arrangés par des collègues ?

– Je ne sais pas. Je ne vois pas Rhett et Scarlett cocher les cases d'un formulaire sur leurs passions.

– J'ai toujours pensé que Scarlett n'aimait pas plus Rhett qu'elle n'aimait Ashley.

(Je n'ose pas contredire mon futur patron, mais n'importe quoi, si Scarlett n'aime pas Rhett, il n'y a pas d'histoire !)

– Et, poursuit-il, le film omet une foule de détails par rapport au livre, par exemple l'enfant que Scarlett a eu avec son premier mari. Mais vous imaginez Vivien Leigh changeant des langes ? Ah, ah ! La MILF, c'est vraiment un mythe !

Je grimace tout en admirant cette parfaite connaissance d'*Autant en emporte le vent* – ultime preuve de son homosexualité – et je m'imagine déjà en icône gay, genre Lady Gaga à la française, nouvelle mascotte de Charles et ses collègues LGBT sur un char à la prochaine gaypride. Il faudra que je me trouve des plates-formes shoes et des faux cils. Qu'est-ce que je pourrais bien chanter à cette occasion ? Peut-être *Beautiful* de Christina Aguilera ?

« Voilà le contrat ! » Charles me fait signer puis me somme de venir au bureau le vendredi suivant, à 9 heures. L'encre n'est pas encore sèche qu'il se lève déjà. Son torse est large, il fait gros nounours, il a l'air confortable. Je le regarde partir en me disant que, décidément, tous les hommes sexy et sympas de ma génération sont soit gays, soit pères de famille, je me demande ce qui m'a pris de me caser si tôt et, je ne sais pas pourquoi, je repense au père de Thorrible en aspirant de l'air avec ma paille. Pour la première fois, un employeur potentiel ne me regarde pas comme s'il voulait me stériliser de force.

Trois jours avant je m'imaginais vivre dans une caravane ad vitam aeternam, et en moins d'une semaine je suis passée du côté obscur de la force. Je m'apprête à devenir une *mère active.*

Morgane

J'appréhende toujours le retour chez moi après une journée de travail. Dans l'espoir d'être nommée vice-présidente, je passe de plus en plus de temps au bureau. À travers la porte d'entrée, je sens sa présence, la cravate tombée, les manches de sa chemise retroussées, les mains dans le bac à couverts du lave-vaisselle.

Sa propension à s'occuper du ménage prend des proportions inimaginables. Basile ne s'arrête jamais. À moi, il ne parle que pour proposer des prénoms (moches) pour le bébé, ou il lui parle à lui, directement, sur mon ventre, ce qui me gêne atrocement – surtout quand j'ai des gaz. À table, j'ai à peine terminé mon avant-dernière bouchée qu'il a déjà débarrassé les plats, les verres, les condiments et attend debout à côté de moi, une éponge à la main.

Quand il passe devant moi, les bras chargés du contenu d'une machine propre qu'il conduit au sèche-linge, je meurs d'envie de le secouer : « Bon sang ! Arrête de t'occuper du linge ! » Halte-là, amie lectrice féministe, je te vois froncer les sourcils d'un air désapprobateur. Je suis consciente que cette réaction va au-delà de toute impulsion politiquement correcte, et moi-même je me serais mis quelques claques si je m'étais entendue penser ça six mois auparavant. Mais, quand il s'occupe du linge, il me renvoie à mes propres incompétences. Quand il dit « j'ai vidé le lave-vaisselle », j'entends « tu n'as pas vidé le lave-vaisselle ».

Même si je n'aurais avoué ça pour rien au monde, au point où nous en sommes des confessions féministement incorrectes, j'ai une intime conviction. Les femmes préfèrent les connards. Elizabeth Bennet aurait-elle jeté son dévolu sur Darcy s'il avait été moins imbuvable ? Et Adam, le sexfriend moche de *Girls*, n'est-il pas craquant juste parce qu'il envoie promener Hannah ?

Ce soir-là donc, avant qu'il ne se jette sur mon ventre, Basile est assis par terre sur un tapis dans le salon. Une voix à la provenance non identifiée lui susurre : « Oui, très bien, détendez-vous… » Un programme de relaxation prénatale qu'il a téléchargé.

– C'est pour se préparer aux douleurs, tu devrais venir.

– Ça sent bon. Tu as pris des cannelés chez Picard ?

– Non, j'ai trouvé la recette sur mon appli Marmiton. Ils sont vanillés, tu m'en diras des nouvelles… Je ne me lève pas, parce que si j'arrête la relaxation tout le bénéfice est perdu.

Il reprend ses exercices de respiration.

– Tiens, au fait, j'ai mis ma Ducati en vente. Comme ça, on pourra acheter une petite voiture hybride, ce sera mieux pour le siège auto que j'ai repéré.

Mais enfin, qu'est-ce que c'est que ce nouveau mode de vie ? Basile a mis son stock de testostérone en vente avec sa moto ou quoi ? Moi je veux bien vivre détachée des stéréotypes de genre, mais il y a des limites quand même : on n'empiète pas sur mon terrain.

« Who run the world ? Girls ! Who run this, run this, run this world... » C'est la sonnerie attribuée à Émilie. Je m'isole dans la salle de bains :

– Oui ma poule, ça va ?

– Pas trop... (Bruit de reniflement.)

– Tu pleures ? !

– Non... (Sanglots bruyants.)

– Mais si, tu pleures !

– Un peu... (Énormes bruits de pleurs.)

– Qu'est-ce qui t'arrive ?

– J'ai pas trop envie d'en parler. (Reniflement.)

– Ah... et tu m'appelles pour ne pas en parler ? (J'essaye de la faire sourire.)

– Non... (Sanglots.) C'est Franck... Il a... (Reniflement.)

– Il a mangé un truc à l'huile de palme ?

– (Rires et sanglots mêlés.) Non, mais ça ne va pas.

– Tu sais, moi non plus ça ne va pas top avec Basile en ce moment. Qu'est-ce qui se passe avec Franck ?

– J'ai envie de le quitter, mais je ne peux pas vivre sans voir mes enfants tous les jours... (Énormes sanglots.)

– Ma pauvre... je comprends... (En fait, je ne vois pas le problème, ne pas voir ses enfants tous les jours = plein de temps libre. Intérieurement, je me fais la réflexion que se séparer après la naissance peut même s'avérer un bon plan. Pendant la Renaissance, c'était une marque de noblesse que de laisser ses enfants aller vivre leur vie avec une nourrice. Depuis quand les règles du jeu ont-elles changé ?)

– Et toi alors ? Qu'est-ce qu'il t'a fait, Basile ? (Reniflement.)

– Euh... non, laisse tomber, on parle de toi ce soir.

Je ne vois pas bien comment je pourrais lui dire que Basile abuse d'être trop impliqué dans ma grossesse, que j'en ai marre qu'il fasse 100 % des tâches ménagères et qu'en plus il parle au bébé à travers mon ventre et a fait des cannelés à la vanille. Dit comme ça, effectivement, ç'aurait pu sembler très légèrement étrange. Je sors de la salle de bains mon portable à la main. Basile me tend une assiette de cannelés :

– J'ai mis de la fleur d'oranger, je sais que tu adores ça... C'est pour te consoler de ne pas pouvoir devenir vice-présidente.

Je suis une vraie garce. Un mail d'Annick m'informe que le Parlement européen va effectivement lancer un appel d'offres en communication institutionnelle, au sujet d'une directive européenne sur la maternité. Douce ironie du sort.

Mairie du 14e arrondissement
Direction des affaires sociales,
de la stigmatisation, et de la petite enfance
Lisa Faroicluse

Mademoiselle Morgane Serra
11 rue Raymond-Losserand
75014 Paris

Mademoiselle,

Nous avons bien reçu votre demande de place en crèche municipale pour votre enfant à naître.

Néanmoins, au regard de votre situation financière et familiale, vous n'êtes pas prioritaire.

Faites-nous savoir si par bonheur votre situation personnelle évolue (décès, licenciement, séparation), auquel cas nous aurions le plaisir de mettre à jour votre dossier pour accélérer le processus.

Vous êtes bien située (644e) sur notre liste d'attente.

Pour répondre à votre question, non, nous n'acceptons pas de « petits cadeaux » en échange d'une « mise en haut de la pile du dossier ».

Cordialement,
Lisa Faroicluse

Émilie

Il est 9 heures, je suis devant mon nouveau bureau et je tiens mon iPhone contre moi comme un doudou d'adulte. Je clique sur ma bouée de sauvetage en forme de logo Facebook : « Nouveau job pour une nouvelle vie ! » comme pour acter cette nouvelle. L'icône MP s'affiche : ma mère me demande si j'ai quand même besoin des 1 200 euros : elle compte se faire faire une abdoplastie justement, à 1 200 euros HT.

Par bonheur, Franck a daigné s'arranger avec sa formation de sculpteur sur bois. Il a une semaine pour trouver une ass' mat', chose que je n'ai pas réussie à faire en quatre ans ; je lui souhaite beaucoup de bonheur. Franck est à feu Super Nanny ce que la Plaine Saint-Denis est à Hollywood, aussi je choisis de construire une porte blindée mentale entre les problèmes de mode de garde et moi.

Après les péripéties habituelles, tétée, tirage de lait pour la journée, douche interrompue par des cris, thé trop infusé, thé réchauffé, thé oublié au micro-ondes, constat de sourcils mal épilés mais pas le temps de chercher la pince à épiler, recherche vaine d'un chemisier à ma taille, enfilage d'une tunique de grossesse, logorrhée masculine sur les conservateurs utilisés pour faire le Banania… J'ai finalement réussi à m'échapper sans être rattrapée par mes minimatons.

Impossible de reculer, j'ajuste mon déguisement de femme active et pousse la porte. Une petite rousse dotée d'un front sur lequel on aurait pu faire atterrir un hélicoptère m'accueille et me fait faire le tour du propriétaire. Je me dis que je passerai désormais plus de temps avec son front qu'avec mes enfants. Elle s'appelle Chloé, elle est née en 1993 et porte un T-shirt à l'effigie de Joey Starr.

– Ah, vous êtes fan de rap ?

– Non pourquoi ?

Je désigne son T-shirt.

– Joey Starr ? C'est un acteur !

Cette journée va être longue.

Chloé tchatte sur Badoo en ouvrant des portes.

– À droite de l'open space, le coin des assistantes, à gauche, les conseillers, un plateau d'appels entrants et sortants. L'équipe se complète d'une force de vente itinérante et fonctions supports. Un café ?

– Un thé plutôt si possible.

– Un thé ? (Elle grimace.) Je sais pas si on a ça. Ça fait daronne quand même.

Je cherche mon bureau. Aucun ne semble disponible. Je reste dans le coin des assistantes debout, les bras un peu ballants, ne sachant pas que faire de moi-même. Je n'ose pas déranger Chloé, affairée à photographier ses propres chaussures. Autour de moi des gens courent, s'agitent, parlent fort, semblant très bien savoir où ils vont et pourquoi. Je me demande ce que je fais là, et je me demande s'il y a beaucoup de monde en ce moment sur le forum Allaitement long. Charles passe, ultra-classe dans son costume-cravate bleu marine, stylo à la bouche, dossier sous le bras :

– Émilie, je vais au comité de direction, venez !

Je le suis après m'être saisie d'un bloc-notes. Ça tombe bien, Morgane m'a appris à faire de super PowerPoint animés, on clique, hop la page, pardon, la slide disparaît en bondissant ! Charles s'assied, je l'imite. Il dégage quelque chose qui fait que l'on a envie de faire comme lui, tout, de façon générale. Une douzaine de messieurs sombres encerclent la table noire. De l'air !

– Merci à tous d'être venus à ce premier comité de direction. Nous avons des nouvelles arrivantes pour le pôle « parentalité » présentes à cette réunion, Émilie et Chantal, directrice des relations salariés et secrétaire de direction.

– Notre charmante nouvelle secrétaire de direction peut-elle aller nous chercher des cafés ? Sucres pour tout le monde ?

Je me lève d'un bond et me cogne à Chantal. Les participants me fixent.

– Oui, Émilie ? Vous voulez prendre la parole avant le début du comité ?

– Eh bien, je vais chercher les cafés... Je... vous avez dit...

– Chantal va y aller, Émilie. C'est son travail.

– Oui, Émilie. Sucre ou pas dans votre café ?

Si Chantal est la secrétaire de direction, alors je suis... la *directrice des relations salariés ?* Je peine à y croire, mais c'était la seule explication plausible. Après la réunion, j'ouvre discrètement mon contrat de travail dans mon sac à main pour constater que, en effet je suis bien directrice des relations salariés. Je me souviens de mon simili-entretien d'embauche au Paradis du Fruit et réalise que je n'avais même pas pris le temps d'ouvrir mon contrat jusque-là, comme pour éviter de me porter malheur.

Charles m'apprend ensuite que je disposerai aussi de primes, de tickets restaurants et d'un iPad de fonction. Le front ambulant me forme sur « les outils » et, vers 16 heures, je me retiens de téléphoner à Franck pour lui rappeler d'aller chercher Dali à l'école. Quand arrive l'heure de partir, l'une de moi se dit qu'elle préférerait rester boire un verre avec Charles tandis que l'autre a hâte de rentrer retrouver ses enfants.

Le soir venu, Franck m'annonce fièrement une bonne nouvelle : une de nos voisines ass' mat' a une place pour Éliott. En outre, Franck a donné des framboises à Éliott pour la première fois. Mes framboises. Mon bébé. Les framboises que j'ai achetées chez le primeur et que je me suis réjouie d'avance de faire goûter à mon grand bébé.

Désormais, il vivra ses premiers mots, ses premiers pas, ses repas gourmands, ses rires malicieux, ses siestes apaisantes, ses réveils embués, sans moi, avec une vague voisine à qui je n'ai parlé que deux fois dans ma vie, dont une pour lui demander si c'était elle qui m'avait piqué mon *Marianne* dans la boîte aux lettres (en fait, je l'avais reçu le lendemain). C'est cette femme qui bénéficiera de la chaleur de mon bébé quand il se réveille de sa sieste, de son haleine lactée, de ses joues à bisous. Le pollen est précoce cette année, j'ai les yeux qui piquent.

Est-ce que tout cela vaut bien le coup ? Ne suis-je pas prise dans un engrenage ? À quel moment ai-je perdu mes objectifs premiers de vue ? Et, d'abord, quels sont mes objectifs ? J'ai recherché cette situation, ce travail, mais je vais à mon tour passer quatre heures par jour dans les transports, déjeuner avec des inconnus et rester courbée devant un bureau pour gagner de quoi payer une maison dans laquelle j'aurai à peine le temps de mettre les pieds, tout ça pour offrir une « vie meilleure » à mes enfants, alors que je ne les verrai plus qu'une demi-heure par jour ? Est-ce ça, leur vie meilleure ? Peut-on être à la fois aussi excitée et aussi triste ?

Morgane

En arrivant au bureau à 8 h 30, j'ouvre ma boîte mail en bloquant ma respiration. Un nouveau truc antinausées. J'ai essayé des techniques plus efficaces comme lécher une rondelle de citron, mais j'ai une réputation à tenir, j'évite de le faire dans l'open space. Je bloque ma respiration, donc, en m'enfilant 10 comprimés de Nux Vomica d'un coup. Je me rue sur le téléphone dans l'espoir de réussir à contacter une des secrétaires de la maternité pour changer mon prochain rendez-vous – Annick m'a calé un déplacement à Strasbourg avec Jean-Jé et son ami JBC. Je prie pour tomber sur le répondeur, aucune envie d'écouter une leçon de morale sur l'importance des rendez-vous mensuels et le fait que « je bouscule le planning de tout le monde ». Des pas retentissent, je raccroche immédiatement. Hors de question de me faire surprendre au téléphone.

Je prends l'air absorbé par mon fond d'écran (Basile et moi sur une motoneige de nuit aux Arcs). Parmi les spams, un mail de Basile au sujet du prénom du bébé (je lui ai demandé de dire à sa mère d'arrêter de m'envoyer des bavoirs brodés au prénom « Jésus », il est hors de question que j'appelle notre fils Jésus – et encore moins notre fille, même si « c'est un prénom mixte » d'après elle).

Un autre mail provenant de la com' interne m'informe que l'agence est heureuse d'offrir leurs repas de cantine aux salariées femmes* pour fêter la Journée de la femme (* dans la limite de 5 euros par personne, hors desserts et boissons). Je me demande ce qu'en aurait pensé ma mère, gratifiée par sa fiche Wikipédia du titre de « première indépendantiste corse connue pour son engagement féministe ».

Plus bas, un nouveau message d'Annick. À Jean-Jé et moi. Nous sommes convoqués dans son bureau. Je me lève et pousse la porte : ils sont déjà là. Il arbore un sourire plus carnassier que jamais.

– Bonjour..., dis-je en ordonnant à mon estomac de ne pas réagir à l'odeur pestilentielle de l'après-rasage de Jean-Jé.

– Je vous ai réunis ici pour vous faire part d'une grande décision. J'ai choisi un nouveau vice-président.

Jean-Jé joue superbien la surprise. Je ne pipe mot.

– J'ai beaucoup étudié vos deux profils, vos deux façons de travailler. Vous vous valez sur de nombreux points.

Jean-Jé penche la tête, l'air de dire : « Oui, enfin, je vaux plus qu'elle... »

– Vous avez chacun des clients historiques. Votre leadership à tous les deux est incontestable.

Avec un pincement au cœur, je pense à Solange qui a payé le prix de mon « leadership incontestable » et est désormais préposée au courrier.

– Mais l'un de vous a quelque chose en plus...

Une paire de couilles ? Jean-Jé pense visiblement la même chose, il se tortille sur sa chaise comme soudainement pris de démangeaisons. C'est plié, il a le poste, il va se la raconter sur sept générations, et je vais végéter en 4/5 jusqu'à l'entrée de mon bébé à la fac.

– Jean-Jé, tu as vraiment bien géré l'urgence de la présentation de samedi dernier.

Il me lance un regard satisfait. La vie est injuste, injuste, injuste. Il peine à réprimer un rictus qui doit être un sourire. Ce soir, sa grognasse va passer à la casserole, avec lui, pour une fois.

– Tu as la même ancienneté que Morgane. Tu les as dignement assumées, tes missions.

Jean-Jé est sur le point d'éjaculer dans son pantalon. Quant à moi, je fixe ma manucure, notant que l'index droit se défaisait toujours deux jours avant les autres ongles. Tant pis, après tout, je suis enceinte, je vais me concentrer sur mon enfant comme toute bonne mère est supposée le faire. La pub n'est pas toute ma vie, tant pis si je viens de terminer le remboursement de mon prêt étudiant, tant pis si c'est ce pour quoi je suis faite, tant pis si j'ai passé mes jours, mes soirées et mes week-ends à travailler pour en arriver là, tant pis si je ne sais rien faire d'autre, tant pis, tant pis. Je n'ai plus qu'à jeter mon speech d'intronisation, dans lequel je me réjouissais d'être la deuxième femme à obtenir un poste aussi élevé dans l'agence et je disais que ma mère aurait été fière de moi si elle avait été encore vivante.

– J'ai beaucoup parlé de cette nomination avec Hugues. Jean-Jé, je suis vraiment fière de ton travail. Mais c'est Morgane qui est nommée vice-présidente. Elle a ce sang-froid, un atout qui te manque.

Plaît-il ? J'ai dû mal entendre. Mes nausées ont subitement disparu. Mon rival marmonne :

– Mais… mais…

Annick reprend :

– Jean-Jé, ton contact au Parlement européen nous a donné un cahier des charges d'AO complètement fake. Tu as fait bosser la créa pour rien. Ça gueule au planning. J'ai reçu la bonne version aujourd'hui, et elle n'a rien à voir avec ce que tu étais venu me dire. Bref, félicitons la gagnante ! Morgane, tu as une période d'essai de trois mois à ce poste. Mais il n'y a aucune raison que tu ne sois pas confirmée, tu m'entends ?

Jean-Jérôme lâche un cinglant : « Félicitations », se lève et sort furieux, tête baissée. Édith et Sophie l'attendent devant le bureau, l'oreille collée. Sophie susurre :

– Je suis dégoûtée…

Je m'apprête à sortir quand Annick me rappelle :

– Morgane ? Ne me déçois pas. Ce n'est pas un conseil : c'est un ordre.

Je pars vomir. Dans l'escalier, je croise une grande blonde : la femme de Jean-Jérôme. Il bondit sur nous.

– Mon amour, que fais-tu là ?

– Je venais chercher les clés de ta voiture, mon Audi est au contrôle technique…

Jean-Jé fouille dans sa poche et lui remet précieusement ses clés de voiture sans un mot sur sa non-nomination. Éva s'éloigne. Perfide, je suis tentée de la rattraper pour lui annoncer la nouvelle, mais je suis distraite par Lorenzo. Il broie son gobelet à café et fixe Jean-Jé comme s'il était Méduse, capable de le figer sur place. Finalement, peut-être ai-je un allié dans l'agence ? Mes nausées me pressent de regagner les toilettes.

La maman de Dali,

Vous vous êtes engagée à accompagner la classe de votre fille à notre sortie à l'atelier de parfums, jeudi. Dites-moi si c'est toujours bon pour vous malgré la maladie de votre fils ou si nous devons chercher une autre maman en urgence. Votre fille a beau être précoce, elle a besoin d'une maman pour l'accompagner. Merci de ne pas oublier de préparer le pique-nique pour elle et pour vous.

Cordialement,
Béatrice Cazenave.

Émilie

Subitement, mes épaules pèsent 100 kilos. Accompagner la sortie scolaire : quelle plaie ! Je me suis inscrite quelques mois avant pour narguer Justine Després, la présidente des parents d'élèves. Elle fanfaronne en permanence sur tout ce qu'elle apporte à l'école. Elle a décidé de monter un « groupe de tri de la bibliothèque » qui viendra sur place chaque mardi et jeudi après-midi. Je n'ai aucune envie de devenir enseignante/bibliothécaire/femme de ménage gratuite, et j'ai brandi l'argument « désolée, j'ai un bébé ». « Vous amènerez un gâteau à la kermesse ? » J'entends d'ici ce que Morgane répondrait à ma place : « Non, une bouteille de vodka, connasse. »

Elle a ensuite listé toutes les manières dont les parents d'élèves peuvent se rendre utile, en mode « ne vous demandez pas ce que votre école peut faire pour vous, demandez-vous ce que vous pouvez faire pour votre école ». Après avoir éliminé la coopérative (je donne 2 euros par trimestre, en pièces de 50 cents histoire de faire plus lourd), les gâteaux maison pour les fêtes (Savane et Brossard font leur CA de l'année grâce à moi), les stands à tenir à la kermesse (par pitié, rester debout quarante-cinq minutes en criant : « Faites la queue comme tout le monde ! », « Rhabillez-vous ! » ou « C'est à qui le tour ? ». Si j'avais envie de ce genre d'activités, j'irais tenir la caisse du Shaker-Club à Vitray), nous en sommes arrivées aux sorties scolaires.

Je tente une autohypnose pour me persuader que passer une heure dans un car avec vingt-huit enfants de 4 à 5 ans, puis consacrer ma journée à les emmener aux toilettes/refaire leurs lacets/les empêcher de se crever un œil, puis de repasser une heure dans un car avec vingt-sept enfants de 4 à 5 ans avant de réaliser qu'on en avait oublié un sur place, que l'un d'eux avait fait caca dans son pantalon et qu'un autre avait vomi sur le chauffeur, est le paroxysme de la plénitude.

Si un graphologue avait étudié mon « La maman de Dali » inscrit dans la colonne « mamans volontaires » (papa volatilisés ?) de la feuille affichée, il en aurait sûrement déduit quelque chose comme « contraste entre la volonté affichée et le désir profond ».

Bref, brandir le handicap imaginaire d'Éliott pour éviter la corvée maternelle frôlerait la maltraitance psychologique. Je mens sur le cahier : « Avec joie, à jeudi. » Seul un petit problème subsiste : entre le moment où je me suis portée volontaire et ce jour, j'ai trouvé un emploi. Je ne suis donc plus libre de mes journées. Il ne me reste plus qu'à : 1/ trouver un prétexte pour m'absenter une journée du travail alors que je suis encore en période d'essai ; 2/ faire avaler ce prétexte à mon patron. J'hésite : demander l'autorisation de m'absenter au préalable (et courir le risque qu'on me la refuse) ou prévenir au dernier moment que j'ai un gros empêchement imaginaire (ce qui n'est par définition pas très honnête).

Après le cours de zumba, j'interroge Assia, Morgane et Géraldine qui me répondent réciproquement : A/ « Préviens en amont ton patron, tu ne peux pas rater une sortie scolaire, c'est important pour ta puce et ce n'est pas ton travail qui te rendra visite à Noël quand tu seras vieille » ; B/ « Annule la sortie et va travailler, jusqu'à preuve du contraire tu n'es pas payée pour faire la nounou » ; et C/ « Fuck them all, j'annule mon amant, tu vas ni à ta sortie mémère ni au boulot, et on va boire des mojitos. » Aussi séduisante que soit cette dernière proposition, j'opte en laçant mes chaussures pour D/ Téléphoner à son patron le jour J, mentir, accompagner la sortie, rattraper le travail le soir même.

Le jour de la sortie, je m'attache à prendre une voix enrouée et dis à la petite rousse à front que, hmm, j'ai attrapé l'angine de ma fille, hmm, je serai absente aujourd'hui, hmm, désolée, hmm.

À reculons, j'enfile une tunique d'allaitement, un legging et mes ballerines La Halle. Franck accompagnera Éliott chez sa nouvelle ass' mat' pour commencer son adaptation. À peine arrivées à l'école, la maîtresse me saute dessus : « La maman de Dali... vous êtes en binôme avec le papa de Thor. » Le père de Thorrible. Oh non ! Ce type me déteste – il me fixe toujours avec condescendance. Et, d'abord, il y a des parents assez cruels pour appeler leur enfant Thor ? Ignorent-ils que c'est le dieu du Tonnerre ? J'observe le père du petit Thor en coin et je crois deviner qu'il se pose la même question sur le prénom de ma fille. Il me tend la main.

– Sébastien.
– Émilie.

– Ah, vous aussi, vous étiez douze par classe ?
– Bien vu. Nos enfants ont des prénoms plus originaux que nous !
– C'est ma femme qui a choisi...
– Moi, c'est ma belle-mère !
– Vous gagnez...
Il a une belle voix très grave et pas l'air si condescendant que cela. Certes, son fils est « thorrible », comme le surnomme Dali. Une espèce de gamin transgénique de presque 1,50 mètre, laid comme un lutteur est-allemand. Je suis sûre qu'il me battrait au bras de fer. En revanche, le père est plutôt potable... Un peu trop grand, certes, mais il a quelque chose de charmant. Sa mèche de cheveux, ses muscles saillants à travers son T-shirt, sa peau de la main droite incroyablement douce, son sourire narquois... Je cherche comment poursuivre la conversation avec lui.
– Vous en voulez beaucoup à votre femme d'avoir appelé votre fils Thor ?
– Plus depuis qu'elle est au cimetière.
– Ah, ah, excellent !
– Euh, non... elle est vraiment morte.
– Oh, mon Dieu. Pardon. Je suis vraiment, je, euh, je suis confuse excusez-moi.
– Les gens n'osent pas aborder le sujet. Mais ce n'est pas tabou pour moi, au contraire.
– C'est noté. Vous accompagnez souvent les sorties ? C'est la première fois qu'on se rencontre, non ? (Enfin, excepté les nombreuses fois où vous m'avez observée en coin.)
– Oui, je me suis laissé prendre par Justine Després.
– Ah, vous aussi ! Quelle plaie, celle-là !
– C'était la meilleure amie de ma femme. Non, je plaisante !

– Mais vous êtes thorrible, euh, horrible… Arrêtez de plaisanter avec ça.

– Impossible, j'adore votre petite tête offusquée.

Attendez là. Il me drague ? En se servant de la mort de sa femme ? Parce que moi, en tout cas, j'essaye ! Je peine, mais j'essaye. Comment avais-je fait avec Franck ? La maîtresse nous interrompt.

– Tenez, les parents, vous devez porter ceci.

Ceci étant d'immondes casquettes moutarde. Sébastien et moi échangeons un sourire complice.

La journée passe incroyablement vite et incroyablement bien. Pendant que les enfants apprennent à reconnaître les parfums ambrés, musqués, fruités, Sébastien m'apprend que sa femme est morte peu après la naissance de Thor, dans un accident de voiture, et que depuis il n'a eu aucune relation sérieuse. Il a d'autant plus mal vécu la mort de sa femme qu'il était lui-même pompier – bonjour, les muscles saillants – et intervenait sur un accident de la route au moment même où sa femme avait eu le sien. Cameraman de Sophie Davant, es-tu là ?

Sur le chemin du retour, c'est Sephora dans ma tête. Les narines pleines des effluves de l'atelier, je m'entends raconter ma vie à un inconnu pour la deuxième fois en trois semaines, mon récent week-end à Barcelone, Morgane et nos retrouvailles, mon nouveau travail… Je passe sous silence mes véritables passe-temps (le forum Allaitement long, regarder NRJ12, relancer les ouvriers) que je remplace par des passions plus glorieuses (solidarité en ligne avec des mères dans le besoin, documentation sur la jeunesse du pays, contribution à l'intégration de réfugiés par le travail manuel), mens par omission en désignant Franck comme « le père de mes enfants », baisse les yeux d'un air entendu quand il en déduit que c'est difficile pour moi d'élever seule deux enfants tout en travaillant. La maîtresse s'incruste :

– Vous avez divorcé, la maman de Dali ? Oh, ma pauvre... ça doit être difficile avec le handicap de votre fils.

Sébastien se tourne vers moi.

– Votre fils a un handicap ? Je ne savais pas. Qu'est-ce qu'il a ?

– Oui, au fait, qu'est-ce qu'il a précisément ?

– Eh, bien... il a... C'est dur à dire...

– Pourquoi, les médecins ne trouvent pas ? Il n'a peut-être rien alors ?

– Si, si... il a... La maladie... de...

Dali arrive et me sauve en lançant un :

– Alice a fait pipi sur elle !

En descendant du car, après avoir compté les enfants, rassuré les parents « oui, oui, [insérez ici le prénom de l'enfant] a été vraiment sage, un amour, et très éveillé avec ça ! » et rendu nos casquettes jaunes infâmes, Sébastien et moi nous regardons comme si nous achevions un rendez-vous amoureux.

Au moment où je sens ses pectoraux s'approcher de moi, je suis comme envahie par une bouffée d'excitation subite. Enhardie par je ne sais quelle pulsion, je lui dis :

– Mon numéro de téléphone est dans la liste, au début du cahier de classe. Si vous voulez... que nos enfants jouent ensemble...

Thor court après Dali en lui hurlant : « Je vais te couper la tête et la zézette ! » Je me demande si Marcel Rufo a écrit quelque chose sur le fait de faire garder ses enfants par son mari pendant qu'on va batifoler avec un veuf dont on déteste le gamin.

Morgane

La matinale de France Info hurle dans la salle de bains. En temps normal, je tripe sur la voix sexy de Matthieu Maestracci, mais aujourd'hui cela me permet de répéter à loisir devant la glace : « Enchantée, je suis Morgane Serra, la nouvelle vice-présidente... Oui, je sais, je suis très jeune pour occuper ce poste... Plaît-il ? Ah, oui, je suis tellement mince qu'on ne dirait jamais que je suis une future maman, merci, on me le dit tout le temps... » sur tous les tons, sans que Basile ne m'entende. Je lui ai juré que je ne prendrais aucune autre responsabilité professionnelle pendant ma grossesse. Impossible de lui dire : « Déjà que je sèche les cours de préparation à la naissance, je t'annonce que je vais aussi sécher l'accouchement et probablement les premières semaines du bébé. » Au bout d'une bonne demi-heure, il frappe à la porte.

– Mais qu'est-ce que tu fais à la fin ? Il y a un problème ? Baisse le son. Et ouvre ce verrou, si tu tombes dans les pommes je ne pourrai pas venir t'aider. Dépêche-toi !

– Ça va, ça va, j'arrive...

La sonnerie de l'Interphone retentit. Le défilé des nourrices potentielles commence. Basile et moi sommes vêtus comme des employeurs sévères-mais-justes, parents parfaits-mais-pas-trop-envahissants. Basile me pique 2 Nux Vomica et s'installe dans mon coussin de grossesse Babilleuses. Pour la première fois depuis son arrivée au cabinet Water & Proof, Basile a pris une journée off, quant à moi, j'ai prétexté une conférence sur « L'après-loi Sapin : comment augmenter nos marges légalement sans rétrocommission ? » pour m'éclipser du bureau.

Basile et moi rencontrons :

– Sylvie, qui se fait appeler « Sly » (prononcez « Slaï »), punk à chien venue avec son compagnon, piercée, tatouée, arborant un sublime treillis de la Waffen SS.

– Brigitte, qui m'engueule parce qu'elle a eu du mal à trouver, m'engueule parce que son café est presque froid, m'engueule parce que je n'ai pas encore choisi de prénom pour le bébé, précise qu'elle ne cherche pas de travail et nous a juste contactés pour savoir si nous avions déjà passé le test OCA de l'Église de scientologie.

– « Nini » qui ne parle qu'en doubles syllabes, et demande à « Baba » s'il a des exigences pour le dodo, le popo, le caca, le pipi, la tutute, les doudous, le bibi. Nous lui disons vite bye-bye.

– Mélina, authentique spécimen de cagole qui nous apprend qu'elle donne des surnoms à ses « boobs » (ses seins), travaille pour se payer une rhinoplastie et nous laisse son nouveau mail : « ptitechaudassedu13@yahoo.fr ». Basile trouve qu'il faut lui laisser sa chance « par solidarité marseillaise », je m'y oppose fermement.

Nous avons épuisé notre liste de nourrices à domicile et allons rendre visite aux assistantes maternelles, espérant avoir plus de chance avec elles.

Nous visitons un cloaque digne de *C'est du propre*, au fond duquel un sosie de Mme Mim puant le cendrier nous dit qu'elle « laisse les gosses en bas le temps de ranger les courses » et qu'elle espère « qu'on est ouverts d'esprit et pas racistes » parce que sa religion lui interdit « de toucher de l'eau entre 7 heures et 19 heures », en conséquence de quoi elle ne pourra ni laver le bébé, ni le changer, ni cuisiner pour lui. Son salon donne sur un balcon ouvert.

Dans un coin gît un pauvre bébé les yeux éteints. Au fond, un autre joue avec des fils électriques dénudés. Elle nous crie de la cuisine : « Et j'prends 560 euros de frais d'entretien par jour. » Basile me murmure : « D'entretien de quoi ? » en balayant la porcherie d'un regard, faute de la balayer au sens propre. Je me demande avec qui elle a couché pour obtenir son agrément.

Notre ultime rendez-vous a lieu à trois rues de chez nous. Nous devons rencontrer « Tata Michèle » que j'imagine déjà comme une délinquante multirécidiviste feignante néonazie « du 13 » allergique aux bébés... Depuis l'escalier, nous nous laissons guider par les chants. Une voix avec un accent espagnol crie :

– Entrez, entrez !

Avec mille précautions, Basile et moi ouvrons la porte en grand... Dans la pièce principale, Tata Michèle chante pour trois enfants assis en ronde autour d'elle.

– Désolée pour l'accueil, mais je ne veux pas laisser les enfants sans surveillance.

Elle nous serre la main, puis s'enduit de lotion antibactérienne.

– Je vous présente Emma, Hugo et Nine. Ils ont 8, 17 et 30 mois.

La moitié du salon de Tata Michèle est recouvert d'affiches antifessées et pro-éducation positive, l'autre moitié décorée de photos de bébés. Elle dispose de cinq gros coffres à jouets, de quatre chaises hautes, quatre transats et une petite armoire avec des livres cartonnés et des mini-instruments de musique.

Le mur du fond est peint à l'ardoise.

– Je vous propose de visiter et de me poser les questions que vous désirez.

Une vaste cuisine ultra-sécurisée (panneau antichaleur, cache-prise, poignées inaccessibles) renferme un genre de mini-atelier avec minirouleaux à pâtisserie, des minimoules, des minicuillères. Au fond, sa chambre à elle, avec une table de nuit sur laquelle est posé *Éloge de l'enfant roi*. Basile et moi échangeons un regard ému – je jurerais qu'il a les larmes aux yeux.

– Vous êtes intéressés ?

– Épousez-nous ! Oui, nous voulons absolument avoir une place chez vous pour notre bébé.

– Vous êtes aimables. Je vous note sur la liste d'attente.

– D'accord… quand aurons-nous une réponse définitive ?

– Je ne sais pas, voyons, nous sommes mardi… ? Dans six mois.

À quel moment avoir un enfant est devenu une chose si compliquée ? Je me noie dans un lac de contraintes, les sables mouvants des formalités m'attirent vers le fond, et je me débats sans cesse, avec tout, avec tous, consacrant toute mon énergie et toute ma concentration à envoyer le bon formulaire à la bonne personne avant la date indiquée, à deviner où je dois m'inscrire, pour quoi, à le faire dans les temps et à me battre avec des procédures qui m'accaparent tellement que j'en oublie même de tisser des liens avec mon futur bébé. Et, d'abord, est-ce qu'on peut décider de tisser des liens avec un fœtus ? Cette question me fait froid dans le dos.

Émilie

Entre deux chorégraphies de zumba, Morgane (qui fait « juste les bras ») nous a raconté hier soir au Mix Club ses entretiens avec des nourrices. En comparaison, le dieu des modes de garde semble beaucoup m'aimer.

En une semaine d'adaptation, Éliott a fait plus de progrès que les derniers mois. Il dit « maman », « soif », « lali » (Dali) et fait quelques pas si on lui tient les mains. Franck et moi nous sommes répartis les missions : le matin, j'amène Éliott chez la voisine et Dali à l'école, et l'après-midi Franck va les chercher. Bien évidemment, il ne prend pas la peine de demander de véritables comptes-rendus de la journée et, quand il le fait, il en zappe la moitié. J'apprends ainsi trois jours plus tard que je tire mon lait pour rien, Éliott buvant du lait en poudre, ce qui me rend furieuse ! Je suis quand même pas une ayatollah de l'allaitement, mais, tout de même, me demander mon avis sur le lait que je fabrique, tire, congèle, me semble être la moindre des choses. « L'ass' mat' m'a demandé si elle pouvait donner un complément, j'ai dit OK, je ne voyais pas le problème... » Il ne voyait pas le problème !

Suivant les conseils lus sur des forums, je me répète : « Ne te dis pas que c'est ta dernière tétée... ne te dis pas que c'est ta dernière tétée... » en serrant mon gros bébé qui, il y a encore quelques mois, tétait ses petits bras recroquevillés, son cordon ombilical pas encore coupé. Je n'ai cessé de me dire « C'est une de mes dernières tétées... c'est peut-être LA dernière tétée ? Je ne vais plus servir à rien, je ne serai plus indispensable, je ne serai qu'une personne parmi les autres qui gravitent autour de mon fils. Et si je n'avais jamais de troisième enfant ? C'est peut-être le dernier moment de toute ma vie où j'allaite un bébé ? »

Ce matin, comme d'habitude, j'arrive avec presque vingt minutes de retard à l'école, ma fille au bout de la main. Mme Beauzor et la maîtresse m'accueillent sous le préau. Que me veulent-elles ? Ont-elles vu mon statut de la veille sur Facebook ? (« Je déteste ces c*** de l'école incapables de me rendre ma fille en bon état ! ☹ ») Mme Beauzor me tend une enveloppe.

– Tenez, la maman de Dali... toute l'école s'est cotisée...

– Pardon ? Mais, cotisée pourquoi ?

– Pour l'opération d'Éliott... !

– Maman, Éliott va aller à l'hôpital ?

Je remercie rapidement pour éviter d'entrer dans les détails de cette « opération », et mes pieds me poussent vers la sortie. Je me jette sur le téléphone :

– Franck ? Tu as dit quelque chose à l'école à propos d'Éliott ?

– Non, pourquoi ? J'aurais dû dire quelque chose ?

– Et elles, elles ne t'ont rien dit de particulier ?

– Mais non, enfin !

– Vous n'avez pas eu une conversation récemment, Mme Beauzor et toi ?

– Si, elle m'a demandé si tu t'en sortais et si ça se passait bien pour Dali au centre de loisirs. Je lui ai dit : « Vous savez, avec ce qu'on traverse... » Elle m'a répondu : « Oui je sais, votre femme m'a dit, c'est pas facile. J'ai ajouté que c'était surtout dur financièrement et qu'on avait un trou de 1 200 euros, puis je suis parti, j'allais être en retard à ma formation. »

Mon train arrive. 1 200 euros en petites coupures alourdissent ma poche. De quoi payer mon loyer de retard, sauf que l'ensemble des parents à qui j'adresse à peine la parole s'est cotisé volontairement pour réunir cette somme, destinée à l'opération de mon fils, opération qui n'est que le fruit d'une suite de malentendus. Sébastien a-t-il participé ? Est-ce que je développe un syndrome de Münchhausen par procuration ? Si oui, *Faites entrer l'accusé* va-t-il m'appeler pour me consacrer un reportage ? « Escroquerie : Une mère de famille en surpoids fait passer son fils pour un handicapé et encaisse 1 200 euros. Son mari dément toute implication. » Mais surtout, à cet instant, je me demande comment je pourrai me sortir de cette histoire de handicap qui ajoute une goutte à mon vase de culpabilité, pourtant déjà bien rempli.

Morgane

On ne prépare pas les futures mères au décalage horaire. Et pourtant elles vivent sur un méridien maternel, fuseau horaire spécifique dédié aux jeunes parents. Les soixante secondes d'une minute de futurs ou jeunes parents peuvent s'égrener avec une tortueuse lenteur, et en même temps les journées s'enchaînent trop rapidement pour que nous nous acquittions de l'intégralité de nos tâches. Et puis, quelle personne sans enfant se réjouirait de dormir une nuit complète et non hachée ? J'imagine les statuts de parents greffés sur des profils de couples sans enfant : « Nuit complète de 23 heures à 7 heures sans interruption, le bonheur » ou « Grasse mat' jusqu'à 9 heures, merci, Seigneur ».

Bien prévenue par ces horloges parlantes permanentes (on le sait, Coco, qu'il est 7 heures, on a l'heure aussi de ce côté de la Seine), je comprends que mes nuits seront difficiles après la naissance du bébé. Ce que j'aurais aimé, c'est qu'on m'informe que les nuits commencent à être difficiles dès la grossesse. Impossible de dormir plus de deux heures d'affilée. Et, quand je dors, c'est d'un sommeil agité dont les cauchemars m'épuisent plus que si j'étais restée sur le canapé à relire une énième fois *Cent ans de solitude*.

Ma mère avec une perruque de clown, un nez rouge et de grosses chaussures, jongle avec des bébés en me criant : « Tu ne les attraperas pas ! Tu ne les attraperas pas ! » Je suis perdue, j'arrive devant mon lycée, je croise Émilie et je lui demande de m'indiquer le chemin jusqu'à la maternité. Elle me tend un GPS éteint, et j'accouche debout d'un bébé grenouille. Dans le pire de tous, on dresse mon procès, et un jury populaire perruqué, composé de Joey Starr, Annick, Jean-Jé, Basile, Émilie, Assia, Géraldine, Mme Ceauşescu et l'ensemble des Monty Python, tape avec un petit marteau en forme de biberon, me déclare « Inapte ! » et me court après avec une pince à spaghetti (je le savais, pourtant, que je n'aurais pas dû regarder sur Internet des images de forceps) pour m'arracher mon enfant façon *Rosemary's baby*.

Un SMS de Géraldine, en session à Bruxelles, me réveille : B. veut me passer suppléante aux prochaines élections. G. rassemble soutiens pour créer propre courant. Primordial bonne com pr ma directive. Veux pas finir conseillère municip. à Charleville-Mézières*. (* Si vous êtes conseillère municipale à Charleville-Mézières, je suis bien d'accord avec vous, Géraldine ne sait pas ce qu'elle rate.)

La voix de mon amoureux entonne : « Bon anniversaire chérie ! » Ce n'est pas mon anniversaire. C'est notre anniversaire de rencontre. (Techniquement, nous avons consommé pour la première fois trois semaines plus tard, mais nous célébrons chaque année le jour où nos regards se sont croisés dans la salle de réunion d'ECG, même si je soupçonne Basile de ne pas se souvenir précisément des détails de cette journée. Il est par exemple incapable de dire comment j'étais habillée – moi aussi, mais là n'est pas la question.)

Notre tradition veut que nous nous offrions chaque année un cadeau fait main, par nous-mêmes, histoire de nous rappeler qu'on peut vivre d'amour et d'eau fraîche et que nous sommes tous les deux d'anciens pauvres. Peu importe si, le reste de l'année, nous dépensons l'équivalent du PIB de la Guinée-Bissau en services superflus. Mais, enfin, on est quand même bien contents d'avoir un abonnement G7 Premium qui nous permet de ne pas attendre plus de trois sonneries quand on cherche un taxi aux heures de pointe dans Paris.

J'embrasse Basile et attrape son cadeau sous le lit : une « Basile Box », une boîte en carton dans laquelle j'ai mis des mots croisés « spécial futur papa » concoctés par mes soins et imprimés au bureau sur du papier cartonné – il faut deviner les mots couvade, naissance, amour... – une reproduction porte-bonheur de la Bonne Mère que j'ai faite moi-même, et le portrait de notre futur bébé, concocté grâce à un logiciel dans lequel j'ai téléchargé ma photo et celle de Basile. Bon, là, comme ça, notre bébé ressemble à Snoop Dogg atteint du vitiligo, mais le logiciel relève plus du délire que du scientifique (du moins, je l'espère).

Basile m'embrasse avec fougue, ce qui me permet de noter qu'il s'est levé pour se laver les dents – son haleine me donne des nausées. J'apprécie l'intention et me demande ce que je deviendrais si un jour Basile me quittait, et que je devais cohabiter avec un nouveau compagnon qui, comme la majorité de la gent masculine, ne remplirait pas le lave-vaisselle, puerait de la gueule le matin, me demanderait ce qu'on mangerait le soir, et ne m'écouterait pas quand je parlerais. Je serre Basile contre moi et sans prévenir, notre bébé manifeste sa présence par un petit coup de pied rapide mais net. Les yeux enfoncés dans les miens, Basile rit, et je ris avec lui. Je voudrais que le temps s'arrête là, sur ce délicieux moment de complicité amoureuse et parentale.

– Mon cadeau à moi s'écoute !

Il disparaît quelques minutes et revient avec son ordinateur, appuie sur quelques touches l'air concentré. Au début, je me demande ce que c'est. « Pom, popom, pom, popom... » Puis je reconnais le bruit. Il m'a composé un morceau sur les battements de cœur de notre bébé ! Basile est un amour. Je me fais mentalement la liste de ses qualités : beau, intelligent, bon amant, sent naturellement la fraise sous les bras, connaît toujours toutes les réponses du Trivial Pursuit, couche tout le monde au blind-test, a un cul d'enfer, une robe noire d'avocat avec laquelle on peut effrayer nos voisins pour Halloween, peut passer d'une citation du 113 à l'utilisation de l'imparfait du subjonctif à l'oral. J'ai de la peine pour mes copines qui n'ont pas le plaisir d'avoir un amoureux aussi génial. Nous devrions toutes avoir droit à un Basile au moins une fois dans notre vie.

Je profite un peu honteusement de la situation pour lui avouer ma récente promotion. Après de longues secondes de silence, il sourit et me dit :

– Félicitations, madame la vice-présidente ! Tu veux qu'on discute de l'appel d'offres du Parlement pendant que je te fais un thé ? Après, je te montrerai quelques exercices de respiration.

Comment ai-je pu trouver la situation difficile à vivre ?

Émilie

Déjà mon deuxième samedi de femme active. Les journées passent à une vitesse hallucinante depuis que je n'ai plus que deux heures par jour pour faire tout ce que je faisais jusque-là en douze heures. Et la boîte aux lettres dégueule de factures.

Les trajets sont extraordinairement longs, mais finalement pas aussi désagréables que ce que m'avait décrit Franck quand il travaillait. Ses trajets à lui, c'était du Zola, le pauvre père de famille parti gagner le pain de ses enfants au prix d'interminables embouteillages… Certes, le train Paris-Maintenon est bondé, mais les moments où je peux m'asseoir avec un bon livre pendant plus de dix minutes d'affilée sans entendre « Mamaaaaan » ne sont pas si nombreux à la maison. Avec les pauses déjeuner, j'ai presque plus de temps pour moi qu'avant de travailler. Et moins de temps pour ma famille et ma maison, certes.

On ne peut pas tout avoir, paraît-il, et très franchement, même si cette pensée me vaut une magnitude d'un bon 9 sur l'échelle de Richter de la culpabilité maternelle, je trouve plus agréable d'avoir du temps pour lire des romans que du temps pour ramasser des miettes de boudoir devant *La Maison de Mickey*.

Ce samedi, je passe la journée avec Dali. Nous ne faisons jamais rien toutes les deux, rien que toutes les deux, hors de la routine. Depuis que je travaille j'ai l'impression d'être sa colocataire plus que sa mère. J'ai concocté un programme de rêve : je l'amène à Paris. Cinéma en 3D, restaurant et Bateau-Mouche. Et puis, je dois faire quelque chose... À vrai dire, je ne suis pas encore tout à fait certaine d'y aller.

Malgré le plaisir des rares moments de solitude, je pars quand même de chez moi à 7 h 30 et rentre aux alentours de 20 heures. Rythme intenable quand Franck aura retrouvé du boulot. Plus ou moins en plaisantant, pour justifier un retard, j'ai lancé à la cantonade que, si quelqu'un entendait parler d'un bon plan logement à Paris, il n'hésite pas à me le faire suivre.

Le lendemain, Charles est venu me voir avec une fiche à la main. J'étais peut-être un peu absorbée par la contemplation de sa bouche (je dois vous avouer que je me demande ce que ça fait d'être un homme et de l'embrasser) que j'ai mis dix minutes à comprendre qu'il me parlait d'un grand trois pièces au métro Anvers. Je ne comptais pas vraiment déménager. Mais Charles a tellement insisté, « ma sœur me demande tous les jours si je m'occupe bien de vous, elle se prend un peu pour votre bonne fée, je crois », que j'ai fini par dire oui pour une visite-qui-n'engage-à-rien.

Le loyer était risible pour Paris, 620 euros par mois, pile la moitié de notre remboursement mensuel pour la maison. Le reste était pris en charge par l'employeur. Et j'économiserais sur les trajets... Je n'aurais même plus besoin de voiture. « Tu es comme dans un village, ici », a précisé Charles. Cette manie des Parisiens de mépriser les villageois et, en même temps, de feindre de vivre dans un village dès qu'ils connaissent le nom de famille de la boulangère.

Nous sommes très en avance au cinéma, aussi je propose à Dali de prendre un verre de lait au Starbucks le plus proche – Morgane n'a pas le monopole du Starbucks, je me justifie intérieurement. Dans la rue, avec ma fille dans une main et mon macchiato dans l'autre, je me sens très Sarah Jessica Parker. Quand je ne travaillais pas, habituellement, je bombardais Dali de questions dès la sortie des classes. Et c'était très difficile de lui faire raconter quoi que ce soit... Subitement, alors que je ne lui demande rien, sa petite main dans la mienne, ses lunettes de soleil Minnie sur son petit nez, elle se met à se confier : son amoureux, ses copines avec qui elle se dispute souvent pour des histoires de gommettes à paillettes, Adrien qui fait le fou à la cantine, la maîtresse Béatrice qui leur apprend une chanson en anglais...

Je l'écoute, attentive, émue, m'inviter en immersion dans son univers. Je me retiens de la dévorer de bisous, savourant l'instant, de peur qu'elle ne s'arrête.

Devant le cinéma, à deux pas de l'Opéra, nous attendons l'ouverture avec une vive impatience. Les badauds s'arrêtent, regardent les horaires des séances, font la queue... Peu à peu, une longue file d'attente s'est mise en place. La foule commence à s'impatienter. Enfin, une vieille dame tous bijoux dorés dehors, style Castafiore du pauvre, s'avance.

– Mesdames, messieurs... nous avons un problème avec la 3D. Il n'y aura pas de séance aujourd'hui.

Je regarde Dali. Sa petite bouche fait un sourire à l'envers, commissures des lèvres tournées vers le bas.

Elle lève le menton vers moi et, à travers ses lunettes Minnie, me lance un regard implorant.

Un autre jour, je n'aurais pas eu assez confiance en moi pour protester. Est-ce Paris, ma fille, mon nouveau statut de femme active, la proposition de Charles, la sensation de faire partie d'un tout avec Morgane, Assia et Géraldine ? Hors de question que je subisse les aléas techniques d'un cinéma.

– Enfin, madame, nous attendons avec des enfants depuis près d'une heure… Vous ne pouvez pas nous laisser comme ça !

La foule se regarde et enchaîne :

– Oui, oui, c'est vrai…

– Qu'avez-vous prévu pour nous dédommager ?

La Castafiore fait un geste des mains.

– Personne ne vous a dit d'avoir une heure d'avance…

La foule :

– Ouhhh, ouhhhh…

La Castafiore : – C'est la technique, vous n'avez qu'à revenir dans deux heures !

Je fais : – Avec des enfants ? Attendre deux heures, c'est tout ce que vous nous proposez ?

La foule : – Arnaque ! Sans cœur ! Mauvais commerçants !

Les enfants : – Méchante ! Méchante !

La Castafiore referme les portes et disparaît quelques secondes. Elle resurgit rouge et en nage.

– J'ai vu avec mon collègue en face… Vous pouvez y aller de ma part, la 3D et les lunettes sont offertes, et les parents auront des tarifs étudiants.

Quelques dames viennent me féliciter de mon aplomb (moi ! de l'aplomb !) et nous pouvons voir tranquillement le dessin animé sur le trottoir d'en face… Une mère me dit : « Bravo, vous au moins vous ne vous laissez pas faire, je n'aurais jamais osé ! » C'est bien à moi qu'elle parle ? Moi, Émilie, qu'on félicite pour ne pas se laisser faire ?

Après *Rebelle*, nous rejoignons le métro Anvers. Charles m'attend devant l'appartement. Vraiment beau. L'appartement. Charles me dit qu'il a fait son deuil de sa relation avec Stéph. D'ailleurs, ils se voient désormais « en toute amitié ». Est-ce un sujet de conversation approprié devant ma fille ? Comment est-il possible de voir « en toute amitié » quelqu'un avec qui on a partagé des fluides ? Tout est-il plus simple chez les gays ?

Et Franck, que dirait-il de cet appartement ? Et Sébastien ? Ferait-il le trajet depuis Maintenon pour me rendre visite ? Dans le monde parallèle de mon imagination, aucune incohérence à visiter un appartement avec mon patron sexy pour y emménager avec mon époux tout en calculant la distance avec l'appartement de mon flirt. J'entends d'ici Morgane me demander : « Qui dit encore "flirt" ? »

Je n'arrive plus à me rappeler pourquoi exactement nous avions quitté Paris, Franck et moi. Il est si facile de s'échapper de la routine. Du moins… sans Franck. À cet instant, je réalise que les meilleurs moments de ma vie sont les moments où je suis sans lui. Comment en sommes-nous arrivés à ce point ? Comment notre conte de fées a-t-il pu virer à la simple chronique d'un couple moribond, qui ne se supporte tellement plus que même la visite d'un cloaque devient la réalisation d'un rêve, pourvu que l'autre n'y figure pas ?

Il y avait des années que je m'étais laissé séduire par cet étudiant un brin lunaire. Franck avait arrêté ses études de médecine en troisième année, après avoir redoublé puis échoué à plusieurs partiels de suite. Plus très motivée par les cours, culpabilisant aussi peut-être un peu de réussir là où mon fiancé avait échoué, j'avais quitté le cursus de moi-même au grand dam de ma mère, radiologue, fille de chirurgiens, femme de chirurgien, qui rêvait d'une grande carrière médicale pour sa fille.

Ma mère est ambivalente, sur ce point. Pour mon mon bac, elle m'a offert un bon d'achat de 100 francs. Pour son bac, mon frère a eu un studio. Ma mère dit souvent : « J'aime tous mes enfants de la même façon ! » et des choses comme : « Je ne comprends pas tout ce foin autour du *Choix de Sophie* : si je devais choisir entre mes enfants, je sacrifierais Émilie, ah ah, non je plaisante... Mais avoue que tu n'as rien de spécial, ce n'est pas ce dont une mère rêve pour sa fille... »

Ce soir, en rentrant de ma virée parisienne, je trouve Franck au milieu du salon, dont il a enfin terminé la peinture, un bouquet de fleurs en main. Il y a juste trois mois, j'aurais adoré. Aujourd'hui, la pâquerette cueillie par Dali dans la cour de l'immeuble quelques heures plus tôt m'a fait plus d'effet.

– Merci Franck.

– Alors, alors ? Ce salon ?

À la vérité, même peint, même propre, je n'en peux plus, de ce salon. J'y ai passé mes jours et une partie de mes nuits, les cinq dernières années, 7 jours sur 7, y compris les soirs et les week-ends. Il m'a tenu lieu de salon, salle à manger, bureau, chambre aussi, parfois, j'y ai gardé les enfants, j'y ai discuté sur des forums d'allaitement et de régime Dukan, j'y ai attendu Franck en vain, des heures, devant la télé, j'y ai boulotté des centaines de paquets de Granola en ne faisant rien de spécial de ma vie. Mon subconscient le compare malgré moi à l'appartement du métro Anvers, son parquet qui craque, ses fenêtres simple vitrage sur rue, ses odeurs de friture dans la cage d'escalier, son charme fou, et le sourire de Charles. Je veux changer de maison. Et de mari.

Comme si je faisais de la télépathie avec mon iPhone, je reçois un MMS de Charles : une photo de l'appartement avec le texte : Décidez-vous, l'organisme le fait visiter samedi prochain. Et, dans la nanoseconde, un SMS de Sébastien : Sortons sans les enfants ?

D'où surgissent ces hommes attirants, cools et sympas, et pourquoi s'intéressent-ils subitement à moi alors que j'ai passé les dernières années dans un gynécée ?

Du bout des lèvres, je dis à Franck :

– Bravo pour la peinture. Je vais prendre une douche.

Dans la salle de bains, je fais couler l'eau à pleine puissance pour masquer le bruit du téléphone en me promettant de faire un don à Greenpeace avec mon premier salaire pour compenser.

– Charles ? C'est Émilie. Je voulais vous remercier pour la visite. Pouvez-vous bloquer l'appartement ?

– Vous le prenez ? Vraiment ?

– Oui, vraiment.

– On se voit au bureau pour monter le dossier ? Sinon, je voulais vous dire : j'ai deux places pour le concert d'adieux de NTM, j'ai pensé à vous...

– Comme c'est gentil ! Ma meilleure amie, Morgane, vous savez celle qui m'a invitée à Barcelone quand j'ai rencontré votre sœur, est une grande fan. Où dois-je récupérer les places ?

– Je… je vous les envoie par mail, ce sont des tickets électroniques.

– Merci, Charles. Vous êtes un patron de rêve. (Cette phrase est-elle passible d'une poursuite de sa part pour harcèlement ? Je décide que non.)

Bon, j'ai peut-être un tout petit peu menti. Certes, Morgane est une fan de NTM, mais ce n'est pas avec elle que je vais aller les voir.

Morgane

En tant que nouvelle vice-présidente (j'adore répéter ça !), j'ai désormais l'obligation d'assister aux conseils d'administration. Je deviens complètement schizophrène. Chez moi, dans la sphère privée, je ne peux pas aborder le sujet de mon travail (lors de ma dernière visite à la maternité, Mme Ceauşescu m'a demandé ce que je faisais ; j'ai commencé à lui expliquer, et elle m'a interrompue : « Dites-moi juste un titre que je puisse recopier sur votre fiche, ne me racontez pas votre vie »). Et, dans la sphère professionnelle, impossible d'évoquer ma grossesse. Et pourtant je suis censée plancher sur un plan de communication faisant la promotion des mères au travail dans toute l'Europe.

Cette situation exige des trésors de concentration, je me briefe intérieurement avant chaque moment de ma journée : « Implacable business woman » ou « Adorable future maman ». Pour bien préparer ce conseil d'administration, Annick m'a calé un déjeuner avec elle et Hugues. (Je suis bronzé, je suis ami des grands de ce monde, je vis sur un slogan trouvé par un stagiaire dans les années quatre-vingt, je suis reconverti en agence matrimoniale pour ex-président de la République promoteur de montres de luxe, je suis-je suis... Oui, Hugues, quatre à la suite !)

J'ai avalé 17 Nux Vomica et léché un citron entier, planqué dans le tiroir de mon bureau. À 13 heures, je suis pile en retard, impossible de repousser plus le déjeuner. J'arrive devant le restaurant de choucroutes et crois vomir rien qu'en voyant l'enseigne.

Hugues et Annick sont déjà dans le hall. À leur côté, un type en costume-cravate. Le patron du restaurant, probablement. Je serre la main de mes deux supérieurs et dis au patron :

– Félicitations, votre restaurant est très beau.

Je suis fière de ma phrase, qui montre quelle personne sociable et aimable je peux être. Très VP !

Annick me foudroie du regard.

– Morgane Serra, je te présente Vincent B, notre actionnaire majoritaire...

Ledit Vincent B se penche vers moi, hilare.

– Bravo, Morgane ! Quel humour ! C'est une qualité essentielle dans notre milieu...

Je fais :

– Ah, oui, c'est tout moi ça... bien sûr, je sais qui vous êtes.

Je me mets en pilotage automatique et rebondis :

– Vinceeeent, je suis raviiie de vous rencontreeer..., en lui touchant l'épaule comme si je retrouvais un frère jumeau dont j'aurais été séparée à la naissance, dans la plus pure tradition pubarde.

Le serveur nous indique notre table et nous met la carte entre les mains. Il énonce sur un ton grandiloquent : « Choucroute garnie, avec chou mariné et saucisses maison revenues dans leur jus de cuisson, graisse d'oie et de porc mélangées... » Il FAUT que je vomisse. Tout de suite. Où est mon Nux Vomica ? Je me mets à le chercher frénétiquement dans mon sac...

– Vous cherchez quelque chose, Morgane ?

– Non, non... euh, ma lotion antibactérienne.

– Morgane est maniaque..., fait Annick avec un sourire forcé. Morgane, ce n'est peut-être pas très grave si tu ne te laves pas les mains ce midi, exceptionnellement ?

– Si, si, elle a entièrement raison. Allons tous nous laver les mains à l'eau et au savon !

Vincent B s'enthousiasme avec exagération :

– Se laver les mains ? Ah oui, que c'est folklorique, faisons ça !

Il applaudit, et nous partons tous en direction des toilettes.

Annick et moi nous lavons les mains côte à côte. Je prétexte une envie pressante pour entrer dans des toilettes. Si je me fais vomir tout de suite, je n'aurai plus rien par la suite. Excellente idée ! Je penche la tête au-dessus de la cuvette, mets un doigt entre mes amygdales et suis vite secouée par des spasmes irréguliers. Je vomis pendant de longues secondes. Une bonne chose de faite. Je sors pour me laver la bouche et tombe nez à nez avec Annick.

– C'est le stress..., dis-je en sortant ma brosse à dents de voyage et mon rouge à lèvres de mon sac.

Elle ne pipe mot, mais ses rides du lion parlent pour elle.

De retour à table, nous commandons chacun une choucroute marinée garnie avec sa saucisse maison cuite à la graisse d'oie et de porc mélangées, je dis « Pareil ! » au serveur en lui rendant ma carte.

Vincent B décide de montrer que c'est lui le chef en commandant d'autorité pour toute la table deux bouteilles de sauvignon. Lui et Hugues se lancent dans une discussion animée sur les prévisions annuelles. Vincent B demande de temps à autre une précision sur un chiffre après la virgule.

À quoi je sers, là ? Le garçon, lui, sert le vin et, après que Vincent B l'a humé rapidement, il nous sert tous. Annick se racle la gorge.

– Bien, je vous ai réunis pour vous présenter notre nouvelle vice-présidente, Morgane Serra.

Elle récite mes faits d'armes, de la campagne de ma copine Géraldine que j'ai conseillée via l'agence avant son élection (c'est comme ça que je l'ai connue) à ma participation à une communication de crise auprès d'une entreprise du CAC 40 au moment où l'on déplorait de nombreux suicides parmi ses employés. À la croisée de la communication corporate, de crise, de management et de conduite du changement, ce dossier est effectivement celui dont je suis le plus fière. Accessoirement, les gens se suicident un peu moins depuis cette campagne.

Peu impressionnable, Vincent B hoche la tête en vidant son verre. Hugues commande une nouvelle bouteille après m'avoir dûment félicitée.

– Et une femme, politiquement, c'est un bon coup, Annick.

Il prend soin de préciser :

– Enfin, entendons-nous bien : un bon coup managérial ! Pour le reste, je ne sais pas… encore ! Ah ah !

Mes nausées me reprennent à la vue des dents jaunies de ce vieux vicieux. Je souris bouche fermée, pour éviter de les laisser prendre le dessus.

– Annick, où en sommes-nous de notre quota de femmes aux postes de direction ?

– Ça avance, ça avance grâce au réseau de femmes cadres de l'agence.

– À la direction ça va aller. On a presque 30 %, surtout des numéros 2, mais, si on nous demande, on va dire qu'on forme la prochaine génération de numéros 1. Et puis, on n'a pas besoin qu'elles deviennent majoritaires. Après ça va virer aux crêpages de chignons. Mais au CA il nous manque encore des femmes. On est à 12 % et on a bouché les trous – si je puis dire, ah ah – avec toutes les « femmes de » un minimum diplômées qu'on a trouvées. Elles n'y comprennent rien, mais « OSEF » comme dirait mon fils.

– OSEF ? Osez le féminisme ?

– Non, OSEF : On S'En Fout.

– Attention, Morgane est corse, elle est un peu susceptible...

– Ah, la Corse ! soupire Hugues.

Dès que les gens apprennent que je suis corse, je parie avec moi-même pour savoir quel cliché ils vont me sortir : le côté plages-polyphonies-fromages ou le côté bombes-attentats-nationalistes ?

– J'ai une villa là-bas, fait Vincent.

On est donc bien parti pour le côté bombes-attentats-nationalistes... Je hoche la tête poliment.

– Moi, les Corses, tant qu'ils ne chantent pas... renchérit Hugues.

Doublée... J'ai un mal fou à contrôler à la fois mes reparties et mon estomac.

– Bon, avant qu'on se mette à parler du fromage et des plages, voulez-vous que nous entrions dans le vif du sujet ? fais-je avec un immense sourire, destiné à compenser le ton âcre de ma question.

– Il y a plusieurs lots, on va se positionner sur la com' instit', avec une reco qui nous permettra d'être référencés chez eux. Il faut dire que les mères ont le droit de travailler, blablabla, qu'elles peuvent concilier le coiffeur et le secrétariat, des conneries du genre, vous me mettez une belle accroche, un photographe famous, et on torche ça. En plus, vous connaissez la députée qui veut faire passer la directive liée à la campagne, Géraldine Bornstein.

Je respire par la bouche pour éviter de sentir les odeurs de choucroutes passant entre nos tables. Le serveur nous apporte nos plats. Au cas où nous ayons déjà oublié ce que nous avons commandé, il répète une énième fois : « Chou mariné et ses saucisses revenues dans de la graisse d'oie et de porc. » Je masque un reflux, le restaurant tournoie autour de ma tête. J'ai des sueurs froides.

Annick m'explique qu'un groupe d'investissement avait lancé une OPA hostile sur la holding de Vincent B – je le savais, merci, je reçois Yahoo ! News –, qu'il a surmonté ça avec brio – la lèche à ce point-là... Elle enchaîne en engloutissant une demi-saucisse :

– Pour l'AO, ce serait super que tu deviennes un genre d'ambassadrice de l'agence auprès des médias, et que tu fasses un peu de lobbying pour montrer qu'on est actifs sur ce sujet, engagés, responsables, que tu parles de notre réseau de femmes...

Est-ce qu'ils m'expliquent que je suis nommée parce que ça fera bien sur la photo d'avoir une femme ? Ou est-ce que je suis complètement parano ? Est-ce normal que j'entende parler de son réseau de femmes cadres pour la première fois ? Et pourrai-je courir aux toilettes assez vite pour y arriver avant de vomir sur mon reste de choucroute garnie et Cie ?

Les nausées altèrent mon jugement. Ferme la bouche. Ne vomis pas. Partez, les nausées, partez !

13 h 50. Je regarde l'heure une heure après, 13 h 54. Devant moi, un verre de vin rempli. Partout, des verres de vin remplis.

Vincent B se tourne vers moi.

– Surtout, on veut du management au féminin.

– C'est-à-dire ?

– Vous savez bien... de la douceur, de la maternité...

Ça, de la maternité, il va en avoir !

– J'ai bien compris le message, désormais je serai maternelle.

Sur ce, j'ai gardé la bouche ouverte trop longtemps et je fais un rot sonore. Je souris :

– Oups, pardon ! C'est ma masculinité qui ressort...

Annick me fusille du regard en s'excusant auprès de Vincent B et Hugues, qui de toute façon n'ont plus d'yeux que pour leurs verres. Hugues commande une sixième bouteille de vin et demande quel digestif il y a à la carte. C'est lui qui a dirigé la campagne de lobbying forçant les automobilistes à disposer de deux éthylotests dans leur voiture. Il dit qu'il veut bien un café calva, mais pas nécessairement avec le café.

Je m'apprête à demander des précisions sur le contour exact de mes nouvelles missions. La moue d'Annick m'en dissuade, et le contenu de mon estomac remonté dans mon œsophage achève de me museler. Je profite de ce que les convives sont complètement soûls pour commander au serveur un citron, que je me mets à lécher frénétiquement, disant que c'est une coutume corse marquant la fin d'un repas entre amis. Vincent B applaudit.

– Mais oui, ils sont tellement typiques, ces Corses ! Faisons ça !

Ils commandent tous des citrons qu'ils se mettent à lécher.

Annick se penche vers moi discrètement :

– J'ai tout compris, tu m'entends ?

– Tout, quoi ?

– Ne fais pas l'innocente avec moi, Morgane. Je suis une femme, ne l'oublie pas, tu m'entends ?

– Non, je... j'aurais juste voulu te le dire autrement.

– Pas grave. Mais il faut que tu arrêtes ça.

– Que j'arrête ça ? Mais... non, je ne veux pas arrêter !

– Tu veux dire que ça te fait plaisir ?

– Euh, bien, oui !

– Tu oses me dire ça droit dans les yeux ? Vraiment ? Tu es contente de ton état ?

– Oui, j'adore mon état, enfin, Annick ! Arrête de me poser la question, ça devient gênant.

– Est-ce que Basile est au courant ?

– Bien sûr.

– Et qu'est-ce qu'il en pense ? J'espère qu'il va te pousser à arrêter cette connerie !

– Basile est complètement in, plus que moi même.

– Basile ? Ah bon ? je n'aurais jamais cru ça de lui.

– Oui, moi non plus, d'ailleurs au quotidien, ce n'est pas toujours facile. Mais, je t'assure, ça me fait très plaisir.

– Ça te fait plaisir d'être boulimique-anorexique ?

Les toilettes, le bruit, les citrons... Puis-je lui dire qu'elle se trompe car, ô surprise, je ne suis pas anorexique mais enceinte ? Un serveur traverse la salle avec un gâteau et une musique se met à hurler : « Happy birthday to you ! » Qui fête son anniversaire dans un restaurant de choucroutes ?

J'accepte de promettre que j'irai voir le médecin du travail, diplômé en addictologie et troubles de l'alimentation, pour lui parler de mes « problèmes ». Annick croit bon de préciser qu'elle est très amie avec lui et qu'elle lui demandera si je suis bien venue et ce que j'ai dit. Bonjour le secret médical. Note pour moi-même : ne jamais aller chez le médecin du travail.

Émilie

Depuis des semaines, je faisais mes petits plans dans ma tête. Si le 1 % logement acceptait mon dossier... Si on trouvait une ass' mat' sur place pour Éliott... Si on parvenait à vendre la maison... J'ai tourné ma phrase dans tous les sens, et répété mon approche : « Franck, tu ne trouves pas qu'on... » Non, ça ne va pas. « Franck, que penses-tu de... » Non. « Franck, et si on allait... »

Je lance le Père Dodu de Dali à feu doux, dans l'espoir que l'intérieur cuise sans que l'extérieur ne brûle. J'entends Franck pianoter sur son ordinateur. Éliott dort, et Dali comate devant les bonus du DVD de *Raiponce*. La maison ne sera jamais plus calme qu'à cet instant. Je décide de me lancer. Une spatule à la main, j'arrive dans le salon.

– Franck...

– Hmm...

– Franck, tu m'écoutes ?

– Quoi ?

– Que penses-tu de retourner vivre à Paris ?

– Non, merci. Qu'est-ce qu'on mange ?

– Des steacks hachés, je suis encore en phase de protéines pures de mon Dukan. Mais pour Paris : ça te dirait pas qu'on y retourne ?

– Bio, les steacks hachés ?

– (Si je dis non, il va râler, je mens donc.) Bien sûr, bio. Et pour Paris ?

– Mais qu'est-ce que c'est que cette nouvelle lubie ? Et, d'abord, pourquoi tu veux retourner habiter à Paris ? Tu ne te rappelles pas pourquoi on était partis ? La peau toute grise le soir, le bruit permanent...

– Écoute, Franck, les choses ont changé. Avant, je me sentais seule ici parce que j'étais seule dans la vie. Maintenant, je me sens seule ici parce que je suis loin de ce qui compte.

– Merci pour les enfants et moi ! Grandis un peu ! T'as plus 17 ans, Émilie, tu as 30 ans, que ça te plaise ou non. Tu nous fais une crise de la trentaine, là ! Et on va faire quoi de la maison ? Personne n'achètera une maison pas terminée... On la vendra à perte, si on compte le prix des travaux déjà engagés.

– Tu ne devais pas profiter de ta formation pour terminer les travaux ? Et puis si on a un loyer peu élevé...

– Un loyer peu élevé ? À Paris ? Le moindre bouge est à 2 000 euros par mois ! Et encore, à ce prix-là on aura une cave en entresol avec vue sur le périph !

– Pas toujours... j'ai visité un appart' avec le 1 % patronal, à 620 euros par mois.

– Tu as visité un appartement ? Quand ? Sans me le dire ?

– Je te le dis, là. Samedi, quand j'ai emmené Dali au cinéma.

– Tu me prends en traître ! D'abord tu visites des appartements, et ensuite tu m'en parles ? Dis-moi que tu n'as rien signé. (Je hoche la tête.) Et on avait un projet de vie ici. La nature, les enfants, le calme...

– Peut-être qu'on s'est trompés de projet de vie.

Éliott se réveille en pleurant, ce qui me donne l'occasion de terminer cette conversation. J'essaye de lui donner une tétée, mais, depuis que mes seins voient plus souvent le tire-lait que lui, ma lactation est de moins en moins abondante. Voilà qui va réjouir son pédiatre. Je le pose dans son transat, ouvre mon sac, prends un stylo et remplis un chèque de caution. Le cerisier du jardin est en fleur. Il faudra le mentionner dans notre annonce.

Mai

Émilie

Statut Facebook que je n'écrirai jamais : « Aujourd'hui, j'ai fait l'amour ». C'est tellement exceptionnel que je ne vois pas comment le raconter autrement qu'en commençant par la fin.

J'ai donc passé ma soirée au troisième dernier concert de NTM de tous les temps. Impression saugrenue d'une salle bondée de trentenaires/quadras en pulls cols V, Smartphone à la main, bien loin de la Zulu Nation. À la fin de cette soirée en rentrant à Maintenon, Franck me demande comment j'ai trouvé le concert. Franck ne me demande habituellement jamais comment j'ai trouvé quoi que ce soit.

Par miracle, il a pu coucher les enfants avant qu'ils ne tombent d'épuisement devant une soirée Thema : « OAS : les images inédites de la torture pendant la guerre d'Algérie. » Ils ont dîné, pris des bains, et Franck leur a même LU UNE HISTOIRE. Oui, vous avez bien vu, une histoire. Épatée par ce regain d'instinct paternel, je m'en veux presque et entame la conversation.

– Tu n'es pas sur ton ordinateur ?

– Non, la DartyBox est en panne.

Ceci expliquant cela...

– Tu es jolie dans cette tenue.

– Ah ? Euh... merci.

La dernière fois que Franck m'a fait un compliment, on fumait encore dans les lieux publics.

– Ça fait longtemps qu'on n'a pas... fait l'amour.

Ça fait longtemps qu'on n'a pas fait l'amour – ensemble. Circonstance aggravante.

– Ça te dirait ce soir... ?

En plus d'être une très mauvaise mère, je serais une très mauvaise épouse de refuser de m'acquitter de mon « devoir conjugal » alors que Franck fait des efforts manifestes, s'occupe des enfants, les garde et n'est même pas allé sur Internet tchatter sur NakedTeens.com (enfin ça, c'est surtout la volonté de la DartyBox). Ça fait des mois que nous n'avons pas eu le moindre contact physique, je suis bien obligée de prendre sur moi, sinon, il va se douter de quelque chose. Si je me débrouille bien, dans dix minutes, tout sera terminé et Franck ronflera sur le lit. Alors, j'aurai la paix pour aller me démaquiller et repenser à cette journée incroyable.

Franck s'approche de moi, dégage mes cheveux de mes épaules. Ce geste me laisse d'abord complètement froide, puis me dégoûte un peu. Pour prouver ma bonne volonté, je mets mes bras autour de lui, mais le cœur n'y est pas. Je n'avais jamais remarqué que Franck était aussi petit. Sans prévenir, il essaye de défaire les boutons de mon jean. En vain.

La langue de Franck s'agite à l'entrée de ma bouche, il bave beaucoup et embrasse mal. Embrassait-il aussi mal, avant ? Depuis combien de temps ne nous sommes-nous pas embrassés ? Et depuis combien de temps ne s'est-il pas lavé les dents ? Il enlève lui-même son T-shirt, et la vision de son torse nu me donne un haut-le-cœur. Faire l'amour avec mon propre mari s'avère plus compliqué que prévu. Pendant qu'il s'acharne à torturer mon téton droit, je me demande ce qui me force à subir ça. Je me souviens de ce que Morgane et moi disions souvent, au lycée : « Si tu fais un truc en sachant que tu ne le raconteras pas à ta meilleure amie, c'est que tu ne devrais pas faire ce truc. » Je le repousse d'un coup sec.

– Je vais dormir, Franck, je suis fatiguée.

– Moi, je suis excité…

Trois lumières rouges et un long « Biiiip » nous informent que la DartyBox fonctionne de nouveau. À moins de trente centimètres l'un de l'autre, Franck et moi, nous nous fixons, silencieux, plusieurs secondes.

– Bonne nuit, alors.

Il lance à la DartyBox un regard aussi reconnaissant qu'un noyé à une bouée de sauvetage. À cet instant, je le hais, et je me hais encore plus.

Quelques heures plus tôt, je suis donc au concert de NTM. Non pas avec Morgane, comme je l'ai dit à Franck, mais avec Sébastien, le père de Thorrible. Joey Starr et Kool Shen sont des pères de famille quasi quinquagénaires. C'est officiel, je suis vieille. Je ne démens pas quand Sébastien évoque ma procédure de divorce. Si nous avons commencé la soirée en disant du mal de Justine Després, du bien de la maîtresse et des banalités sur nos enfants qui grandissent trop vite, à la fin, il n'y a plus de maman-ou-de-papa-de-qui-que-ce-soit, il y a deux personnes, un homme et une femme, qui ont passé une soirée à rire aux éclats, à hurler, à chanter, à danser et à s'amuser.

En sortant de Bercy, Sébastien retire ses lunettes à branches repositionnables, ce qui me permet de voir ses yeux bleu clair.

– Qu'est-ce qu'on fait maintenant ?

Je ne peux pas me mentir plus longtemps. NTM n'était qu'un prétexte. Nous marchons dans la nuit, à quelques centimètres l'un de l'autre, encore sous l'effet de la décharge d'adrénaline du concert. Je ne sais pas comment, nos pas nous conduisent devant un Ibis Budget dont l'enseigne clignotait. Sébastien m'interroge du regard, courbe son 1,90 mètre d'une trentaine de centimètres vers le bas, et... la suite je vous l'épargne, d'abord parce que si je suis une chaudasse, je suis une chaudasse enfermée dans un corps de mère de famille respectable, ensuite parce qu'on n'est pas dans *Fifty Shades of Grey* ici, un peu de tenue. Mais, enfin bon, disons juste que j'ai découvert ce soir-là – à deux reprises – la position de l'otarie renversée. Et que je ne regarderai plus jamais de documentaire sur les otaries sans une émotion particulière.

Encore quelques heures plus tôt, juste avant de quitter le bureau, je passe par le bureau de Charles. Il tient sa tête dans ses mains, plongé dans son ordinateur.

– J'y vais, vous n'avez plus besoin de moi ? Vous avez l'air contrarié ?

– Je vois le comptable demain matin. Ça fait sept mois que je ne me suis pas payé pour pouvoir honorer les salaires, je dois trouver une solution. Mais allez-y, je ne sais pas pourquoi je vous dis ça. En plus vous allez au concert de NTM ce soir ? Profitez-en bien et ne vous inquiétez de rien.

Moi qui imaginais Charles en PDG multimilliardaire ! Le pauvre, qui n'a même plus son copain pour le consoler de ses tracas d'entrepreneur. J'entre dans son bureau sombre. Tout le monde est parti, seule sa lampe verte type années trente à Wall Street prouve qu'il reste de la vie à notre étage. À sa lueur, je m'approche de Charles, toujours assis et, je ne sais pas pourquoi, probablement parce qu'il est gay et que nous sommes donc dans une sorte de communauté de genre qui neutralise tout rapport de séduction possible, je me mets à lui masser les épaules. Il se laisse faire et ferme les yeux.

C'est agréable de se sentir proche de son patron. Je remonte les mains sur sa nuque, sa barbe, son visage et, poussée par je ne sais quelle pulsion, je caresse ses cheveux, me penche vers lui et l'embrasse à pleine bouche. Puis, réalisant ce que je viens de faire, je quitte les lieux en courant.

Mairie du 14e arrondissement
Direction des affaires sociales,
de la stigmatisation, et de la petite enfance

Mademoiselle Morgane Serra
11 rue Raymond-Losserand
75014 Paris

Mademoiselle,

Nous avons bien noté que vous n'étiez pas mariée. Néanmoins, même si « votre conjoint passe beaucoup de temps sur *World of Warcraft* », nous ne pouvons pas vous considérer comme une mère célibataire et vous attribuer une place en crèche immédiatement.

Malheureusement, le fait que votre mère dispose d'une « fiche Wikipédia » ne vous rend nullement prioritaire.

Nous transmettons à Monsieur le Maire vos salutations et lui préciserons que, comme vous nous l'indiquez, votre arbre généalogique « a révélé que vous étiez cousins au neuvième degré en droite descendance de Jeannette Pacini du hameau de Sotta ».

Nous vous joignons un lot de badges « Votez Mariani ».

N'hésitez pas à rejoindre nos trente-deux followers sur Twitter et à nous rencontrer à la diffusion de dimanche prochain sur le marché Daguerre entre 11 h 45 et 12 h 10.

Cordialement,

Morgane

« Champagne ! » lance une voix cassée, depuis le bureau de l'entrée. Annick. Elle vient d'apprendre que l'agence est finaliste de l'appel d'offres du Parlement européen. Si ce petit jeu m'a amusée un temps, j'ai aujourd'hui d'autres préoccupations que celles de mes petits camarades, c'est-à-dire créer de faux réseaux internes uniquement pour prétendre être « engagée » sur un sujet qu'objectivement l'agence ne maîtrise pas – sur le terrain de la parité, nous nous situons quelque part entre l'Afghanistan et l'Arabie Saoudite.

Enfin, pour faire bonne figure, je me dirige vers le fond de l'open space, traînant un peu des pieds – que je distingue de moins en moins. Je dors debout et je perds une énergie folle à cacher mon ventre désormais bien rebondi, de fausse indigestion en immenses sacs. Jean-Jérôme passe probablement ses soirées à planter des aiguilles dans une poupée vaudoue à mon effigie, Sophie fait tout comme Jean-Jérôme, Solange m'assiste à contrecœur. La créa prétend ne trouver aucune accroche, si bien que je dois me taper seule à la fois le commercial, la DA et la conception-rédaction. Seul

Lorenzo reste neutre, mais pas pour mes beaux yeux : il est plus « chéper » que jamais.

Toutes les mains sont déjà prolongées par des coupes de champ'. Je vois mes collègues comme pour la première fois. Édith, surnommée « la fonctionnaire » parce qu'elle part à 18 heures, alors qu'elle vend cinq fois plus d'espaces que ses collègues. Annick, complètement shootée, amphètes le matin, Prozac le soir, ravagée de tics nerveux qui lui donnent un faux air de Sarkozy époque départ de Cécilia. Jean-Jérôme, qui brandit sa femme comme un trophée alors qu'on le surprend régulièrement dans les toilettes pour handicapés du sous-sol avec une stagiaire.

Les stagiaires, justement, surmotivés pour tout, présents à 8 heures, jamais partis avant la tombée de la nuit, prêts à donner un rein en échange d'un CDI. Et moi. Moi, plantée là, avec une coupe de champagne que je viderai discrètement dans la plante décorative, moi qui me concentre pour ne pas vomir, moi qui meurs d'envie de remonter mes bas de contention, moi qui fais mentalement des listes de prénoms pour mon futur bébé en me répétant intérieurement : « Te caresse pas le ventre… te caresse pas le ventre… »

Annick sort une autre bouteille de champagne – il faudrait me dire un jour d'où sortent toutes ces bouteilles de champagne ? A-t-on une fabrique, une cachette secrète ? – et entame un discours avec les mots habituels :

– On a la win, alors on celebrate !

Jean-Jé la coupe :

– Excuse-moi, Annick, si ça ne te dérange pas, j'ai une annonce à faire…

Silence. Chez ECG, une « annonce », ce n'est jamais une bonne chose. L'annonce de Jean-Jé ne me dit rien qui vaille – même si je suis sa supérieure hiérarchique, je ne le suis que par intérim, il me le rappelle assez souvent.

– Je suis très heureux... Ma femme, Éva, que certains connaissent (j'ajoute à voix basse : et que certains se sont même tapée...), ma femme, Éva, est enceinte ! Nous allons avoir un bébé !

La bande d'hypocrites crie :

– Hiii, ouais, bravo, génial, Jean-Jé, félicitations !

En fait, la pub est un milieu où il vaut mieux avoir fait l'Actors Studio pour survivre. La première année, j'ai pensé qu'ils étaient tous bipolaires. Ils peuvent rester les pupilles dilatées dans le vide pendant des heures, et subitement se mettre à hurler « Hiiiiiii ! ». Par exemple, répondre un simple « Ravie de faire votre connaissance » en serrant la main d'un directeur média vous fera passer pour une narcoleptique neurasthénique. Non, quand on vous présente quelqu'un, hurlez, criez, riez, manifestez votre joie comme moi avec Vincent B : serrer la main, s'écarter un peu en disant, les bras ouverts : « On se fait la bise, hein ? » et se jeter sur lui en posant une main appuyée sur son épaule. Dans la pub, on surjoue constamment : il ne faut pas remercier simplement pour ce paquet de macarons Ladurée, mais s'extasier, crier : « Aaaah », dire que c'est justement votre rêve et prétendre que c'est pour ces moments-là que vous faites ce métier, pour les instants de grâce irremplaçables où l'on vous fait goûter en avant-première un échantillon de macarons menthe-chocolat.

La femme de Jean-Jérôme est enceinte, donc, et c'est visiblement une excellente nouvelle pour nous tous. Les stagiaires se disputent pour remplir sa coupe, Annick en a presque les larmes aux yeux, bien qu'elle n'ait même pas pleuré quand elle a viré son ex – alors qu'ils étaient encore mariés, et Hugues propose un cigare à Jean-Jé. Marc commence à raconter comment la paternité a changé sa vie (il a donc des enfants ? mais quand les voit-il, il a installé un lit de camp dans son bureau pour les soirs de bouclage !) et les chefs de pub se racontent les accouchements ambiance *Saw 3* de leurs copines ou les exploits de leurs neveux-trop-choux-ils-ont-trois-dents (j'en ai trente-deux, je ne m'en vante pas). Ils semblent tous étonnamment peu hostiles. J'imaginais qu'annoncer une grossesse au bureau passerait beaucoup plus mal que ça...

Remerciant intérieurement mon rival de m'avoir ouvert la voie, je me lance !

– Excusez-moi... ! J'ai une nouvelle à vous annoncer, moi aussi.

Regards interrogateurs et convergents.

– Eh, bien ! Voilà : je suis enceinte.

Silence. Où sont les vivats ? Je réitère :

– Je suis enceinte de quatre mois.

Lorenzo lève les yeux au ciel, Édith murmure « putain, ça craint » entre ses dents, Hugues éteint son cigare sur le bureau d'une stagiaire, et Annick vide sa coupe en scrutant mon ventre. Elle fonce, regard fixé sur le sol, tapant les talons de ses Patrizia Pepe, furieuse :

– Morgane, dans mon bureau ! Tout de suite !

Je la suis sans comprendre, sous le regard de Jean-Jé, déformé par un petit rictus que je jurerais être un sourire...

Émilie

Dans quelques heures, je passe mon entretien de fin de période d'essai avec Charles. Je suis surexcitée. Par mon nouveau travail. Bien sûr, je passe mes journées à répondre à des appels de salariés avec des exigences diverses et variées (« Je ne comprends pas pourquoi vous n'ouvrez pas de crèche d'entreprise alors que nous sommes tout de même deux à avoir des enfants »).

Malgré tout, remplir mes tableurs Excel et calculer mes taux de satisfaction me comble. Je me dis toujours qu'une caméra va surgir d'un instant à l'autre en criant : « Surprise ! Vous y avez cru ? C'était pour une nouvelle émission de téléréalité ! Allez, maintenant, renfilez votre pyjama et rentrez chez vous. » Morgane a le même âge que moi, elle était partie avec moins d'atouts et a pourtant réussi une brillante carrière. Quel est ce petit truc qu'elle a et qui me manque ? Quand je lui demande pendant notre déjeuner ce qu'elle peut me conseiller pour cet entretien d'évaluation, elle me scrute de haut en bas.

– Franchement… il faudrait te relooker. Là, tu fais pauvresse.

Plutôt ironique sortant de la bouche d'une fille qui a passé ses années de lycée à m'emprunter des vêtements ou à les faire voler au Go Sport de la Porte de Saint-Cloud par des apprentis basketteurs.

– Ton pantalon là, il sort d'où ?

– De chez Géant Casino.

– Tu ne peux pas aller à ton entretien d'évaluation en vêtements de supermarché !

– Je n'ai pas le temps de faire du shopping.

– Tu as plus urgent à faire aujourd'hui ? Le pape t'attend ?

– Et pas les moyens.

– Moi, j'ai les moyens. Laisse-moi te les offrir, ça te dédommagera de toutes les fringues que tu m'as prêtées quand on était jeunes !

J'éprouve du remords d'avoir été intérieurement cassante. Elle ajoute dans un rire :

– Et puis, qui paye vraiment ses vêtements, de nos jours ?

– Euh… tout le monde.

– Arrête, tout le monde a une copine journaliste pour l'incruster aux soldes presses, un blog mode pour se faire envoyer des vêtements ou une entrée dans un showroom. Dans quel monde tu vis, Émilie ? fait-elle en secouant ses cheveux comme dans une pub pour du shampooing.

Je décide de ne pas lui retourner la question.

– Bon… alors d'accord.

Nous filons dans un immense bâtiment au fond d'une petite cour pavée du 8e arrondissement de Paris. Ça ressemble à un magasin, mais vide, sans vendeuse et sans client. Soudain, le rideau du fond se met à bouger. Une femme immense, perchée sur de non moins immenses talons, en surgit.

– Morgaaane ! Qui est ton amie ? en me regardant par-dessus ses lunettes de vue Prada.

– C'est Émilie, ma meilleure amie du lycée, on s'est retrouvées récemment. Elle a un entretien professionnel important et elle doit en mettre plein la vue à son patron. Je me disais, peut-être, comme notre agence s'occupe de la communication pour le showroom… tu pourrais lui faire essayer deux trois tenues…

– Je sais pas, Morgane, c'est la collection de l'an prochain. Elle est overconfidential, tu vois. Chaque modèle est à au moins 2 000 euros.

– Ah, c'est dommage, parce qu'Émilie bossait au *Vogue* Japon, et là elle arrive chez *ELLE* en France. Elle va diriger la rubrique « mode », tu sais comment sont les filles là-bas, il faut avoir deux saisons d'avance. Bon, tant pis, merci quand même, on a un plan chez Fendi…

– Oh, mais il fallait le dire tout de suite, Émiliiiiie, c'est ça ? Dites-moi ce qui vous ferait plaisir !

Bien que légèrement mise mal à l'aise par ce mensonge, je ne contredis pas Morgane et avance dans le showroom. À droite, un mur entier de sacs de luxe. À gauche, des portants recouverts de tenues turquoise, parme, noires. Au milieu et en face, des mannequins en situation avec ceintures, chapeaux, sacs… Il n'y a qu'un petit problème : la taille. Les mannequins doivent peser 28 kilos implants mammaires compris, je doute que cette marque de luxe ne dispose d'un rayon « grandes tailles ». Aux dernières nouvelles, je fais quand même un bon 42 – bon, d'accord, 44 – à La Halle aux vêtements. Morgane s'approche de moi.

– Tu sais, dans les showrooms, on peut faire retoucher ce qu'on emporte pour les shootings.

Je choisis deux robes et file les essayer.

– Elle est curieusement habillée, ta copine, pour une nana de *Vogue* Japon...

– Oh, c'est la mode à Tokyo, les jeans coupe confort, toutes les minettes en portent. C'est *kawai*. Retiens bien ça. Dans deux-trois ans, tout le monde en portera ici aussi. Je suis étonnée que tu n'en aies pas encore...

– Si, j'en ai un, mais j'attends que le grand public soit prêt, répond la show-roomeuse, piquée.

– Vous n'avez pas de coiffeur ici ? Il y a une réduction de budget avec la crise ?

– Bien sûr qu'on a un coiffeur, qu'est-ce que tu crois. Paaaooolooo !

Un archétype de coiffeur de haute couture, tellement caricatural qu'on ne le croirait pas réel en le voyant dans un reportage, sort de derrière le rideau en dodelinant des fesses. Il claque deux bises à dix centimètres des joues de Morgane, s'exclame en désignant ses chaussures bordeaux à boucles et talons carrés : « Roger Vivier ? » Ce à quoi elle répond : « Dior, automne-hiver 2012, mais *so* confortables. » Je prie pour qu'il ne me demande pas d'où viennent mes chaussures, « Tex pour Carrefour, collection 2009, une paire achetée une paire offerte » ne me semblant pas une réponse appropriée pour une ex-rédactrice de mode de *Vogue,* fût-ce *Vogue* Japon. Je prends l'air snob de la fille qui fait la gueule parce qu'on la force à côtoyer la plèbe pour me mettre dans le rôle.

Paolo dégaine un genre de Babyliss de la taille d'un sécateur, me fait asseoir sur la chaise et se met à « me faire les cheveux » pendant que Morgane et son amie hystérico-modeuse débattent de la couleur qui se marierait le mieux avec ma carnation, avec des intonations de Cristina Cordula.

En moins d'une heure, j'ai les cheveux lissés, une frange longue, une jupe crayon fauve, une grosse ceinture, une blouse Marni, un collier Chanel à gros nœud prêté par Morgane, des bottines à franges assorties et le sac à main Hermès que la tenancière des lieux a baptisé « Kelly », ce que je trouve ridicule – depuis quand donne-t-on un nom à son sac ?

Je suis canon. J'ai le même style que Morgane, mais dans des couleurs adaptées à mon visage. J'ai l'impression d'être une autre personne, que je préfère. Morgane me prend en photo pour me twitter, j'en profite pour l'envoyer à Sébastien, qui réagit immédiatement :

WOUAHOU, on se voit ce soir ?

J'envoie aussi la photo à Franck. Il me répond :

Jespe que T pas allée chez le coiffeu pace qu ac ce que je tavese C pa le moment de depense de lagent. Sa touche « r »...

Lorsque j'arrive à mon entretien, Charles est assis à son bureau comme l'autre soir. Je me pince les lèvres.

– Asseyez-vous, Émilie.

Il me vouvoie toujours. Il a probablement décidé de faire comme si rien ne s'était passé. Il explique qu'il veut me faire « monter en puissance » pour « vraiment manager les conseillers » et jouer pleinement mon rôle au comité directeur. Je fais « hmm hmm » à intervalles réguliers pour éviter de lui demander s'il m'en veut de l'avoir embrassé.

À la fin de l'entretien, j'ai la main sur la poignée de la porte quand Charles me rappelle :

– Émilie, j'ai une requête. La prochaine fois, venez habillée normalement. Nous sommes une entreprise éthique, qui véhicule des valeurs de naturel, de service, de famille... Et franchement, à titre personnel si je peux me permettre, je vous trouve bien plus belle au naturel.

Comment peut-il me préférer en guenilles ?

Est-ce que je dois interpréter ça comme un reproche ou comme un compliment ?

Morgane

Mes nausées sont parties comme elles sont venues. Un matin, au milieu du quatrième mois, je me réveille et je sens quelque chose de différent. L'envie de vomir permanente a laissé place à un goût métallique dans ma bouche. La grossesse a le goût de la coke. Je sens l'odeur du café de Basile pour en être sûre : rien. Je ne le sais pas encore à cet instant, et je n'aurais pas pu l'expliquer de toute manière, mais à compter de mon quatrième mois de grossesse, et pour le restant de ma vie, je ne me ferai plus jamais vomir.

Même si, à l'agence, j'ai l'impression de marcher sur un fil suspendu dans les airs au bout duquel Géraldine, Émilie et Assia m'attendraient, avec Annick me criant : « Regarde pas en bas, tu m'entends ? », Jean-Jérôme sifflotant : « Tu vas tomber… », et Basile hurlant : « Descends de ce fil ! »

Entre deux week-ends de ponts, nous avons rendez-vous à la mairie pour notre place en crèche. Après un nombre d'échanges épistolaires dignes de Mme de Sévigné, nous avons décidé de jouer avec nos propres règles. Les nombreux entretiens avec des nourrices ne nous ont pas rassurés.

Dans le salon de la mairie, nous arrivons en même temps qu'un autre couple. La femme doit en être au même stade de grossesse que moi. Blonde, fine, jolie. Son mari porte un pantalon en lin et un pull au décolleté suffisamment profond pour que je me dise qu'il n'était peut-être pas aussi hétérosexuel que le laisse paraître le ventre de sa femme. Je m'apprête à le dire à Basile, mais j'aurai droit à un laïus anti-adoption-gay, je m'abstiens donc tout en détaillant mentalement la tenue de notre rival à la recherche d'autres signes extérieurs de sa bisexualité. Basile engage la conversation.

– Vous habitez le quartier ?

– Ben oui, sinon ils ne seraient pas là !

– En effet, à Denfert-Rochereau.

Basile la félicite pour le dynamisme de la rue Daguerre (ça va, elle est pas urbaniste non plus) et la complimente sur le pull de son mari avant de les laisser passer devant nous. Je lui donne un coup de coude.

– Nan, mais vas-y ! Épouse-la ! Et donne-lui notre place en crèche directement pendant que tu y es... On n'est pas un service public, je te signale.

– C'est une technique. Je les endors. Ils vont y aller tout confiants, et quand tu n'as pas la rage tu n'obtiens rien. En plus, il vaut mieux qu'on passe en dernier, que l'adjointe au maire se souvienne de nous plus fraîchement que d'eux.

Je souris : là, je retrouve mon Basile, mon connard.

Quand l'adjointe au maire sort de son bureau, j'ai un choc visuel et me cache immédiatement derrière le ficus nain : la passagère de l'avion ! Celle qui a traité

Assia de terroriste ! Cette horrible bonne femme est responsable des attributions de places en crèche ? Le dieu des modes de garde ne m'aime décidément pas beaucoup. Je m'enfonce dans mon siège en disant :

– Euh... Basile. Tu vas râler. Il est possible que j'aie très légèrement traité sa mère de pute il y a quelques mois.

Il soupire.

– Tu as traité la mère de l'adjointe au maire de pute ? Mais ça va pas bien ? Et dans quel contexte ?

– À Barcelone, dans l'avion, c'est un peu compliqué.

– Il faut perdre cette manie ! En plus le bébé entend tout ça. Arrête de traiter les gens de p...

Il baisse la voix :

– Sérieusement, Morgane, arrête. Bon, attends-moi dehors.

– Je peux faire quelque chose ?

– Tu en as assez fait ! Ne bouge pas et n'insulte personne pendant la durée du rendez-vous, si ce n'est pas au-dessus de tes moyens.

Je me poste devant la porte, me retiens de pester contre l'ascenseur en panne ou contre le vigile qui me fume dessus pendant ses heures de services. Tandis que Basile négocie pour que nous puissions obtenir un mode de garde, je me remémore la conversation, ou plutôt le monologue d'Annick juste après l'annonce de ma grossesse. Ça m'a rappelé cette fois où, à 15 ans, j'ai été surprise par un vigile en train de voler un CD 2 titres de Stomy Bugsy chez Inno. Sauf que, en guise de conclusion, elle ne m'avait pas laissé le choix entre appeler mes parents ou lui faire une fellation, mais entre appeler Vincent B ou me faire un arrêt maladie.

Annick préfère que je sois absente plutôt qu'enceinte. Bien évidemment, elle met en doute mes capacités à être à la fois vice-présidente et enceinte, puis vice-présidente et mère. Je lui ai dit que je serais juste un peu barbouillée quelques mois, puis absente deux mois avant de revenir exactement comme avant, voire plus motivée, et qu'avec un peu de bonne volonté chacun devrait pouvoir s'y retrouver. J'étais sur le point de lui demander comment elle agirait si j'avais par exemple un cancer, puis je me souvins de Cyrielle, cette chef de groupe qui avait effectivement eu un cancer, puis une chimio, et à qui l'on avait dit à son retour : « Désolée, mais ton foulard sur le crâne effraie les clients, c'est mieux que tu restes sédentaire quelque temps, ah et au fait tu n'as plus d'ordinateur ni de téléphone. » Elle a tenu un mois dans cette ambiance.

Quelques très longues minutes plus tard, Basile sort le sourire aux lèvres.

– On a une place dès le deuxième mois du bébé !

– Mais c'est génial ! Comment as-tu fait ça ?

– Il se peut que je sois candidat aux prochaines élections municipales...

– Non ?

– J'ai laissé entendre que je pourrais présenter une liste associative pour faire peser la voix de la communauté noire dans la gestion de l'arrondissement.

– De la communauté noire ? Tu fais partie d'associations pour la défense des Noirs, toi ?

– Pas du tout. Mais eux si, maintenant. Donc j'ai promis de ne pas présenter ma liste dissidente, en échange ils me donnent une place en crèche.

– Mince, tes colistiers imaginaires vont être déçus...

Pauvre démocratie, Tocqueville avait raison. J'envoie un SMS à Émilie pour lui faire part de la bonne nouvelle et, probablement parce que je me suis levée trop vite, je vois une nuée de moucherons noirs me passer devant les yeux. Je me rassieds le temps que mon rythme cardiaque se stabilise.

Yalla ! Feu d'artifice mental, danse de la victoire, *Hymne à la joie* ! Si, si, do ré, ré, do si, la, sol, sol, la si, si la… L'orchestre symphonique du Stadttheater de Vienne joue dans ma tête. À moi la place en crèche et la carrière à courbe de croissance exponentielle ! Je pourrai aller chercher mon bébé un jour sur deux, et ces jours-là, de 18 heures à 21 heures, je travaillerai tranquillement de chez moi tandis qu'il fera un petit somme dans son berceau. Quand je voudrai faire une pause, je regarderai mon bébé dormir paisiblement ou je ferai une série d'abdos – hors de question que je me laisse aller comme ces femmes aux mines hirsutes que l'on croise à la sortie des écoles. Non, moi, j'irai promener mon ventre plat juchée sur des Jimmy Choo, BlackBerry en main pour régler quelques détails professionnels, bébé endormi dans ma Bugaboo Missoni. Peut-être même qu'une blogueuse streetstyle flashera sur mon style, me prendra en photo et fera de moi la nouvelle égérie des mamans modernes, branchées et actives à la fois ? Je lancerai le courant des « branctives moms », Ellen DeGeneres me présentera comme la mère française la plus influente du monde, et je répondrai : « Well, you know, it all started when I had, how do you say it in English, a place en crèche… »

JUIN

Émilie

Nous sommes quatre à vivre à la maison, et pourtant il n'y a aucun endroit au monde où je me sente aussi seule. Je crois que la pire chose qui puisse arriver dans la vie, ce n'est pas de finir seule, c'est de finir en se sentant seule, avec des gens autour.

Paradoxalement, la présence de Franck ne fait qu'accentuer ce sentiment. Quand il travaillait encore beaucoup, je mettais ma solitude sur le compte des horaires, me disant que gérer seule les enfants jusqu'à une heure avancée de la soirée ne pouvait pas suffire à me faire sentir exister. Quand Franck a été licencié, j'ai caressé l'espoir que nous nous retrouverions, comme si nous avions mis notre amour sur « pause » et qu'il suffirait de cliquer sur « play » pour que tout reparte entre nous, alors qu'en fait le disque est tout simplement terminé.

J'ai passé ma matinée dans la chambre des enfants, seule, à trier les vêtements trop petits, à étiqueter des cartons et à jeter des jouets McDo en prévision d'un éventuel emménagement à Paris.

Tout ça est une histoire de repas. J'en ai marre de faire à manger pour lui, marre de préparer tous les repas toute seule, marre de manger seule – avec ou sans lui –, marre de me faire engueuler parce que j'ai pris du jus de fruits à base de concentré, un plat industriel ou deux paquets de pâtes seulement alors que le troisième était gratuit, marre de ne jamais avoir le moindre plus petit mot de remerciement pour avoir cuisiné 100 % des dîners, 100 % des déjeuners, 99 % des petits déjeuners et 100 % des goûters depuis que nous vivons ensemble, soit plus de 1 400 repas par an et par personne, pour deux, puis trois, puis quatre, à multiplier par le nombre d'années que nous avons passées ensemble, marre de ne pas acheter de potiron, de carotte, de Coca ou de Knacki parce qu'il n'aime pas ça, marre de manger du Nutella en cachette pour éviter ses remarques, marre de le voir froncer les sourcils par-dessus le ticket de caisse pour vérifier que je n'aie pas acheté un pack de sodas en trop… Je réalise que travailler reste le seul moyen pour moi de manger un repas que je n'ai pas préparé et qui me plaise et qui ne me vaille pas une heure de cours magistral sur la nutrition.

Le coup de grâce : Franck sort des lingettes pour meubles et me propose de les utiliser pour, je cite, « lustrer les sols », après avoir précisé, bien sûr, que l'empreinte carbone d'une lingette était supérieure à celle d'une vache, et s'être réjoui qu'on utilise des cotons et du liniment oléo-calcaire pour Éliott. Je lui fais remarquer qu'on n'utilisait plus de liniment depuis près d'un an et qu'on a dû user quelque chose comme 187 paquets de lingettes Pampers les douze derniers mois. Je me demande aussi avec quoi il le change les jours où il le garde.

Nous ne restons ensemble, Franck et moi, que pour le quotidien des enfants, et ce quotidien est plus pesant que rassurant. En le regardant frotter le sol avec la lingette « spéciale meuble en bois », je me dis que le plus dur reste à venir : lui dire que non seulement je veux le quitter, mais qu'en plus j'ai déjà organisé notre rupture.

Morgane

Depuis que je n'ai plus de nausées, j'arrive de plus en plus tôt au bureau. Bien sûr, j'ai d'autres « signes sympathiques de grossesse », comme les appelle Mme Ceauşescu ; mais, franchement, je suis prête à supporter encore plus de trois mois de maux d'estomac, remontées acides, douleurs intercostales, essoufflement, varices, cystites, si ça signifie que je n'ai plus à avaler 45 Nux Vomica et un demi-Tuc chaque matin avant d'essayer de passer en position verticale, menottée à ma bassine.

Je traîne donc chaque matin mes (*chiffre censuré*) kilos supplémentaires de l'Escalator du métro à l'arrêt de bus de la Porte Maillot en me demandant depuis quand cette place est en pente. Pour toute réponse à mes étourdissements, Mme Ceauşescu m'a demandé si j'ai bien pris mes comprimés d'acides foliques avant de me reconduire jusqu'à la porte : « Vous mettrez vos chaussures dehors, j'ai du monde qui attend. »

Entre Mme Ceauşescu et la mère d'Émilie, y a-t-il un TD « Relation patient : comment éliminer toute trace d'empathie ? » obligatoire pendant les études de médecine ?

À aucun moment nous ne parlons de mon bébé, de mes ressentis, de mes questions, de mon accouchement, d'ailleurs à aucun moment nous ne parlons tout court. Je commence franchement à regretter « l'accompagnement global » dont m'avait parlé Assia, basé sur « la sécurité affective des futurs parents ». Je refuse catégoriquement que Basile m'accompagne à ces rendez-vous, je n'ai aucune accointance SM, et l'idée d'être méprisée et malmenée en présence de mon amoureux m'est insupportable. Devant Basile, j'évite de faire des choses comme m'épiler les sourcils ou acheter du papier toilette, ce n'est pas pour lui offrir une vue plongeante sur mon « toucher vaginal ».

Je ressasse en passant le portillon d'ECG, où je trouve Annick en pleine conversation avec Jean-Jérôme autour de deux cafés noirs. Elle me regarde comme les conseillers de l'Élysée regardent Julie Gayet : sans savoir quoi faire de moi et en espérant qu'on m'oublie vite.

– Tiens, que fais-tu là ?

– Je travaille ici, tu te souviens ?

L'humour, *politesse du désespoir.*

– Je sais, je veux dire, après notre conversation d'hier...

– Je suis là comme tu vois. J'ai même une idée d'accroche originale pour l'appel d'offres du Parlement européen. Je voulais t'en parler avant de briefer la créa. En fait, j'aimerais présenter la problématique avec des femmes qui...

– Annick, on va fumer dehors ? J'imagine que tu ne viens pas, Morgane.

– Si, si, pourquoi je ne viendrais pas ?

– Tu es enceinte… Éva fait très attention à ce qu'on ne fume pas à proximité de son ventre. Pas toi ?

– Je ne suis pas Éva, j'ai des impératifs professionnels, et s'ils impliquent qu'on doit fumer à côté de moi pas de souci. On y va ?

Manifestement, je les dérange. Je me concentre pour respirer uniquement sur ma droite, là où je ne risque pas de recevoir un cancer du poumon en cadeau de naissance, tandis que Jean-Jé insiste pour tenir sa cigarette juste devant moi.

– Alors, de quoi parliez-vous ?

– Du poste de vice-président. On se demandait qui pourrait le tenir quand tu serais partie.

– Tu sais, je ne vais partir que trois mois. Si nécessaire, je suis prête à ne pas prendre de congé maternité. (Si Basile m'entendait, il me ferait avaler mon placenta.) Rachida Dati l'a fait, je peux le faire aussi !

– Il y a un code du travail, on ne peut pas faire ça. (Tiens, Annick connaît l'existence du code du travail ?) Et puis ce n'est pas la question, c'est aussi une question d'après, quand tu devras partir tôt comme… Machine là…

– Édith ?

– Oui, voilà.

J'ai été bien inspirée d'arriver tôt, je débarque en plein complot antimères. Quand je pense à Vincent B qui m'a demandé d'être « maternelle » à ce nouveau poste…

– À ce propos, j'en parlais avec Jean-Jé. Tu lui donneras ton syno sur l'AO. C'est mieux qu'un homme s'occupe de ce dossier, Hugues trouve que c'est une bonne idée.

– Ça t'arrive de choisir quelqu'un pour une autre raison que « c'est une femme » ou « c'est un homme » ? Tu m'as mise à ce poste parce que j'étais une femme

– sans te dire un seul moment que toute femme que j'étais je pouvais être meilleure que Jean-Jé – et tu me retires ce dossier parce que je suis une femme ? Toi qui te vantes tout le temps de ne pas te sentir « girly » mais plutôt un genre de créature hybride transgenre asexuée ?

– Il faut qu'une chose change pour que rien ne change...

J'ai déjà entendu ça quelque part. Parlementer sur le dossier ne servira à rien. Au moins, j'aurai tout le temps nécessaire pour préparer la chambre du bébé... La terrasse de la cafétéria se met à tournoyer autour de moi. Jean-Jé et Annick deviennent flous, et leurs voix, lointaines.

Jean-Jérôme allume une troisième cigarette et me fume sournoisement dessus, pris d'une diarrhée verbale sur son Éva qui elle, au moins, sait faire ses choix et va devenir une mère parfaite, une mère idéale, une mère à plein temps, elle n'a pris que 3 kilos en tout parce qu'elle a un métabolisme de sportive, il est tellement content d'avoir une épouse qui sache « tenir sa place », qui ne soit pas « bohème » comme moi, que cette génération de femmes nées dans les années quatre-vingt est insupportable au travail, qu'elles ne savent pas choisir, qu'elles veulent tout, prendre la place des hommes au travail et garder le pouvoir à la maison, qu'un jour il partira au Yémen ou dans un pays où, au moins, on ne vote pas des lois débiles sur la parité, qu'il regrette l'époque Pompidou où les femmes tenaient leur maison et leurs enfants sans emmerder tout l'open space parce qu'elles avaient leurs règles, que bientôt le brave homme blanc n'aura plus de poste, que...

J'ai tout à la fois mal à la tête, au bas-ventre, au dos, à la gorge, et tandis qu'il énumère les innombrables qualités de sa femme, qui n'a plus qu'à choisir un prénom pour leur non moins sublime bébé, je m'entends en sourdine : « Moi, j'ai déjà choisi son prénom. » Je perds connaissance au beau milieu de la terrasse d'ECG en prononçant pour la première fois à haute voix le prénom de mon bébé.

Au moment où mon dos heurte le sol, Jean-Jérôme se recule pour éviter à son gobelet de café d'être entraîné dans la chute.

Émilie

Franck quitte sa formation plus tôt tous les soirs pour aller chercher Dali à l'école. Et pourtant c'est toujours à moi que la maîtresse écrit ses petits mots : « *Pour la maman de Dali. Pouvez-vous prévoir un pique-nique pour mardi ? Merci, Béatrice Cazenave.* » *Le papa de Dali* a-t-il perdu une main à la guerre, pour qu'on le considère incapable de mettre une tranche de jambon entre deux tranches de pain de mie ? Depuis sa tentative de rapprochement physique avortée, il parle plus à son appli Cydia qu'à moi.

– Il y a des mots dans le cahier ?

Franck ne lève pas la tête de son ordinateur. Je remarque Dali, étrangement silencieuse. Elle se dirige vers la table, saisit le cahier et l'ouvre. À l'intérieur, un petit carton qu'elle tient à deux mains et serre fort contre elle, le souffle un peu court. Elle me fixe droit dans les yeux et, très solennellement, dit : « Je suis invitée », en insistant sur le mot « invitée ». Sur le carton, des dessins de ballons, une baguette de fée et la mention « 5 ans » me laissent deviner qu'elle était conviée à l'anniversaire d'un enfant de sa classe. Elle roule des yeux brillants, pour une fois, silencieuse, comme si elle craignait de tout gâcher avec un caprice.

– Tu me donnes le carton, ma chérie ? Juste pour regarder la date.

– Maman ? Je peux y aller ?

– Qu'en penses-tu, Franck ?

– Hein ?

Il n'écoute pas.

– Je te promets qu'on ira, chérie. Maman se débrouillera...

– Oh oui, génial ! La dernière fois, à l'anniversaire de Louise, je n'étais pas invitée. Ils avaient tous mangé des bonbons en forme de princesse. Là, je suis invitée ! Je vais mettre ma robe qui tourne.

Elle se met à me bombarder de questions, avec un air gourmand et impatient : Est-ce qu'elle aura le droit de se déguiser ? Est-ce qu'on apportera un cadeau pour sa copine ? Est-ce qu'elle pourra le choisir elle-même ? Est-ce qu'il y aura une pêche à la ligne ? Pendant qu'elle me harcèle, le « mercredi, 15 heures » me saute aux yeux. Je ne pourrai pas l'accompagner. Je serai au travail. Si Charles a passé sur mon absence pour la sortie scolaire, je ne pense pas qu'il passera aussi sur une absence pour cause de goûter d'anniversaire.

Et si Franck l'accompagnait ? Il est affalé sur son canapé, son Mac posé sur lui, les pieds sur la litière du chat. Je l'imagine mal prenant l'initiative de choisir un cadeau pour la copine de Dali, l'amener et revenir avant l'heure de fin.

La tête dans les mains, je fulmine. Pourquoi n'avait-elle pas été invitée au moment où ma vie tournait autour des heures de sortie ? Je commence à maudire cette copine de l'inviter maintenant que je ne suis plus en mesure de l'accompagner, je regrette presque d'avoir enfin trouvé un travail. J'en veux surtout à Franck, pour qui la moindre tâche ménagère semble faire peser sur lui l'épée de Damoclès de la non-virilité.

SMS de Sébastien : Dali va à l'anniversaire de Louise ? Je ne sais pas comment Thorrible se débrouille, mais il est toujours invité à tous les anniversaires bien qu'il soit grossier, violent et moche. M'est avis que les mères le rajoutent sur la liste pour attirer son père chez elles. Oui mais pas sûr qu'elle y aille, je travaille... Réponse de Sébastien : Si Dali va au centre le matin, je passe la chercher à 14 heures et les emmène ensemble ? Mon sauveur. Pourquoi ne suis-je pas mariée avec un homme comme ça ?

Franck se concentre à la fois sur une crotte qu'il vient d'extraire de son nez et sur son Mac, démentant par là même le préjugé sur les hommes incapables de faire deux choses à la fois.

– C'est bon Franck, te fais pas un ulcère, j'ai trouvé quelqu'un pour accompagner Dali à l'anniversaire de Louise.

– Qui a un ulcère ?

– Laisse tomber...

Morgane

De facto, j'ai été écartée de l'appel d'offres du Parlement européen. Mme Ceauşescu a daigné me recevoir en urgence entre deux patientes, dans le couloir, et déclarer que je faisais du diabète gestationnel. Je devais rester allongée, les jambes en l'air, y aller mollo sur le sucre jusqu'à l'accouchement. Je trouve ça légèrement ironique, j'ai passé les dix dernières années à boycotter tout ce qui peut ressembler de près ou de loin à un aliment avec indice glycémique supérieur à 1 ! Sur Facebook, Émilie me déclare « MAPette » et Assia précise que je suis « Canapette ». Je me demande si je serai bientôt « accouchette » et s'il faudra ensuite m'appeler « mèrette » pour ne pas dépayser les accros de l'écran. Je suis bilingue français/mère.

Une fois, au rayon livres de puériculture, j'ai croisé une autre femme enceinte. Comme un genre de franc-maçonnerie, nous nous reconnaissons entre nous, nous questionnons et nous faisons mutuellement des signes d'adoubement. « Quelle loge ? – Grand Orient... » Nous nous sommes toisées et elle a entamé la discussion comme une joueuse de poker. Je nous imaginais, cartes en main, gros cigares à la bouche, au Club Monceau, type « je paye pour voir » :

– 24 SA ?

– Presque, 24 SG ! Et vous ?

– 31 SA.

– Séro toxo ?

– Négative, et vous ?

– Négative.

– Rubéole ?

– Immunisée.

– Pas mieux.

Désormais, je n'ai plus qu'Internet pour me tenir compagnie et, accessoirement, pour en apprendre plus sur le diabète gestationnel (Mme Ceauşescu n'ayant évidemment pas daigné me dire quoi que ce soit qui ne se conjugue pas à l'impératif).

En traînant sur Facebook, je lis qu'Assia demande si quelqu'un a une corde. (Les copines mères d'Émilie utilisent souvent sur Facebook, avec un pic les mercredis ou pendant les vacances scolaires, les mots : cordes, se pendre, tête dans le four, SOS, achevez-moi, école : J-11, échange rein bon état contre nourrice à plein temps, vivement le travail que je me repose, plutôt me refaire une permanente que de passer encore une heure seule avec eux, et JE-NE-SUIS-PAS-LE-BOUFFON-DU-ROI ! quand on leur suggère d'organiser une activité pâte à sel pour occuper leurs gosses et accessoirement, donc, éviter la pendaison...)

Mesloulous Fleurdecœur me fait saigner les yeux en répondant :

Oh pkoi tu di sa nos loulous sont tou pour nou tèlment à l'eur d'ojourd'ui ils sont la + belle chose du monde <3 <3.

J'ai l'impression d'être Sisyphe !

Sissi ? La princesse ?

Non, Sisyphe, le type avec le rocher. J'ai l'impression de devoir recommencer la même chose tous les jours.

Elle devient dingue avec les cinq enfants dont elle a la charge. « Moi-même, parfois, je dois faire l'appel pour vérifier qu'ils sont tous là », aimait-elle plaisanter avec un sourire forcé avant de s'autovanner sur son Scénic. Le handicap moteur de son beau-fils, son pied « retourné » qui l'oblige à marcher avec des béquilles, la contrarie. Le petit garçon intrépide n'écoute pas toujours sa belle-mère, et les quatre autres ne sont pas plus calmes pour l'Angelina Jolie de la place Gambetta. Je ne suis qu'à six mois de grossesse, mais je sais une chose : je ne veux pas avoir cinq enfants. Je suis prête à faire moi-même un scoubidou avec mes trompes de Fallope s'il le faut.

Sur sa nouvelle photo de profil, Assia a une tête digne d'un figurant du clip de *Thriller*. En MP, elle finit par nous lâcher que ça sent le burn out. Personnellement, avec sa vie, j'aurais été à bout après seize secondes très précisément : la simple énumération de tous ses enfants me donne envie de m'enfiler des litres de vodka pure en intraveineuse. L'installation de la chambre de mon futur bébé attendra. Nous sommes ses copines, ou pas ?

Géraldine négocie deux nuits dans le loft de fonction d'un collègue peu actif en séance, Émilie propose de garder Tess, et nous téléphonons aux pères et mères des autres enfants pour qu'ils daignent s'en occuper l'espace d'un week-end (la mère d'Erwann et Yann a même osé demander qu'on lui trouve une nounou « en échange » – en échange de quoi, au juste ?). Pour ma part, je m'engage à gérer le e-commerce d'Assia, tout alitée que je sois (ça peut se faire allongée avec un ordi sur les jambes). D'après moi, 4-5kids.com est plus une manière de ne pas se définir comme une mère au foyer qu'un vrai business.

J'ai finalement compris le principe : 4-5kids.com propose une « sélection de produits et services destinés aux familles nombreuses, recomposées, multiples ». Des berceaux d'appoint pour faire dormir les frères et sœurs dans les mêmes chambres, des bracelets de naissance pour différencier les jumeaux, les triplés, les quadruplés. Dans l'idée, ce n'est pas inintelligent mais *mal pitché.*

Au moment où je checke l'interface du site, des surprises de taille m'attendent. D'abord, 4-5kids.com reçoit une trentaine de commandes par jour – c'est trente de plus que ce que je supputais. Ensuite, la boîte mail annonce un message non lu intitulé « mise en demeure ». L'avocat-conseil de la SAS FORKIDS attire notre attention sur le fait que le mot « Kid » leur appartient en France, et me somme – enfin, somme Assia – de modifier immédiatement son nom et de leur verser la somme de 150 000 euros assortie des frais de justice, en guise de dédommagement pour l'usurpation et la grave confusion créée dans l'esprit de leurs clients !

Au téléphone, Assia m'explique qu'elle n'a pas déposé sa marque à l'INPI, arguant que son antériorité suffit et que FORKIDS lui vole des photos de produits. Je lève les yeux au ciel. Quelle antériorité ? Ils existent depuis au moins soixante-quinze ans ! « Je te jure qu'ils me volent mes photos. J'ai fait des captures d'écran. Vérifie, j'ai tout enregistré sous le dossier FORKIDS. »

Il est temps de téléphoner à un avocat d'affaires de ma connaissance.

JUILLET

Émilie

Chez Morgane, autour de plats listério-toxo-compatibles, Assia nous raconte comment Basile prépare sa défense. FORKIDS a effectivement pompé toutes ses photos, en rajoutant même un « DR » avec leur marque dessus, sans vergogne ! Morgane a partagé les deux visuels sur les réseaux sociaux et, très vite, plus de 13 645 personnes ont relayé l'image mettant en cause FORKIDS. Son collègue Lorenzo a posté un billet et plusieurs blogueurs marketing, e-commerce, et entrepreneurs très influents ont fait de même. FORKIDS a été élu « Bad Buzz de l'année » par plusieurs sites spécialisés. Leur page Facebook est couverte de messages de mompreneurs outrées qu'on méprise ainsi leur camarade et, qu'en plus, on ose lui intenter un procès.

Quant à moi, ce jour-là, j'ai très envie de dire du mal de Franck et d'être soutenue par mes amies, mais je crains qu'elles ne méprisent trop le père de mes enfants et moi, par procuration. C'est Sébastien qui a accompagné Dali à l'anniversaire de Louise, et en prime c'est Sébastien qui m'a aidée à organiser celui de Dali dans la foulée.

Le mari d'Assia est assez beau pour se permettre d'être absent, Géraldine ne s'en laisse pas compter par les hommes, et le mec de Morgane aurait pu écrire le *Manuel du mari parfait*. Quelle pitié, mes histoires de sorties de poubelles, de repas et de sites porno. En outre, j'ai honte d'avoir couché avec un homme qui n'est pas le père de mes enfants.

Hors de question que je fasse des confidences sexuelles à mes copines. Discuter de la meilleure crème antihémorroïdale post-partum du marché, OK, mais parler de la façon dont Sébastien m'a sodomisée sur le lavabo après que j'ai roulé une pelle de force à Charles, non ! Je rougis en y repensant et essaye d'oublier la phrase de Morgane : « Si tu fais un truc en sachant que tu ne le raconteras pas à ta meilleure amie... »

Après avoir abondamment disserté sur l'incapacité chronique de Franck de prendre en charge les enfants (et plus particulièrement lors de l'anniversaire de la copine de Dali) les filles ont renchéri sur le mode : « Je ne suis pas assez stupide pour avoir un mec ou pour emmener mon enfant à un anniversaire, il les fête en pension, il n'attend rien de moi, et je n'attends rien des hommes en général » (Géraldine, dans son rôle de mère-célibataire-affranchie-des-codes-sociaux).

« Chez nous, ce serait plutôt Basile qui prendrait ça trop à cœur » (Morgane, dans son rôle de mère-détachée-des-diktats-genrés-et-affublée-d'un-mari-idéal-assez-mère-pour-eux-deux).

– Enfin, je ne peux pas trop lui en demander... Vous savez, c'est un homme.

J'attends un zeste de solidarité féminine de la part de mes congénères. Assia grimace, dubitative.

Géraldine se lance, en soufflant de la fumée vers la fenêtre fermée :

– Moi qui suis féministe... Je pense que les hommes et les femmes sont sur un pied d'égalité. Entendre que ton mari ne serait pas capable, genre biologiquement pas capable, de se traîner jusqu'à un supermarché, de trouver le rayon jouets, d'en prendre un où il soit mentionné « 5 ans » dessus et de se rendre avec son propre enfant à une adresse indiquée sur un carton pour donner le jouet à l'enfant qui fête son anniversaire, ça me semble dingue. Dingue !

– Non, mais attendez, les filles. Vous pensez que je ne suis pas féministe ?

Assia et Morgane pouffent de rire. Géraldine s'étouffe à moitié avec sa cigarette. Elles se moquent de moi !

– Et en quoi je serais moins féministe que vous ?

– Par où commencer ? Jusqu'à avant-hier tu étais mère au foyer...

Elles m'énervent, elles m'énervent ! Recevoir des leçons de féminisme d'une nana qui, à 37 ans – officiellement 33 –, n'a pas été foutue de se faire faire un môme par un mec qui reste jusqu'à la fin de la grossesse, par une deuxième qui a tellement peur de tout qu'elle laisse sa carrière contrarier son désir de maternité, et par une troisième qui élève les enfants d'une autre me hérisse le poil – non épilé, tiens !

– Et alors ? Vous avez le monopole du féminisme ? Vous avez déposé le mot, féminisme AOC, copyright, marque déposée ? Je ne pensais pas que mes amies feraient mon procès en féminisme un jour entre deux Coca light. Morgane, tu trouves ça féministe de contrôler ta ligne au point de t'affamer, même enceinte ? Et toi, Géraldine, tu penses que c'est féministe d'avoir une liaison amoureuse avec un homme marié ? C'est ça, la solidarité féminine ?

– Si tu connaissais sa femme...

– Oui, on est féministe, mais dans une certaine mesure, hein ? Dès qu'il s'agit de défendre les droits des autres, il n'y a plus de féminisme qui tienne, c'est ça ? Pourquoi, parce que je ne suis pas allée faire valider mon engagement par une association estampillée officielle ? Parce que je ne suis pas allée m'asseoir dans un gender studies, bien sagement, lever la main pour demander à celles qui détiennent les clés du féminisme universel (et au nom de quoi, je vous le demande ?) l'autorisation de porter des pantalons, de savoir si je dois dire « sexe » ou « genre », « lui, elle, on, madame, mademoiselle » ? Parce que j'ai voulu élever mes enfants moi-même, sans les confier à une inconnue que j'aurais payée au lance-pierre ? Parce que je nourris mon enfant moi-même, sans avoir besoin de demander à un homme, à un pédiatre, à un industriel, à un gynécologue qui me tâtera pour me dire si oui ou non, je dois donner mon propre lait à mon propre fils ? Parce que je n'écris pas tous les soirs dans le néant d'un réseau social qu'Untel a tenu des propos qui n'honorent pas la cause des femmes ? C'est pour ça que je ne suis pas assez féministe à votre goût ? Alors, disons que je quitte Franck par féminisme.

Morgane

J'ai rendez-vous à six mois de grossesse et un mois de retard pour passer une échographie dite morphologique. Je vais savoir si mon bébé a bien deux moignons, dix débuts de bouts de doigts, et peut-être même des cheveux ? Mais, surtout, je vais savoir si mon bébé est une fille ou un garçon. Je n'ai aucune préférence, même si je trouve une fille plus facile à élever, plus mignonne, plus rigolote, plus agréable à habiller, et que ma fille pourra détrôner Harper Seven, Suri et Shiloh des classements des bébés les plus influents du monde. Du moins, de la rive gauche. Ou disons de Montparnasse. Bon, d'accord, du quart nord du quartier Pernety !

Basile feuillette pour la trentième fois un vieux *Marie Claire* en tapotant du pied dans la salle d'attente. Avec un peu plus d'une heure de retard (et 140 euros de dépassement) l'échographe nous appelle. Au service échos de l'hôpital, il n'y a plus de place à moins de trois mois et Mme Ceauşescu m'a déjà traitée de tous les noms pour avoir laissé passer la date pile à laquelle on recommande l'écho morpho.

L'échographe passe un peu de gel glacé sur mon ventre et me permet d'avoir un angle de vue imprenable sur mes vergetures. En moins de trois minutes, elle nous dit : « Félicitations... ! » Basile et moi restons silencieux, main dans la main, lui trop grand pour le petit tabouret « accompagnant » et moi pas assez vaillante et trop prise dans mes souvenirs de l'année du bac pour lui dire quelque chose de beau qu'il mériterait d'entendre.

Comme toujours, c'est lui qui trouve les mots, m'embrasse la main et souffle « merci ». Sur le trajet du retour, je me répète le prénom choisi pour mon bébé avant même d'être sûre de son sexe. Basile a la main douce. Accoucher en tenant cette main me semble moins insurmontable.

Devant la porte d'entrée, il insiste pour me précéder. Quand il ouvre la porte, je sursaute au son d'un « Surprise ! » collectif. Dans notre salon, Géraldine, Assia, son mari et ses enfants, Émilie, mais aussi Perle, la sœur de Basile, et nos amis communs : Arthur et Bertrand, les jumeaux intellos, version littéraire des Bogdanov, Gad qui s'appelle en fait Gontran, ambassadeur ambulant pour un retour en grâce du bling, et toute une foule de copines de tous horizons, zumba, assoc', études, Internet... Sur des tables réunies, une abondance de cupcakes multicolores attendent d'être dévorés. Dans un coin, un grand plateau de cannelés vanillés. Basile me fait un clin d'œil.

Le canapé est jonché d'une pile de présents. Malgré moi, je pense immédiatement à mon plaid blanc en soie sauvage. Basile doit lire dans mes pensées, il me désigne du menton le placard où il l'a rangé. Puis-je rêver d'un meilleur compagnon de route pour le reste de ma vie ?

Le salon me semble juste un petit peu plus petit que d'habitude… Je lève le menton et aperçois une partie séparée par un paravent recouvert de Post-it adorables écrits par mes amis : « Tu vas être une supermère ! » ; « Morgane = supermaman » ; « The best mother ever… » Et, juste derrière, une mini-chambre pour bébé. Une petite commode surmontée d'un énorme nounours, un coffret garni de produits de bain, une table à langer et un gros siège « pour l'allaitement… », fait Émilie, « ou le biberon ! » ajoute Assia. Au fond, dans un angle, un meuble détonne par rapport aux autres. Plus vieux. Sans l'odeur de contreplaqué caractéristique des meubles en kit neufs. Je m'approche. Sans y croire. Je me tourne vers Basile :

– Mais… c'est mon berceau ?

C'est bien lui. De mèche avec mon père à Corte, Basile a contacté ma grand-mère dans sa maison, au village, où sont l'ensemble de nos meubles d'enfance. C'est ce berceau qui a abrité mes siestes de nourrisson, dans la vallée de la Restonica, mes premiers étés avec ma mère. Ma grand-mère s'est occupée de faire acheminer le berceau avec l'aide de mon père, et Émilie l'a stocké chez elle jusqu'au jour J… Nos amis l'ont monté en attendant notre arrivée. Ils ont tous sympathisé, et rient ensemble autour du berceau en ébène de ma mère comme s'ils avaient, eux aussi, un passé commun. Géraldine rentre le ventre dans sa minijupe en cuir en parlant avec Fred, Émilie et Perle comparent leurs blessures de guerre/d'accouchement, et les amis de Basile lui tapent sur l'épaule en lui faisant promettre qu'il reprendra le cours de sa vie sociale une fois l'accouchement passé. Je me sens soudain très entourée.

– Alors, tu vas allaiter ou pas ?

– Non. Et j'exige une péridurale. On n'est plus au Moyen Âge, sus à l'autoaliénation.

Assez récité mon petit Badinter illustré, j'entre dans le vif du sujet. Je tapote sur mon verre avec mon couteau.

– Basile et moi, nous sommes comblés d'être aussi bien entourés... Et nous pouvons désormais vous annoncer que... c'est une fille !

Tout le monde se met à applaudir, les copines me félicitent, je jurerais qu'Émilie a les larmes aux yeux, et Basile lance *Mama lova* d'Oxmo Puccino. J'ai l'impression que c'est cet instant précis que j'ai attendu toute ma vie. Annick, Jean-Jé et mon poste de vice-présidente sont loin, loin, loin de mes préoccupations !

Cabinet de Maître Corbeau
12 rue d'Assas
75005 Paris

Maître Basile Cissé
Avocat-conseil de Mme Assia Le Guerrec

Affaire 4-5 kids – Réf 67-52

Maître,

Attendu nos différents échanges de courriers, j'ai l'honneur de vous informer que :

– nous renonçons à nos poursuites contre Mme Le Guerrec ;

– nous mettons sous séquestre la somme de 15 000 euros en dédommagement de ladite procédure ;

– nous lui remboursons la somme de 75 000 euros au titre des photos dupliquées.

Nous attendons vos coordonnées bancaires.

Salutations confraternelles,

Émilie

Tout en vérifiant mes mails, d'un coup d'œil rapide, je contrôle mes coussinets d'allaitement. Je ne donne plus qu'une seule tétée par jour à Éliott, le soir avant le coucher, mais je ne veux pas risquer de revivre la fuite de mon entretien d'embauche à Chartres.

Je marche avec assurance en direction de la brasserie où nous avons rendez-vous (lieu que je n'ai pas choisi – qui a envie de payer 17 euros pour se faire balancer un croque-monsieur brûlé dans la gueule ?) au pied de chez Morgane alitée me répétant intérieurement ce que je m'apprête à leur avouer. Géraldine avec sa clope, Morgane avec son ventre, Assia avec sa marmaille : je fonce droit sur elles et, sans laisser Géraldine finir sa phrase (« On t'a commandé un... »), j'enchaîne ma confession presque sans bafouiller :

– Les filles, j'ai quelque chose à vous dire ; mais pour vous dire ça je dois rester debout sinon je ne vais pas y arriver, et vous ne devez pas m'interrompre.

Trois paires d'yeux cernés me fixent en silence.

– J'ai trompé Franck. Je l'ai trompé avec le père de Thorrible, Sébastien, qui est pompier et aussi canon que son fils est vilain. J'ai embrassé mon patron. Je ne l'aime plus. Là je parle de Franck. Je vais lui annoncer ce soir. Et j'ai besoin d'un truc fort.

Le serveur apporte un Coca zero, Géraldine lui articule en silence de repartir manu militari le diluer dans un grand whisky. Aucune d'elles n'ose ouvrir les hostilités.

– Qui est Thorrible ?

Mon whisky-coca arrive avec une vitesse inédite pour Paris.

– Un copain de Dali, j'ai...

– Merde, j'ai hâte que mon bébé aille à l'école, moi aussi je veux rencontrer des pompiers sexy.

– La vie de maman solo, c'est génial, tu vas voir, assure Géraldine.

Je pense à sa vie entre trois villes, sans jamais voir son fils plus de deux jours d'affilée, agrippée à son ex-ministre qui vient de poser avec sa femme et ses enfants en couverture de *Gala* sous le titre « Amoureux comme au premier jour ». Ça n'a pas l'air génial du tout. Géraldine checke les résultats du tournoi de tennis de son fils sur son BlackBerry. Sous ses airs de mère affranchie, c'est la mère la plus culpabilisée de l'histoire de la culpabilité.

– Si je quitte Franck, nous serons 100 % à ne plus être en couple avec le père de nos enfants. Je trouve ça sinistre.

– Nous, on n'est pas représentatives des statistiques ; regarde, moi je suis avec le père de Tess, et Morgane est toujours avec le père de son bébé – ce qui est un exploit avec son caractère. En fait seules 50 % d'entre nous ne sont plus en couple avec le père de leurs enfants ! Quel est le problème de fond, Émilie ?

– Je ne sais pas, je me sens… une mauvaise mère. Une mère horrible.

Je commence à sangloter. Le serveur dit à son collègue :

– Y a une cliente qui chiale, viens voir !

– Émilie, mon enfant n'est même pas né et je suis déjà une mère atroce. Je vis dans un endroit pollué, j'avale des litres de tabagisme passif – merci Géraldine, au passage –, je ne me repose pas et je mange des sushis une fois par semaine ! La seule « bonne maman », ici, c'est Assia.

– Pff, si tu savais tout ce que j'ai fait, ma pauvre… Avec cinq enfants à la maison… J'ai oublié d'aller en chercher à l'école parce que j'étais chez le coiffeur, j'en ai fait tomber de la table à langer, j'en ai laissé pleurer parce que je voulais finir de télécharger le dernier épisode de *Desperate Housewives*… S'il y a une mauvaise mère ici, c'est moi.

– Attends, je culpabilise, mais j'ai aussi fait tout ça, hein ?

– Et moi alors ? Mon fils est en pension à 750 kilomètres de chez moi, vous voulez que je vous dise ? Ce n'est pas parce qu'il est doué au tennis. C'est surtout pour que je n'aie pas à rentrer tôt préparer ses dîners.

Nous nous inclinons devant Géraldine, pas l'air si fière que ça de remporter ce concours de mères minables.

– Bon, les filles… comment vous me conseillez d'annoncer tout ça à Franck ?

D'après Assia, je dois le préparer en douceur avant de l'amener lui-même à la conclusion que nous serions mieux séparés, Géraldine affirme que « les mecs, ça sert à rien, fais tes valises et casse-toi », et Morgane me suggère de simplement le passer en « it's complicated » sur mon profil Facebook. Bref, aucune d'entre elles n'a d'idée. En grignotant mon croque-monsieur, tandis qu'Assia nous explique son projet de chambres d'hôtes familiales qu'elle veut ouvrir dans le Vieux Mans, je tape sur la fenêtre « search » : « Comment dire à mon mari que je veux divorcer ? ». Mon iPhone n'a plus de batterie, je ne vois pas les réponses de Google.

C'est mon dernier après-midi de travail avant la fermeture estivale, qui va me permettre de passer des journées complètes avec mes enfants. De retour au bureau, je branche mon téléphone aux frais de mon employeur et m'étonne d'avoir 41 notifications Facebook, 5 MP et 11 appels en absence.

Visiblement, j'ai confondu la fenêtre de recherche et la fenêtre « statut » ! L'ensemble de mes contacts a donc vu ma question. Y compris Franck. Que dire pour me justifier ? Invoquer l'erreur technique improbable ? L'acte manqué, dicté par mon subconscient ? Autre réponse, précisez ?

Août

Morgane

– Alors ?, lancé-je allongée, jambes écartelées, à demi-redressée pour tenter de voir la gynécologue par-dessus mon gros ventre.

Mme Ceauşescu est passée maître dans l'art du suspense. Elle retire son énorme avant-bras de mon vagin, puis ôte un à un ses doigts du gant en plastique avant de marquer un panier avec dans la corbeille. Le verdict finit par tomber :

– C'est pas encore pour tout de suite. Vous n'accoucherez pas avant au moins deux ou trois semaines.

Court et interminable à la fois. Je n'en peux plus, de ce gros ventre, de ce corps lourd à trimballer, des remontées acides jusque dans la gorge, des vilains vêtements de grossesse, des bas de contention, des nouvelles vergetures quotidiennes. 15 jours, c'est 15 nuits sans sommeil, 1 440 minutes × 15, et beaucoup trop de secondes.

En même temps, 15 jours, c'est trop proche, dans 15 jours je serai une mère, et ça, pour toujours.

Tandis qu'un hippopotame avec un poulpe sur la tête se bat avec sa culotte dans le miroir, je ramasse mon jean de grossesse et le remonte jusqu'à la sculpture en marbre qui me tient lieu de ventre.

– On se revoit dans dix jours pour un monito ?

Qui a parlé de mojito ? Dix jours... La bonne nouvelle, c'est que je peux me mettre en route pour la « Mamanif » organisée par Géraldine.

La place de la République est noire de monde. Je n'ai pas vu autant de monde sur cette place depuis le 21 avril 2002. Au fond, devant une caméra, je repère Assia, Géraldine et Émilie et me fraye un chemin à travers la foule pour les rejoindre. Une journaliste de France 2 tend un micro à Géraldine en commentant : « La députée européenne Géraldine Bornstein a organisé cette Mamanif en soutien aux mères actives. Elle veut faire adopter une directive européenne sur les mères qui travaillent. » Émilie glisse : « Oui, enfin, la députée est surtout venue pour boire des coups à la buvette et draguer du militant de base pour oublier M. le ministre. – T'es mauvaise ! La députée est venue se faire de la presse. » Assia nous fait les gros yeux. Le cortège se lance, la journaliste annonce en marchant à reculons que nous sommes près de 10 000 à défiler. Par-dessus un néo-Jacques Brel, nous scandons :

– On veut des places en crèche ! On veut des places en crèche !

Quelques minutes après le départ du cortège, tandis que l'accordéoniste fredonne « Au premier temps de la valse... », un liquide chaud me coule entre les cuisses. Ça me fait ça, parfois, quand je sors d'un examen un peu trop poussé. Clairement, je me dis : « Mais... je me fais pipi dessus ? Oh non, la honte, il faut à tout prix que personne ne le remarque. » Je continue à scander au son des mégaphones, aussi digne que possible : « On veut des places en crèche ! » La journaliste de France 2 est juste derrière moi. Je prie intérieurement pour qu'elle ne filme pas mon entrejambe humide. Elle nous dépasse.

– Dites, vous pouvez vous rapprocher de la députée ? Ça fera bien à l'image, une femme enceinte... Si vous pouviez vous tenir le ventre, aussi...

Je n'ai pas trop à me forcer, tant la douleur devient tenace et lancinante.

Une autre décharge électrique, plus longue, celle-là. Je m'arrête de marcher un bref instant.

– Mais enfin, Morgane, qu'est-ce qui t'arrive ? Tu veux t'asseoir ?

– Non, ça va. Mais... j'ai mal au ventre. Et je crois que je me suis fait pipi dessus.

– Il y a longtemps ?

– Une bonne heure, c'était au départ du défilé... Tu crois que c'est grave ?

Une autre décharge électrique, qui dure une éternité, me tord les ovaires et me lance jusqu'aux reins.

« Au deuxième temps de la valse... »

– Géraldine, tu peux nous faire quitter le cortège ? Morgane a perdu les eaux.

– La rue est barrée de ce côté... Et de l'autre côté c'est impossible, tu as vu le monde qu'il y a ? On n'arrivera jamais à fendre la foule. Qu'est-ce qu'on peut faire ?

J'ignore comment, Géraldine et Assia parviennent à me traîner jusqu'au camion de pompiers où Émilie semble connaître quelqu'un.

– PUTAIN, ça fait supermal là !

– Accroche-toi.

– Je veux une périiii ! Ma péri !

– Madame, on ne va pas pouvoir poser de péridurale. Vous allez accoucher sans anesthésie. On va vous donner des gaz hilarants. Allongez-vous.

– Quoi ? Mais c'est un grand malade, lui ! Je n'accouche pas sans péridurale ! Aaah ! Tu m'as pris pour un témoin de Jéovah ? Je suis douillette, OK ? J'ai mal pendant trois jours quand je m'épile les sourcils à la cire.

– Tu t'épiles les sourcils, toi ? Moi je n'utilise que de la crème décolorante, parce que...

– On peut rester FOCUS sur mon ACCOUCHEMENT là, s'il vous plaît ? J'ai MAAAL !

– Enlevez-lui ses vêtements.

– Vas-y Diego, filme, filme, zoome sur la dame qui accouche... ordonne la journaliste de France 2, avec autant de compassion qu'un militant antieuthanasie devant un cancéreux en phase terminale.

Je suis dévastée, je pleure, je crie, je me demande si je ne rêve pas – malheureusement, la douleur me confirme que non. Je maudis Mme Ceauşescu et ses prédictions aussi peu fiables que celles de la Melquiades de Barcelone, et je me demande où est Basile ? Quelque chose pousse pour sortir, j'ai la sensation de me diviser en deux, une partie de moi va me quitter pour devenir indépendante.

« Il t'a mis un alien à l'intérieur de ton corps. Un spécimen très agressif. Il va sortir en te crevant la cage thoracique, et tu vas mourir. D'autres questions ? – Mais qui êtes-vous ? – Je suis la mère du monstre. »

– Basile... je veux Basile... je gémis.

– On l'appelle, mais le réseau est saturé... Il faut te concentrer, ma bichette, tu dois pousser, ta fille ne peut pas tout faire toute seule, aide-la à venir au monde.

Ma fille... Je pleure, je crie, j'ai mal. Le pompier qui connaît Émilie passe les mains devant mon entrejambe. Je regarde mon reflet sur les portes du camion, mon maquillage a coulé, j'ai les yeux sur les joues. Le défilé continue. Ma fille va venir au monde, elle va grossir ces rangs de femmes. J'ai la sensation d'être un maillon dans une chaîne, une passeuse de témoin, une minuscule goutte d'eau dans un océan, l'infime partie d'un tout. Je n'ai pas juste un enfant à mettre au monde, j'ai une sorte de mission, une mission qui me dépasse. Comme si ma fille percevait mes réflexions, une énorme contraction me force à pousser de toutes mes forces. Je me sens mourir sur place pendant qu'un « *AAAH !* » infini et hurlant jaillit de ma bouche, tellement puissant qu'il recouvre même le bruit des mégaphones. Je sens nettement les contours d'un crâne appuyer sur mon bas-ventre. Je me sens m'écarter, me transformer sous le passage de cette tête géante, et cette sensation étrange et indicible d'un corps qui passe par soi, qui sort de soi, d'une cage thoracique, d'un dos, d'un ventre, de deux jambes et de deux pieds gigotants qui s'extirpent de soi, une grenouille, qui suis-je, qu'est-ce, la douleur prend corps, prend sens, je me dédouble, je me réincarne.

Un silence infini.

Et un tout petit cri. Mon bébé. Je suis couverte de sueur, de pleurs, de liquides en tout genre.

Sur moi, un bébé difforme, à la couleur indéfinissable, mélange de sa peau, du sang, des substances blanchâtres et du reste, respire doucement, suçant son petit pouce. Je l'ai fait. JE. L'AI. FAIT.

En quelques heures, je suis devenue une mère. J'ai une fille. Son gros cordon la relie encore à moi, mais pour toujours, pour l'éternité du temps maternel.

– Il faut la mettre en peau à peau, avant de vous emmener à l'hôpital, conseille Sébastien le pompier.

Géraldine et Assia passent chacune d'un côté pour me retirer mon chemisier. Émilie saisit mon bébé avec une banderole « Mon corps m'appartient ! », la pose sur moi et nous couvre toutes les deux avec, comme un grand drap.

Sébastien s'apprête à refermer les portes du camion de pompiers quand un bruit étrange de moteur rugit. La fièvre ? Géraldine, Assia et Émilie se poussent du coude : « Regarde ! Regarde ! » À grand-peine, je me redresse et vois la foule s'écarter comme la mer Rouge devant Moïse. Une moto. Sur cette moto, un homme, tête nue, en costume froissé, freine devant nous et saute.

Sébastien lui tend des ciseaux chirurgicaux sans un mot. Ses yeux brillent. Il coupe le cordon et caresse amoureusement les cheveux de notre nouvelle-née, puis plonge sa main dans sa poche. Il en sort une chaîne avec un pendentif en or en forme de cœur, et la réplique exacte en miniature. Il m'embrasse longuement. Je n'ai jamais été aussi débordante d'amour. Je ne sais pas pourquoi, je pleure. Symboliquement, comme elle avait déjà refermé une porte pour moi l'année du bac, Émilie referme les portes du camion sur notre nouvelle famille*.

(* L'auteure tient à préciser qu'elle est tout à fait consciente de l'aspect irréaliste de cette scène – et encore, initialement, Basile arrivait sur une licorne. Néanmoins, elle rappelle que vous avez entre les mains un roman, pas une déposition sous serment, et tient à disposition des amateurs de gore son propre dossier médical.)

De acreille@ecg.fr

À morgane.serra@yahoo.fr

Hello Morgane,

Nous savons que tu vas désormais être prise par ton enfant. Il y a toujours une place pour toi à l'agence, mais ça ne pourra plus être la même place qu'avant.

On se voit vite ?

PS En PJ le faire-part de la fille de Jean-Jé.

PPS On a vu ton accouchement au JT, très drôle.

Cette ordure est allée jusqu'à me piquer le prénom de ma fille !

Émilie

C'est un Franck étrangement serein qui m'accueille à mon retour du bureau. Il a bouclé sa valise (il savait donc où elle était rangée, contrairement à ce qu'il m'avait dit lors de nos cinq précédents départs en vacances) et s'apprête à aller dormir chez ses parents. Pour tous et pour toujours, je serai la garce qui a annoncé son divorce à son mari en même temps qu'à 347 amis Facebook dont deux bons tiers sont des inconnus. L'ironie de la chose ? Quand je l'ai vu ainsi, ma première pensée n'a pas été pour notre couple moribond, nos enfants, notre divorce ou nos tromperies (réciproques ?).

Non, mon côté pragmatique s'est réjoui que nous n'ayons absolument rien réservé pour les vacances d'été, et que nous n'ayons donc rien à annuler.

Franck semble presque soulagé que j'aie pris l'initiative du divorce. Nous nous sommes à peine parlé, juste pour nous mettre d'accord sur un prix pour la maison.

Pas moins de sept familles ont défilé depuis sa mise en vente, mais aucune n'a fait d'offre. Franck n'a pas été présent aux visites. « Avec ce que je traverse... » Sa touche « r » est réparée. Moi, je n'en peux plus de ces inconnus qui scrutent ma chambre comme s'ils venaient de découvrir un poil dans leur assiette, qui critiquent la couleur de la peinture, qui tapent dans les murs pour en « tester la profondeur » ou qui trouvent que « ça sent trop le bébé, dans le mauvais sens du terme ». Bonne nouvelle, Jean-Baptiste Grenouille, mon fils, n'est pas vendu avec !

Au parc, je suis assise sur un banc comme un prisonnier dans sa cour, Éliott est dans sa poussette et Dali occupée à remonter le toboggan en sens inverse malgré mon interdiction. Quand on est enfant, on s'ennuie pendant les activités de ses parents et, quand on devient parent, on s'ennuie pendant les activités de ses enfants. Quand on est enfant, on ne peut pas sortir seule le soir à cause de nos parents, et quand on devient parent, on ne peut pas sortir le soir à cause de nos enfants. Quand peut-on vivre ? Parfois, l'espace-temps d'une nanoseconde, je me demande si tout ça vaut bien la peine et si quelqu'un a déjà pensé à calculer le rapport contraintes/bénéfices de la maternité.

Un petit groupe de mères arrive, je les reconnais tout de suite : le groupe des déléguées des parents d'élèves de l'école. On devrait d'ailleurs rebaptiser ce concept en « déléguées de mamans d'élèves de l'école », au vu du faible pourcentage de papas candidats (0 %).

Les déléguées des parents d'élèves ne sont rien d'autre que la forme adulte et française des groupes de cheerleaders des lycées américains. Elles imaginent être l'élite de l'établissement sous une apparence justifiée (élection, performance) alors que les deux relèvent de la plus parfaite oligarchie (« Tu ne peux pas te présenter si tu n'as pas déjà été élue ou n'es pas parrainée sur la liste »). Si j'arrive à vendre la maison un jour, je n'aurai plus jamais à voir les têtes de ces *bitches*. Tiens, je commence à parler comme Morgane – le « mimétisme » qui trahit les amants et les amis proches, Raymond Radiguet, *Le Diable au corps*, fiche de bac français, 2001.

Manifestement, Justine Després ne m'aimait pas beaucoup quand j'étais mère au foyer d'un enfant pseudo-handicapé rechignant à cuire une tarte aux pommes pour la kermesse, mais, maintenant que je suis une mère active se faisant compter fleurette sous ses yeux par le plus beau des pères CVD de l'école Jean-Jaurès, elle semble purement me haïr.

En tout cas, elles s'installent sur le banc voisin du mien. Elles tournent la tête, attendent de voir si Justine Després me salue ou pas, voient qu'elle me fait un signe de la main, l'imitent. Comment savent-elles si elles doivent saluer ou non quelqu'un quand Justine Després est absente ?

Dali recharge une arme imaginaire et vise un des enfants.

– Pan, Maskime, t'es mort !

Les déléguées s'offusquent.

– J't'ai tué à le parc, medre !

– Non, mais attendez, elle vient de dire un gros mot, là ? lance l'une des cerbères.

– Putain, c'est inadmissible de dire des gros mots ! persiflé-je entre mes dents.

Dali court vers moi :

– Maman chérie ! T'es trop belle sur ton banc ! Moi je te divorcera jamais !

Je souris au banc voisin. Contre toute attente, Justine Després se tourne vers moi les yeux embués.

– Vous divorcez ? Il fallait me le dire !

Ben tiens, elle se prend pour le Parrain maintenant... je dois lui baiser la main et la tenir informée des dernières évolutions de ma cellule familiale ?

« Bonjour Justine Corleone, j'ai un problème avec les frères Tataglia... » Elle poursuit depuis son banc :

– Oh, je suis passée par là il y a un an !

Ah bon ? Justine Després a divorcé ?

– Mon ex-mari vit avec son assistante de 25 ans ! Vous connaissez une histoire plus clichée que celle-ci, franchement ?

La cerbère de gauche :

– Avec les hommes, on n'est jamais déçues, ils sont toujours à la hauteur de nos clichés !

Justine Després :

– Enfin, il y a deux choses qui m'ont sauvée : avoir deux amies fidèles comme Marie-Laure et Bénédicte, qui ne m'ont jamais laissée toute seule alors que j'étais au fond du trou, et me jeter à corps perdu dans la gestion des parents d'élèves de l'école ! Sinon, je ne sais pas ce que je serais devenue...

La cerbère qui s'appelle Bénédicte lui caresse le bras.

En fait, elles semblent non seulement imparfaites et humaines, mais en plus, sympas ! Je suis vraiment bizarre de n'éprouver de la sympathie que pour les gens qui ont une vie au moins aussi difficile que la mienne. Bénédicte reprend :

– En tout cas, dès que Justine a appris pour le handicap de votre fils, elle a tout de suite cherché quoi faire. Avec le papa de Thorrible, ils ont discuté sur la meilleure manière de vous aider. Et, quand votre ex a dit à Mme Beauzor que vous aviez besoin d'argent pour l'opération, elle a immédiatement lancé une collecte !

La collecte, ça venait de Justine Després ? !

Un petit diable me souffle : « Dis merci » ; et un ange : « Avoue tout. »

Je repousse les deux et vais chercher Dali pour l'emmener chez les parents de Franck. J'ai un déménagement à préparer.

Septembre

Morgane

Une mère ne peut plus dire honnêtement qu'elle n'a pas été prévenue. Je le sais. Je sais qu'un bébé de 51 centimètres a le pouvoir de pousser au suicide n'importe quelle jeune mère équilibrée et qu'après deux nuits sans sommeil j'aurai envie de sniffer le baril de lessive avec une paille Winnie l'Ourson.

C'est vrai. Être mère n'a rien à voir avec une Heidi Klum défilant trois semaines après son accouchement ou une Victoria Beckham en virée shopping. Je suis moche, j'ai les cheveux gras, des vergetures cachées sous un pyjama Envie de fraises, grand besoin d'un patch « antipoints noirs » et je suis incapable de lire autre chose que *Public*.

Mais, contre toute attente, je suis *heureuse*. La fatigue des réveils nocturnes est compensée par le plaisir presque érotique du contact avec mon nourrisson, je suis shootée à son odeur de lait caillé, de cou, de nuque, de plis, de restes de crème.

Je vis des plaisirs simples, rester chez moi le samedi soir, télécharger un film sur iTunes, manger du tarama à même le pot avec Basile et regarder fièrement le ventre de mon bébé se soulever au rythme de ses respirations. « T'as vu ça, incroyable ! Elle respire superbien ! » Lire des livres de recettes pour bébé (et essayer de trouver les équivalents en petits pots. Ou envisager d'embaucher une cuisinière). Faire des mini-albums de photos de Léna sur Internet et les offrir aux gens qui viennent la voir.

J'adore les gestes qui me hérissaient le poil avant que je n'aie mon propre bébé : « Oh oui, mon bébé d'amour, les mamans adorent le bon pipi tout frais ! » Lui donner son bain, voir ses petites jambes s'agiter dans un réflexe de survie. Mettre à mon bébé de belles tenues, et la prendre en photo. La mettre en sandwich entre Basile et moi dans notre lit pour lui faire finir sa nuit, un biberon calé entre deux oreillers. Essayer de voir si elle a mon nez, ses yeux, mes cheveux, sa bouche. Passer des heures à parcourir des encyclopédies de toutes sortes à chercher ce que signifient son prénom, son signe astrologique chinois, sa numérologie, son ascendant. Léna est si parfaite.

Mais, avec elle, je deviens sadique. Je fais exprès de disparaître de son champ de vision. Elle me cherche du regard, elle pleure, me repère, elle agite les bras, je la porte, elle s'arrête immédiatement, elle rit, elle touche mon visage et serre ses petits poings comme pour dire « je t'aime ». Je me sens emplie d'un pouvoir incommensurable, d'une foi inébranlable en moi-même, en elle, en l'humanité. Vous imaginez ça, un être humain pour qui vous êtes TOUT ?

Je suis juste un peu circonspecte quant à la fiche d'inscription à la crèche. Suis-je vice-présidente, directrice conseil, au chômage ? Être mère signifie donc que vous renoncez immédiatement à votre véritable profession ? Est-ce le prix à payer ?

Émilie

On a fini par vendre la maison. Enfin ! Après un bon mois de visites et trois baisses de prix substantielles « cause divorce ». Debout devant ma bouteille de Cristaline, dans la salle de zumba, j'interroge les filles :

– Dois-je dire aux acheteurs : méfiez-vous, devenir parents est un changement de taille pour un couple, alors s'endetter sur vingt-cinq ans puis s'engager dans des travaux... ?

Mais ils ne semblent pas avoir les mêmes problèmes. L'acheteuse est venue avec sa belle-mère dont elle a dit « elle est un peu ma meilleure amie », les travaux seront assurés par l'entreprise de son père, ils achètent la maison cash, sans prêt, et quoi qu'il advienne, si le climat de la maison ne leur convient pas, ils garderont le F3 à Bastille offert par leurs parents. À quoi ça tient, un couple ? À l'argent, seulement ? Ou ont-ils un lien que Franck et moi n'avons pas eu ? S'aiment-ils plus que nous ? Si j'avais eu la patience de passer outre le baby-clash, serais-je encore avec Franck ?

Hier, il a déménagé ses valises de chez sa mère à chez sa nouvelle petite amie. Pour moi c'est clair et net : non, une grognasse probablement rencontrée sur Adopteunmec.com ne s'occupera pas de mes enfants. L'imaginer en train de raconter une histoire du soir à ma fille, de donner un biberon à mon fils, de leur tenir la main dans la rue, de pousser la McLaren ou de leur apprendre à répéter son prénom avec sa voix nasillarde (elle a répondu au portable de Franck, un soir que Dali voulait dire bonne nuit à son père) me donne envie de me taper la tête contre les murs. Pour moi, son droit d'hébergement pour cette première semaine doit s'exercer ailleurs : chez ses parents, à l'hôtel, où il veut, mais pas dans le lupanar d'une gourgandine cliquée parmi « les célibataires de votre région ». Je peux supporter qu'un homme que j'ai aimé, avec qui j'ai été mariée, avec qui j'ai vécu mes premières années d'adulte, couche avec une autre femme. Mais mes enfants ? Mes enfants, non.

Après que j'ai hurlé mes états d'âme par-dessus l'air de *Zumba he zumba ha*, Morgane nous rejoint avec son bébé.

– La mère de mes beaux-fils, la mater dolorosa, est bien contente de me trouver, moi l'autre femme, quand elle part aux Maldives avec son nouveau mec. Être belle-mère, c'est avoir les inconvénients de la maternité et aucun de ses avantages, peste Assia.

– Tu exagères, tes beaux-fils t'adorent.

– Tu parles ! Elle, elle a les cadeaux de fête des Mères, les allocations familiales, les « maman », les parts à déduire des impôts, les jours enfants malades, les photos avec eux petits, et l'argument du « j'ai souffert douze heures pour te faire naître, tu me dois bien ça ». Moi j'ai le droit de devoir annuler mes rendez-vous pro quand l'un d'eux est malade pendant la semaine de garde de Gaëtan, de payer leur cantine et la pension alimentaire avec Gaëtan, de racheter du gel Dop, des corn flakes, des piles pour la télécommande de la Wii, de laver leurs slips Spiderman et de repasser leurs polos. Ne t'inquiète pas : elle ne prendra jamais ta place. Jamais. Une belle-mère, c'est comme une bonne gratuite. Non, pire : c'est comme une bonne, mais qui te paye indirectement pour garder tes enfants et gérer la moitié de leur intendance.

– Oui, c'est même plutôt elle qui devrait flipper... Laisse-la passer un samedi après-midi avec Dali, au contraire, on va rigoler, un peu.

– Enfin, en attendant, elle fait ce qu'elle veut, mais loin de mes enfants.

Ainsi commence ma première semaine de mère sans enfants. De quoi je parlais, avant ?

Morgane

Ce jour-là, debout devant l'open space, je comprends pourquoi on demande toujours aux jeunes mères de passer « présenter leur bébé ». En fait, leur bébé, tout le monde s'en fout. Pour un célibataire sans enfant, rien ne ressemble plus à un bébé qu'un autre bébé, et la perspective de se faire roter/baver/pleurer dessus ne doit pas motiver mes collègues outre mesure.

En réalité, si on propose toujours aux jeunes mères (et quasi jamais aux jeunes pères) de venir au travail avec leur bébé dans les bras, c'est pour s'en servir comme d'une arme. Quand vous portez le nourrisson que vous venez de mettre au monde dans les bras, vous baissez votre garde, vous déposez les armes au sol et vous vous mettez en mode « douce maman ». Vous êtes vulnérable. Vous n'êtes pas sur vos gardes, prête à bondir dès qu'on vous dit les mots « baisse de salaire » ou « changement de poste ».

Ce matin-là, je porte un haut d'allaitement sans manches offert par Assia, un jean de grossesse dont l'empiècement met mon bourrelet en valeur et des ballerines plates. Je ne suis pas vraiment coiffée, pas vraiment maquillée (comme je pleure souvent, j'ai renoncé au mascara). Bref, mon armure de *warriorette* est rangée au fond d'un placard, quelque part entre mes robes taille 36-38 et mon plan de carrière.

En arrivant dans l'open space, je vois Jean-Jé et sa cour. Ils sont tous bronzés, minces, me semble tirés à quatre épingles. J'ai aussi hâte de repasser toutes mes journées avec eux que d'écouter le prochain album de Carla Bruni-Sarkozy. Lorenzo me repère, fait un vague signe de tête et ne retire même pas ses écouteurs. Édith fait coucou de la main en rangeant ses affaires pour partir (il est 17 h 54). Annick reste concentrée sur sa réunion. Comble de l'ironie du sort, Jean-Jérôme, le premier, s'approche de moi.

– Alors, voici la petite Léna ? Joli prénom, hein ?

Il se tourne vers Édith et fait :

– Elle est née juste neuf jours après ma Léna.

Sur ce qui a été mon bureau, une jeune fille s'affaire. J'apprends que c'est la nouvelle office manager de Jean-Jé.

– Tiens, c'est ton courrier ! désigne le traître du menton vers la pile agonisante d'enveloppes au pied du bureau.

Il n'a même pas daigné me le faire suivre, ou me le garder proprement...

– Tu peux le prendre si tu veux. Je ne reste pas, je suis charrette.

Oui, je peux le prendre si je veux – et si je n'avais pas un porte-bébé arrimé à mon ventre, m'empêchant techniquement de me baisser jusqu'au sol. J'essaye de me pencher en pliant les genoux, sans courber le dos, mais la douleur me rappelle qu'une tête de la taille d'un beau melon de Cavaillon vient de passer par là. « Elle est passée par ici, elle repassera par là... »

Annick se pointe et s'écrie :

– Voilà la petite merveille ! Bravo, elle est splendide.

J'aurais été touchée par ses compliments si je ne l'avais pas déjà entendue dire la même chose à Lorenzo au sujet d'une plaquette commerciale. NB : Autre aspect pratique pour l'employeur : avec un bébé, facile d'endormir la jeune maman. Hop, que je te passe un litre de vaseline en te disant trois trucs un peu polis... tu es contente, tu focalises dessus, tu te dis : « C'est vrai qu'elle a de jolis yeux éveillés », et je peux tranquillement te glisser ta rétrogradation.

Nous nous installons dans son bureau, et Annick entame un monologue poignant, sur un ton persuasif, comparant le service à une famille dont je serais la fille prodigue, enfin de retour après des mois passés à « repousser mes limites » en « dilapidant la fortune » de mes indemnités maternité.

– Tu ne peux pas me demander de renvoyer des gens parce que tu reviens de congé maternité... Maintenant il y a Jean-Jé, c'est son poste... Ça déstabiliserait tout l'organigramme. Même un poste de directrice conseil... Ça n'existe plus vraiment maintenant, on a des chefs de groupe, c'est tout, Jean-Jé gère les équipes directement. Une direction pyramidale, il n'y a que ça de vrai. En plus, avec ce joli petit bout, tu vas avoir d'autres priorités maintenant...

Elle s'adresse à Léna avec une voix débilitante :

– Hein, joli petit bout, ta maman va devoir s'occuper de toi maintenant ?

Très habile. Ou je réponds oui, et elle a l'argument massue pour ne pas me réintégrer, ou je réponds non, avec mon bébé sur les genoux, non elle n'est pas ma priorité, non je ne l'aime pas tant que ça, et je trahis mon bébé, et je suis la pire mère du monde. Que puis-je répondre ? Rien, absolument rien...

– Basile la déposera le matin, j'irai la chercher le soir. Ça signifie que je devrai partir au plus tard à 18 heures, mais je pourrai retravailler de chez moi, le soir...

– Avec un bébé ? Tu n'y penses pas !

– J'ai aidé une copine avec son entreprise pendant mon congé maternité, ça s'est très bien passé... Léna est un bébé facile (au moment où je dis ça, elle « reflute », du verbe « refluter », un peu de lait sur mon épaule.)

– Bon, si tu pars à 18 heures, tu ne peux plus être cadre au forfait.

– Qu'est-ce que je serai, alors ?

– Tu as rencontré Marie ?

– Marie ?

– Marie...

Annick se lève et entrouvre le store de son bureau. Elle me désigne la grande perche, l'office manager de Jean-Jé.

– Oui ? Tu veux la mettre dans mon équipe ?

– Non. Je veux te mettre dans son équipe. Avec des heures fixes, pas d'objectifs, tu seras tranquille... On cherche justement une deuxième assistante.

– Une... deuxième... assistante ?

Je prononce les mots à voix haute pour être bien sûre d'avoir compris ce qu'Annick essaye de me suggérer.

– Tu me proposes de passer de vice-présidente de l'agence à deuxième assistante de Jean-Jérôme ?

– Tu ne l'étais que par intérim, techniquement tu étais directrice conseil, et puis ce sera bien pour nous d'avoir quelqu'un qui connaisse les enjeux de l'agence.

Tu pourras t'occuper de ton petit bout de chou, hein, petit bout de chou ?

Si elle s'adresse encore une seule fois à Léna, je jure sur la tête de Jacques Séguéla de lui faire bouffer sa carte d'abonnement Point Soleil. J'aurais voulu lui répondre que pour rien au monde je ne deviendrais l'assistante de l'assistante de mon pire ennemi, que légalement ils devaient me remettre au même poste, au même salaire, et que je n'allais pas payer parce qu'elle n'avait jamais été foutue d'imposer une maternité, *tu m'entends* ?

Malgré moi, je me sens dans mon tort. Je développe un genre de syndrome de Stockholm, m'identifie à Annick et intègre ses arguments.

– Oui, peut-être, je... je ne sais pas. Je vais en parler à Basile...

Soudain, mon périnée se rappelle à ma mémoire. Léna est harnachée à son porte-bébé, lui-même enchaîné à moi, je ne peux pas aller faire pipi et je peine à me retenir. Pour écourter la visite, je remercie chaleureusement et me précipite au-dehors, à la recherche d'un taxi libre. La présentation de mon bébé s'est muée en un genre d'entretien de retour. Et le résultat n'est pas à la hauteur de mes attentes. Mon périnée est sur le point de me lâcher. Au moins si je termine à 18 heures pile chaque jour, j'aurai tout le loisir de me rendre à mes séances de rééducation périnéale, un supplice en comparaison duquel les rendez-vous avec Mme Ceauşescu s'apparentent à un massage de la voûte plantaire. *Rééducation périnéale, voir « rééducation du périnée ». Syn. Torture chinoise ; ex. : « Après avoir porté 12 kilos pendant 9 mois, puis sorti un bébé de 50 centimètres en commençant par sa tête d'un périmètre moyen de 40 centimètres, et dans 75 % des cas subi une épisiotomie (voir déf.), il faut suivre une rééducation du périnée, sans quoi la jeune accouchée risque la descente d'organes.* »

Alors que je tente d'attacher la ceinture de sécurité par-dessus mon porte-bébé dans un taxi Business Club, une sensation chaude et mouillée m'envahit. « Nous informons les usagers que le périnée de Morgane est momentanément hors service. »

Émilie

Au lycée, avec Morgane, après les cours, nous allions traîner. C'était l'âge où on n'avait pas besoin de dissimuler l'envie de voir quelqu'un par l'envie de faire quelque chose, aussi on ne faisait strictement rien. Morgane ne voulait pas qu'on aille chez elle. Je crois qu'elle avait honte de sa cité HLM, de son petit appartement sans mère, de ses voisins qui faisaient sécher leurs baskets sur la fenêtre, de sa chambre avec des meubles de récup. Un jour, un mec avait voulu lui faire une surprise, il était venu la chercher, avait sonné à son Interphone, elle l'avait largué sans préavis le lendemain.

Quand je voyais qu'elle regardait un habit sur le catalogue La Redoute, j'en commandais deux, je lui faisais croire que le deuxième était arrivé par erreur, et je lui donnais. Après avoir passé la journée ensemble en classe, on la prolongeait, puis, quand l'heure de dîner approchait, ma mère disait à Morgane que son père allait s'inquiéter, pour pouvoir boire ses bouteilles de vin blanc sans témoin.

Ressasser nos années lycée m'évitait de penser au présent. Dans moins de sept heures, j'avais rendez-vous au tribunal de grande instance de Paris avec Me Martinez et mon futur ex-mari pour savoir comment on allait me reprendre la moitié de mon nom, la moitié de ma maison, la moitié de mes enfants, et je me sentais une boule de feu dans mon bas-ventre, comme juste avant que la tête du bébé ne sorte, au moment de l'accouchement, à l'idée qu'un JAF (juge aux affaires familiales) qui ne m'avait jamais vue pouvait décider que je deviendrais mère à mi-temps. J'allais me faire rétrograder. Voilà comment commencent les contes de fées modernes, par hasard, et voilà comment ils se terminent, sur Meetic. Ils moururent et n'eurent pas d'autre enfant. J'en suis à cinq Smirnoff Ice.

Émilie,

Tu as à peine souri en déballant ton cadeau ce soir-là, pourtant, c'était le gilet que tu avais repéré dans un magazine, tu avais coché la page et tu l'avais entouré. J'étais allé spécialement au magasin pour te l'acheter. Tu m'avais dit que tu ne voulais rien, que ça te déprimait d'avoir 30 ans et que c'était ton cadeau, cette nouvelle cuisine qu'on avait choisie ensemble avec les meubles rouges. Moi, je pensais que tu serais contente d'avoir un cadeau tout de même. Tu ne voulais jamais monter te coucher en même temps que moi, tu trouvais toujours un prétexte : débarrasser la table, allaiter Éliott, préparer le sac de Dali... Les soirs où tu ne voulais pas aller te coucher, que je montais seul dans la chambre, je m'endormais en attendant que tu viennes. J'attendais. Les premières années, je finissais par me branler.

Le soir de tes 30 ans je voulais qu'on se couche tôt pour se retrouver dans notre lit, j'avais prévu des mots d'amour à te dire et j'avais monté une petite bouteille de champagne rosé, ton préféré, pour qu'on trinque à minuit et qu'on passe ensemble ce cap, comme on le faisait les 31 décembre avant qu'on ait des enfants. Mais toi, tu as fait la gueule, sans que je sache pourquoi. Tu faisais tellement tout le temps la gueule que j'ai l'impression que tu te faisais la gueule à toi-même.

Tu râlais que tu étais grosse, tu te plaignais tout le temps d'avoir pris du poids. Je te voyais scruter tes vergetures dans la salle de bains, pincer le pli de ta hanche entre tes doigts, soupirer, te tourner vers moi avec un regard meurtrier : « Assassin, assassin, tu as tué mon corps de rêve ! » Moi, je te ne trouvais pas trop grosse. Tu avais un corps de femme, plus ce corps de jeune fille que tu avais quand nous nous sommes rencontrés et que tu avais à peine plus de 20 ans, mais un vrai corps d'adulte qui a mis des enfants au monde. Je t'aurais aimée énorme, je t'aurais aimée avec des cheveux blancs, des rides, des taches sur les mains. Je ne voyais pas le problème. On ne se marie pas avec quelqu'un qui aura toujours 23 ans. On épouse aussi son avenir. Sa vieillesse. Tu te cachais dans des pyjamas de grossesse, le soir, tu m'accueillais avec une tête glaciale, parfois les yeux rouges, et un air si hagard que je n'osais même pas te demander ce qui n'allait pas, de crainte que tu te jettes sur moi avec un couteau de cuisine pour me découper les doigts un à un.

Dans tes yeux, ça faisait bien longtemps que je ne voyais plus rien. Ou plutôt si : une série de reproches. Une liste longue comme le bras ; remplir impôts, descendre poubelles, réunion école, ouvriers pas venus, compte à découvert, maison pas finie, enfants infernaux, pas le temps, pas l'envie, pas l'argent, tu es nul, tu ne sers à rien.

Le matin, tu ne me disais même plus bonjour, tu me faisais un vague baiser sur la joue, à la dégoûtée, ou tu lançais un « Salut » à la cantonade, ou tu me reprochais d'avoir trop dormi. Les yeux des enfants auraient pu me suffire, j'aurais pu perdre ton amour et vivre sur le bénéfice acquis de leur affection.

Mais ça aussi, tu me l'enlevais, Émilie. Quand je portais Éliott, tu te jetais sur moi pour me l'arracher des mains, si je parlais à Dali, tu t'immisçais dans la conversation pour y apporter ta version « je vais t'offrir un jouet », « tu peux regarder la télé », « mais laisse-la manger ce qu'elle veut »… je ne servais à rien, je ne pouvais que me taire.

Si j'avais le malheur d'échouer, j'étais recalé tout en bas des marches de ton estime, je redescendais, au sous-sol, je prenais l'ascenseur qui mène tout droit vers les limbes de ton mépris. Une couche qui fuit ? – 3 étages. Un biberon mal dosé ? – 2 étages. Une tenue pas assortie ? – 4 étages.

Tu étais impitoyable, Émilie. Aucun droit à l'erreur pour le père de tes enfants.

C'est ça, ta conception de la parité ? Du mariage ? De l'amour ?

Franck

Si je te donne cette vieille lettre, c'est que nous avons quitté le tribunal en tant qu'ex-mari et ex-femme. Je t'ai donc perdue. Mais c'est toi qui l'as voulu.

Morgane

« C'est 12 h 15 précises », a insisté plusieurs fois la directrice de la crèche. « La pédiatre ne se redéplacera pas. » Ah bon ? La pédiatre responsable de la tournée des crèches ne se redéplacerait pas dans une crèche ? Mais pour qui se prenait-elle ? Madonna ? Depuis 11 h 30 donc, le 2 septembre, je stresse devant l'horloge de la cuisine. À 12 h 05, j'arrive à la crèche. Mon bébé doit valider son entrée, dans un mois déjà.

Ça me semble incroyablement lointain : il y a quatre semaines, elle n'existait même pas encore. Léna est sous Motilium depuis la veille. Juste avant le départ, Léna a ruiné son petit ensemble DPAM et j'ai dû lui enfiler rapidement un haut taille 12 mois donné par Émilie.

Derrière nous, une jeune maman avec un bébé en landau à l'ancienne, et un carnet de santé brodé au prénom « Pauline » dans une main. Très « reine d'Angleterre en visite officielle », elle s'adresse à moi sur un petit ton condescendant :

– Ma Pauline a le même âge que votre bébé, mais, ne vous inquiétez pas, la mienne est spécialement éveillée. Hein, Pauline ? What, Pauline ? Je lui parle anglais pour qu'elle s'habitue – de nos jours, c'est un plus concurrentiel non négligeable pour trouver du travail.

Qu'elle s'habitue à quoi ? J'hésite à lui répondre qu'à 1 mois, elle ne trouvera aucun employeur susceptible de l'embaucher. La petite Pauline porte un ensemble que sa mère juge sans doute trop-mignon-trop-chou, composé de chaussures de bébé à nœuds, d'un pantalon de lin impeccablement repassé (Du lin ? À un bébé ? Sérieusement ?) à nœuds, d'une chemisette à nœuds semblant sortie tout droit du magasin et d'un gilet Baby Dior anormalement propre et anormalement sans nœud. Le bandeau qu'elle l'oblige à porter en le remettant toutes les deux secondes sur sa tête souligne ses yeux bleus. Elle ne bave pas, ne chouine pas et elle sent le parfum Burberry Baby. Et, pourtant, c'est mon bébé que je préfère.

Sur mes genoux, je sens sa chaleur. Une chaleur de plus en plus intense. Je la soulève en la saisissant sous les bras. Alerte à la couche fuyante ! Je me lève, l'allonge sur le fauteuil et réalise que je n'ai rien pour la changer. Elle continue à se vider par le bas. Je me tourne vers la mère de Pauline, semblant voir un bébé faire ses besoins pour la première fois.

– Désolée, je... elle a une gastro.

Je chope mon étole pour essuyer ce qui coule par terre en la tenant d'une main. Me mettre accroupie me donne l'impression que ma déchirure se rouvre point par point. La pédiatre sort du bureau et appelle :

– Madame Cissé ?

– Oui, je suis Mme Cissé, enfin Serra, ma fille est là.

La pédiatre me fusille du regard.

– Mais enfin, qu'est-ce que vous faites ?

– Elle a une gastro. Je la nettoie, enfin, j'essaye…

– Mais pourquoi vous ne lui mettez pas une couche propre ?

– Je n'en ai pas emmené, j'habite à côté, je ne pensais pas qu'elle remplirait déjà une couche, je…

La mère de Pauline se tourne vers moi et, de sa main multibaguée, sort une couche de son sac à langer Louis Vuitton.

– Tenez, je vous en prête une…

La garce ! Elle me rappelle ces filles qui ont toujours tout leur matériel à l'école, « t'avais qu'à emmener tes ciseaux », ou plus tard, « non, je te prête pas ma calculette » et attendaient que la prof les voie pour jouer les bonnes camarades et dépanner les cancres, ou les élèves qui n'avaient pas une mère assez en vie pour leur préparer leur cartable le dimanche soir. Rien ne change, en fait. Des premières de la classe partout, jusqu'à la crèche, déjà à la crèche, c'est un cycle éternel et infernal ! Je marmonne un merci en mettant la couche sur Léna. La pédiatre attrape son carnet de santé et s'engouffre dans son bureau. Elle s'assied, l'ouvre et me fait :

– Prévenar ? Où est Prévenar ?

– Je, euh, qui est Prévenar ? Quelqu'un qui devait venir ?

Je tiens la couche de Léna pour qu'elle ne lâche pas (Pauline est très bien habillée, mais porte visiblement des couches taille sumo).

– Le vaccin ! Enfin, tout le monde connaît Prévenar ! Là, elle a eu son BCG, mais je ne vois pas Prévenar ? Et le DT Polio, pourquoi il est marqué sur la page « consultations » et pas sur la page « vaccinations » ? Il n'a pas de tampon votre médecin traitant ? dit-elle en brandissant la double page « vaccinations » du carnet de santé.

– C'est son père qui s'en occupe, mais normalement elle a bien eu tous ses vaccins.
– Et pourquoi c'est son père ?
– Et pourquoi pas ?
– Mais parce que vous êtes sa mère !
Elle se tourne vers la directrice et lui dit :
– Elle n'a pas de couche de rechange, elle ne sait pas où en sont les vaccins... Je te jure...
Celle-ci hoche la tête de gauche à droite en soupirant.
Hey, je vous entends, les pétasses, je suis à 50 centimètres de vous ! Elles me fixent comme si elles s'apprêtaient à me stériliser de force, avec la grimace d'un juré *The Voice* qui ne compte pas se retourner.
La pédiatre ferme le carnet de santé d'un coup sec.
– Cette visite est ajournée. Nous nous verrons le mois prochain si vous mettez à jour le carnet de santé d'ici là. Pas de vaccins, pas de crèche.
Et elle me désigne la porte. Je sors en tenant la couche de Léna, ravalant mes larmes et me concentrant pour ne pas penser à mon périnée. Je n'ai plus été traitée comme ça depuis l'âge de 17 ans. Devenir mère, est-ce autoriser des inconnus à vous parler comme si vous aviez besoin d'être mise sous tutelle ? Devant le bureau, je croise la mère tigre.
– Say goodbye, Pauline...
Je regarde mon bébé. Quel genre de mère se laisse virer de la crèche ? Je mérite le titre de bonne mère comme Barack Obama son prix Nobel de la paix.
– Euh, pardon, Paulaïne, mais en fait, ma fille et moi, on n'avait pas terminé.
– Mais ? Que ?
– Alors écoutez-moi bien. Je me suis fait pourrir mes sept mois de grossesse par une gynéco psychopathe qui a dû sécher les cours d'empathie à la fac.

Je suis enfin débarrassée d'elle, ce n'est pas pour me mettre une autre dingue sur les bras. Alors ma fille n'est pas vaccinée, ouais ? Et alors ? D'abord, ce n'est pas obligatoire. Ensuite, mon mari est avocat – le cabinet Water & Proof, ça vous dit quelque chose ? Et, enfin, je ne suis pas complètement débile, si on m'explique gentiment ce que c'est que ce Prévenar, je vais m'en occuper, mais je ne peux pas le deviner, OK ? Le bébé n'est pas livré avec le mode d'emploi. Et ça suffit avec ces regards de jugements, je ne suis pas une mauvaise mère parce que j'ai oublié une couche ou pas encore fait le rappel du troisième vaccin au mercure annuel. En revanche, vous, vous êtes une mauvaise pédiatre, parce que vous ne faites pas votre job de mise en confiance des jeunes parents. Alors j'attends votre lettre pour m'informer du jour et de l'heure à laquelle mon bébé et moi nous devons venir et, si vous essayez de virer ma fille de la crèche, je fais une petite lettre au maire, qui s'avère être mon cousin (au neuvième degré, mais bon, elles ne sont pas obligées de le savoir).

La pédiatre se tourne vers moi.

– Ne vous énervez pas comme ça. Alors, quand votre fille sera vaccinée, vous nous déposez la photocopie du carnet de santé dans la boîte aux lettres. On commencera l'adaptation le lendemain.

Je checke avec mon adorable bébé. Ce n'est pas pour me la raconter, mais j'ai accouché sans péridurale, tout de même ! C'est terminé, ça, fini, la période où je me laissais déborder par n'importe quel grain de sable venant perturber ma maniaquerie du contrôle. Non, maintenant on peut s'opposer à moi, même avec un périnée ruiné, même avec quatre heures de sommeil au compteur, même avec la peur au ventre, je saurai toujours comment m'en sortir, parce que je dois être à la hauteur pour ma fille, et parce que, si vous ne vous appelez pas Léna et que vous ne mesurez pas 51 centimètres, votre avis sur moi m'est complètement égal.

Émilie

L'acte notarié signé sur un coin de toile cirée devant *Gulli*, j'ai moins de deux mois pour évacuer les lieux. Franck a fait son marché parmi nos affaires communes, et c'est désormais sa nouvelle petite amie qui profitera du MacBook Pro acheté ensemble, du lecteur DVD Blu-ray offert pour la fête des Pères, du batteur électrique gagné avec mes points fidélité Carrefour, c'est elle qui fera ronronner mon chat, techniquement, le chat de Franck – il lui appartenait avant qu'on se marie. Dans un accès de générosité, Franck (emménageant au-dessus du canal Saint-Martin) m'a laissé la jouissance des meubles de jardin, bien utiles pour mon futur balcon de 3 m^2 tout en longueur. Dali est inscrite dans sa nouvelle école, et j'ai une place pour Éliott en crèche d'entreprise.

Sur Facebook, je quête quelqu'un de disponible pour m'aider à déménager. Nombre de « j'aime » : 0. 387 amis, et pas un disponible pour passer trois heures de sa vie à porter mes cartons. Et, soudain, le commentaire inattendu : Moi. Je suis en France du 7 au 21, si c'est pendant cette période, je m'occupe de tout. Je relis le nom, incrédule : Daniel Percheron. Mon père. Je n'ai plus de nouvelles de lui depuis des mois, tout juste un mail pour me remercier de ma carte de vœux en début d'année et un SMS le matin de mon anniversaire. J'ai même oublié qu'il était dans mes amis Facebook !

L'énorme 4 × 4 de mon père transperce donc le brouillard du nord de la Beauce et se gare devant ma future ancienne maison de Maintenon. Derrière lui, un camion et deux déménageurs. Je me tiens sur le perron, devant la dérisoire plaque grège « Famille Benoît ». Mon père porte un blouson en cuir, des lunettes d'aviateur bien qu'il n'y ait pas le moindre rayon de soleil, une barbe de trois jours et un peu plus de cheveux blancs que la dernière fois que nous nous étions vus. Je ne sais pas quoi lui dire. Il met son bras autour de mes épaules. Il sent bon, un mélange de cigare et de cuir, et je me serre contre lui comme lorsque j'étais petite.

– Alors, ma fille, comme ça tu divorces ? Heureusement que Facebook existe, que j'aie un peu de tes nouvelles.

– Et toi, jamais tu n'en donnes, des nouvelles !

– Tu sais ce que c'est, j'ai enchaîné les missions en Afrique, puis deux conférences, je rentre de N'Dindy. Tiens, je t'ai loué un camion avec des déménageurs, ils vont s'occuper de tout. Les enfants sont là ? J'ai des bonbons pour eux.

– Non, ils sont en vacances avec Franck. (Et Éliott est trop petit pour manger des bonbons, un médecin n'est pas censé savoir ça ?)

Face à mon père, je me sens toute petite, enfant, perdue, désespérée.

– T'as l'air inquiète ?

– Non, pas du tout.

Sans prévenir, je m'écroule en larmes dans ses bras.

– Papa... c'est trop dur...

Pendant que je déverse dans le désordre tout ce qui me pèse sur l'auteur de mes jours, ma sensation d'être trop moche, trop grosse, mauvaise mère, mauvaise épouse, ma crainte qu'une pouf ne prenne ma place auprès de mes enfants, qu'ils me détestent à mesure qu'ils grandissent, que je ne les voie plus, que je devienne une étrangère pour eux, que je ne me plaise pas dans mon petit appartement parisien, que mes copines me laissent tomber, que je finisse toute seule avec des photos et NRJ12 comme unique compagnie, que je sois comme ces vieilles femmes qui dînent d'une boîte de conserve devant Michel Drucker les soirs de Noël, dans l'attente vaine d'un coup de fil de leurs enfants... Mon père me caresse maladroitement les cheveux en répétant : « Ben alors, ma puce... Ben alors, ma puce... »

Derrière nous, les deux déménageurs, debout, ne savent pas ce qu'ils doivent faire.

– C'est ma fille, croit bon de préciser mon père. Allez-y, commencez...

Tandis que les déménageurs remplissent le camion avec les vestiges de ma vie de famille, mon père et moi allons dans le jardin, chacun une petite brique de Candy'Up fraise à la main – tout ce qui reste dans le frigo.

Nous ne nous sommes pas vus depuis plus d'un an. En réalité, je réalise que nous n'avons plus jamais vraiment parlé depuis l'année du bac. Pour lui, tout s'est enchaîné très vite, sa radiation du Conseil national de l'ordre des médecins pour « insuffisance déontologique », le divorce d'avec ma mère, mon frère qui ne veut plus le voir… Mon père qui perd le même mois ses titres de docteur, de mari et de père. Je ne me suis jamais sentie aussi proche de lui qu'en cet instant.

– Je revois Morgane.

– Et… elle va bien ?

– Elle vient d'avoir un bébé.

Mon père contemple le trou de la gouttière avec un intérêt subit et retourne un peu de terre avec ses pieds.

– Je suis content pour elle, alors.

– Tu sais, papa, je me sens coupable.

– Émilie, si c'était à faire, je le referais, que Morgane soit une amie à toi ou pas. Tu n'as pas à culpabiliser. D'ailleurs, je te rappelle que je n'ai pas été radié à cause de Morgane uniquement. Elle était une parmi d'autres.

– Mais si maman n'avait pas prévenu le Conseil…

– Elle a bien fait de le faire. Je suis plus efficace maintenant, d'où je suis. J'ai sauvé des centaines de vies depuis que j'interviens dans les centres de soins africains en faisant de la prévention. Je ne regrette rien.

– Et moi ? Tu crois que je vais regretter mon divorce ?

Mon père me fixe au fond des yeux quelques secondes.

– Non.

– Franck ne te plaisait pas ?

– Ce n'est pas la question. C'est à toi qu'il ne plaisait plus, ma puce. Avec ta mère, on s'est détestés, mais on a vécu une vraie passion. C'est ça que je te souhaite. Être aimée follement… À la fin, on n'avait plus ça, ta mère et moi. Mais au moins, à un moment, on l'a eu. Même si tu dois consacrer le reste de ta vie à chercher l'amour fou, cherche-le. Et tu as tes enfants. Rien que ça, c'est une bonne raison pour n'avoir aucun regret. Le reste viendra, tu n'as que 30 ans.

– Bientôt 31...

Nous aspirons les pailles de nos laits fraise. Les déménageurs ont mis une heure à vider la maison. L'intégralité de ce que je possède tient dans 15 m^3.

– Tu veux que je ferme la maison ?

– Non. C'est à moi de le faire.

D'une main ferme, je tourne à deux reprises la clé dans la serrure. J'essuie mes larmes et me tourne vers mon père d'un air assuré.

– Allons-y.

– Tiens-toi bien, Paris ! Ma fille arrive...

Morgane

Pas encore 30 ans, déjà ménopausée du cerveau. Aucune envie de concentrer mon énergie des prochains mois à préparer un passage aux prud'hommes. Depuis presque une semaine, j'ai les papiers signés par le DRH de l'agence, sur lesquels est écrit noir sur blanc que ECG me versera six mois de salaire en même temps que mon attestation destinée au Pôle Emploi. Au passage, je m'engage à ne pas communiquer sur mes réalisations « qui restent la propriété exclusive de l'agence » et à ne pas démarcher les clients de l'agence, mes propres clients, ceux que j'ai apportés moi-même ou gérés seule pendant des années. Ainsi, je ne pourrai légalement pas conseiller Géraldine sur sa communication ni même me prévaloir des campagnes que j'ai menées. Motif de la rupture du contrat de travail : « Rupture conventionnelle. Désaccords irréversibles. » Mon désaccord irréversible s'endort paisiblement sur son transat quand mon téléphone sonne. Une voix d'accro aux Gitanes sans filtre grogne :

– Allô, Morgane, tu m'entends ?

– Bonjour, Annick.
– Je te dérange, là ?
– Oui, je mène une vie trépidante depuis que tu m'as virée pour avoir eu un bébé.
– Ce n'était pas pour ça ! T'es au courant pour Jean-Jé ?
– Bon, Annick, ce n'est pas que je n'aime pas parler avec toi, mais en fait si, c'est ça. Grâce à toi, la mère de ma fille est chômeuse professionnelle, donc tu comprendras que les gossips de l'agence, je m'en tartine l'épisio. Je n'ai pas vu Jean-Jérôme, lui et moi, on n'est pas potes, la prochaine fois que tu cherches quelqu'un, tu ne m'appelles pas.
– Attends, s'il te plaît ne raccroche pas ! Morgane ? Il faut vraiment que je te dise quelque chose de très important.

Heureusement que je suis déjà assise pour entendre la suite. Jean-Jérôme a commencé par disparaître dix jours. Il a envoyé un SMS à Sophie pour dire qu'il était malade et serait absent, et ensuite aucune nouvelle. Ils ont pensé qu'il se prenait un congé paternité prolongé quand un matin, Éva, sa femme, débarqua au bureau, échevelée, pas maquillée, en jogging (Stella McCartney, mais un jogging quand même), sa fille sous le bras. Elle le cherchait. Ils avaient tous accouru, et Éva avait balancé ce qui n'allait pas : sa fille n'était pas de Jean-Jé, le père était *quelqu'un d'autre* (Lorenzo s'était dénoncé par la suite). Il l'avait appris en fouillant dans son portable et il était devenu fou. Il avait fait sa valise et il était parti. Annick avait embauché un détective pour le retrouver et le ramener au bureau, où les clients commençaient à s'énerver de n'avoir ni lui ni moi, certains exigeaient que Hugues en personne reprenne leurs budgets, d'autres demandaient une réduction substantielle en dédommagement de voir leur compte

« géré par une stagiaire » (Solange ?). Hugues avait même menacé de virer Annick si elle ne trouvait pas vite une solution : des clients l'avaient appelé pendant qu'il faisait un golf à Londres (les pelouses y étaient plus vertes qu'à Mortefontaine) et l'avaient tellement déconcentré qu'il avait raté son parcours.

Son détective avait retrouvé Jean-Jé dans un temple bouddhiste en Birmanie. Il portait une toge orange et il s'était rasé le crâne. Ils ne surent jamais pourquoi il était devenu bouddhiste : il avait fait vœu de silence. Il avait juste hoché la tête de gauche à droite quand le détective lui avait demandé s'il allait revenir travailler à l'agence, puis avait joint les mains, salué, et était rentré dans le temple gardé par deux néo-sumos.

Je suis soufflée, mais je ne comprends toujours pas pourquoi Annick me raconte cette histoire ni en quoi elle me concerne..

– C'est très insolite tout ça, Annick, mais j'imagine que tu ne m'appelles pas pour me donner des nouvelles de Jean-Jérôme ? D'autant que tu n'as pas la politesse de t'enquérir de ma propre fille… qui va bien, je te remercie.

– Non, je ne t'appelle pas pour ça (sans même rebondir sur ma fille). Tu sais comme était Jean-Jé, il n'a rien délégué à personne. Il gérait lui-même le dossier de la CE, et les autres lui servaient de petites mains. Les clients ne connaissent que lui. En plus, il n'a pas ramené son ordinateur dans lequel il y avait les synos des prochaines campagnes, les coordonnées des prestas et le reste.

– Je suis sincèrement navrée que tu aies des problèmes professionnels (elle ne saisit pas l'ironie).

– Est-ce que tu penses que tu pourrais déchirer tes papiers de rupture conventionnelle…

– De licenciement, tu veux dire ?
– ... et revenir à l'agence à ton poste ?
– Mon poste ? Deuxième assistante d'un moine bouddhiste démissionnaire ?
– Mais non, enfin, ne dis pas n'importe quoi, Morgane ! ton vrai poste. Vice-présidente de l'agence. On doit shooter la semaine prochaine pour la campagne sur les femmes pour la Commission européenne, et Jean-Jé ne nous a pas dit ce qu'il comptait faire. Le client lui faisait confiance, on n'a pas la moindre idée de ce qu'il avait prévu à part le photo/réal qui est déjà booké. Tu auras une petite augmentation.
– Je pourrai travailler de chez moi ?
– Un jour par semaine.
– Deux jours. Tu achètes une page dans *Stratégies* et une page dans *CB News* pour diffuser un communiqué à ma gloire ?
– Quand même, il ne faudrait pas exagérer, là...
– C'est moi qui exagère ? Mais moi, j'ai rien demandé, je n'ai besoin de personne. Je te laisse, *Allô Rufo* va commencer.
– OK, je me renseigne avec le DRH. D'autres souhaits ?
– Je veux que Solange soit mon adjointe.
– C'est d'accord. Bon, écoute, on en parle tranquillement à 13 heures au bureau ?
– Je te rappelle, je n'ai pas encore pris ma décision.

En fait, je ne suis pas sûre de vouloir revenir. Je poste sur Facebook : La roue tourne ! Aussitôt, trois MP de Géraldine, Assia et Émilie. Je leur explique la situation. Géraldine me conseille d'accepter et d'exiger qu'ils doublent mon salaire et m'octroient une Porsche de fonction (je n'ai pas mon permis, elle suggère donc aussi un chauffeur-canon-de-fonction, ce qui ne me semble pas très légal). Elle ajoute que, le temps de remplacer Curnonsky, elle pilote la communication de la CE. Assia suggère de partir de « cet asile » pour m'occuper de ma fille à plein temps. Émilie répond par une question : Qu'est-ce qui te ferait envie, toi ?

De quoi ai-je envie, moi, au fond ? Je regarde ma fille dormir et j'ai envie de faire ça toute la journée, compter ses doigts, sentir ses pieds, brosser ses petits cheveux, lui chanter des chansons aux paroles ridicules avec une voix niaise. Et puis, la minute d'après, je me dis que si je passe une journée de plus à changer des couches à la chaîne, secouer des biberons à la chaîne, la porter du lit au parc et du parc au lit à la chaîne, je vais finir par me pendre à cette chaîne.

Quant à l'agence, il y a encore un an, j'aurais trouvé cette proposition inespérée. Avec le salaire indiqué par Annick, j'aurai de quoi payer une nourrice à plein temps. Mais ai-je vraiment envie de payer une femme pour qu'elle vive ma vie à ma place ? Une femme qui va boire mon thé dans ma tasse, assise sur mon canapé à faire des sourires à ma fille ? Et puis quoi ensuite, j'embaucherai quelqu'un pour se coucher dans mon lit avec mon mec pendant que je suis au bureau ?

D'un autre côté, quel choix ai-je ? Vivre du RSA, ne plus jamais voir personne à part mon bébé et Basile, manger des pâtes à l'eau tous les soirs ? La perspective de redevenir pauvre ou de vivre aux crochets de quelqu'un – ce qui revient au même – me donne des frissons dans le dos. Mais celle de ne plus voir mon bébé que deux heures par jour me met les larmes aux yeux. Quelle sorte de féministe suis-je pour ne serait-ce qu'envisager de devenir mère au foyer ? Quelle sorte de professionnelle suis-je pour hésiter à prendre le poste que j'ai tant convoité ? Et quelle sorte de mère suis-je pour être aussi peu enthousiaste à l'idée de passer mes journées avec mon propre enfant ?

Je me sens mal dans tous les cas, perdante sur tous les tableaux, nulle de ne pas pouvoir faire un choix qui me ferait de toute manière regretter l'autre. Je tape un long mail à Basile en lui exposant la situation. Sa réponse : J'ai la solution. T'as une enveloppe et un timbre ? Quel rapport ?

Ma fille se réveille. Je me sens aussi mal que si j'allais la laisser dans une boîte-à-bébé un soir d'hiver, sur les marches d'une église.

De seb@pompiersdeparis.fr
À mimimaman@yahoo.fr

Salut Émilie,

Je dors chez toi ? Thor est chez mes parents. Je viendrai directement de la caserne. Tu crois pas que tu peux me présenter officiellement à Dali et Éliott ? La dernière fois, j'ai quand même attendu deux heures et demie sous ton lit.

Au fait t'as eu les résultats de ses derniers examens ?

BIZZZZ

Seb.

De charles.labruyere@gmail.com
À mimimaman@yahoo.fr

Chère Émilie,

J'ai bien eu votre adorable message. Quelle vision nietzschéenne de l'existence ! Venez dîner à la maison un soir, je vous présenterai Stéph, de passage à Paris pour la fin de l'été, promis nous ne parlerons pas travail.

Amitiés et bien plus encore, Émilie jolie.

Charles

De morgane.serra@gmail.com
À mimimaman@yahoo.fr

Alors tu vis à la même heure que les vrais gens, ceux qui évoluent hors de la parenthèse parentale ? Dormir plus de quatre heures d'affilée ? Je ne viens pas zumber lundi soir, je reste avec Léna. Embrasse Assia et Géraldine pour moi.

Morgane

« Ma grand-mère est morte », je murmure pour moi-même en raccrochant. Combien de fois n'ai-je pas prononcé cette phrase ? « Ma grand-mère est morte », écolière, quand je n'en comprenais pas bien le sens, quand ma mère aussi était morte et que je pensais que les morts revenaient, comme dans les séries américaines, avec les traits d'un autre acteur (« Oh mon Dieu, TAYLOR, mais je vous croyais morte ? »). « Ma grand-mère est morte », collégienne, pour justifier un devoir non rendu, comme j'aurais dit « mon chien l'a mangé ».

« Ma grand-mère est morte », répété-je, distinctement cette fois, comme pour m'en convaincre moi-même. Basile s'approche de moi et me prend par les épaules. Je me sens soudain étouffer, je l'écarte et j'ouvre la fenêtre.

Je n'ai plus jamais vraiment réussi à parler avec ma grand-mère depuis l'année du bac. Pourtant, plus jeune, j'étais très fière d'avoir une grand-mère digne de la Poupette de *La Boum*. Et peu à peu, avec les années, nous avons perdu l'habitude de nous téléphoner. Au début, je m'en étais tenue à une carte postale par mois. Et puis, j'ai été prise dans un tourbillon, les études, les sorties, Basile, le travail, les amies, le quotidien, rappeler la propriétaire pour les fenêtres, changer le rendez-vous avec le type du gaz, revenir au bureau pour finir un dossier, la maternité, écrire à la mairie pour une place en crèche… Il me manquait toujours trois minutes pour appeler ma grand-mère. Je ne l'avais même pas remerciée pour le berceau de Léna, repoussant sans cesse à plus tard le moment de coller un timbre sur ma carte de remerciement et d'aller jusqu'à une boîte aux lettres. Je me retrouve là, avec une enveloppe non timbrée à son nom posée sur mon bureau.

À la fin, je cherchais même des prétextes pour ne pas l'appeler, trouvant la vieille dame agaçante avec les anecdotes qu'elle ressassait – le pain n'est pas passé, aujourd'hui ; Untel est mort ; le village se vide ; j'ai reçu mon courrier en retard – et invariablement, toujours la même question : « Quand est-ce que vous venez ? » Et la même réponse : « Tu sais, mémé, la Corse, c'est loin, c'est cher et puis on a une vie, ici. » Basile me pressait toujours : « Cet été, on va en Corse ? » Pour lui, comme pour tout le monde, la Corse, c'était une île avec des polyphonies, des plages et du fromage. Il ne pouvait pas savoir.

Ma convalescence, l'été du bac. Et les appels que je perçois au rez-de-chaussée, ma grand-mère à voix basse – mais pas assez basse pour que je n'entende pas « non, elle n'est pas là » à Émilie qui téléphone pour prendre de mes nouvelles. Mon père qui crie, furieux : « Je ne veux plus qu'elle approche de cette Émilie ou de sa famille ! »

Mon père, venu me chercher à l'hôpital. « Bonjour. Je suis le père de Morgane… » Je l'ai entendu, me semblait-il, en salle de réveil, depuis mon demi-sommeil.

Quand on a des enfants, on s'imagine avec eux à l'école, à leur mariage, à des repas de famille, on ne s'imagine pas devoir aller les chercher à l'hôpital à quelques jours de l'épreuve de philo du bac. Sensation étrange. Quand étais-je arrivée à l'hôpital ? Quelques jours, quelques heures, quelques minutes plus tôt ? Je me souvenais de l'infirmière qui remplissait mon dossier ; qui m'appelait « mon petit » et qui m'avait dit qu'un jour, tout ça ne serait plus qu'un souvenir. Même pas un mauvais souvenir : un souvenir. La même qui comptait avec l'anesthésiste : « 10... 9... 8... 7... » avant qu'elle ne m'endorme.

Il ne fallait rien lui dire, même à elle, qui comptait pour m'endormir : elle n'était pas dans la confidence. « Vous allez perdre du sang et vous aurez un utérus cicatriciel, c'est normal, il faudra prendre des analgésiques, ça passera vite, ce soir vous sortez, demain vous marchez comme si de rien n'était. »

C'était Émilie qui était venue à mon secours, et qui avait tout arrangé, quelques jours avant, quand elle m'avait vue, assise en pleurs devant la salle du cours d'allemand.

– Ben, Morgane ? Tu pleures ?

Sa question, et les regards des bourges de notre classe. Clémentine, la petite à lunettes avec des pellicules, Arnaud qui zozotait, Pierre-Yves qui avait toujours un Gé dans la poche et les gencives en sang, Romain, Marie-Aurélie, Zara, ils me fixaient tous du coin de l'œil, mais aucun n'osait venir me parler. Pourquoi la fille qui faisait ce qu'elle voulait de qui elle voulait, celle qui exigeait des garçons qu'ils lui offrent des cadeaux avant de lui adresser la parole, celle qui décidait qui était « cool » et qui ne l'était pas, s'il fallait porter un sweat à la taille ou aux épaules, des pantalons Pussy ou des Cimarron, écouter NTM ou le Secteur Ä, pourquoi cette fille pouvait-elle bien pleurer ?

– Je suis enceinte.

– Viens. On ne peut pas rester là.

J'avais téléphoné chez Mathieu, la veille. Notre dernier dialogue. Le courageux futur papa avait préféré envoyer sa maman à lui au front pour la suite. Il n'aurait pas fallu qu'il soit perturbé dans la préparation de son baccalauréat. Moi, je pouvais être perturbée, ce n'était pas grave, ce n'était que moi.

« Allô, c'est la maman de Mathieu. Vous ne pouvez pas garder cet enfant mademoiselle. On va faire ce qu'il faut. » Faire ce qu'il faut... « Le faire passer », avait-elle précisé comme si c'était plus clair ainsi. À cet instant, j'avais bien regretté de ne pas avoir, moi aussi, une mère en vie pour téléphoner à cette ordure qui me jurait son amour éternel pendant qu'on se faisait tatouer nos initiales quelques jours auparavant et qui n'avait même pas le cran de me dire en face qu'il voulait me faire avorter.

Mais il ne me restait qu'un parent, et je n'avais pas osé lui demander de payer ma pilule, alors comment aurais-je osé lui dire un soir en rentrant : « Au fait, papa, je suis enceinte ! Qu'est-ce qu'on mange ? » J'avais appelé ma grand-mère, et c'est elle qui, depuis son village, avait tout réglé avec l'aide d'Émilie. C'était elle qui avait fait le lien entre mon père et moi, elle qui avait servi d'interprète entre la jeune fille déboussolée et le père dépassé. Il prenait mille précautions pour en parler avec moi, ne me regardait pas dans les yeux quand il s'adressait à moi, biaisait, regardait dans un coin, un passant, mon assiette, la télé, la fenêtre, l'horizon... il prenait toujours bien soin de ne pas croiser le regard de sa fille, de peur d'y lire des choses qu'il n'avait pas envie de savoir. On était à l'aube des années deux mille, et mon père se comportait comme le héros d'une pièce de Pagnol.

Au planning familial, j'avais essayé d'avoir un rendez-vous. Mais il était déjà trop tard ; à l'échographie, on m'avait dit : « Oh, on voit ses yeux ! » J'avais sourit poliment, comme si on m'avait fait un compliment, comme hypnotisée par les flux rouges et bleus de l'écran que j'essayais de ne pas regarder mais qui aimantaient mon regard. J'avais imaginé une truite avec ses gros yeux, sur l'étal d'un poissonnier. Il avait des yeux… Je ne voulais pas savoir ce genre de choses. Je ne savais pas quoi dire. Je n'avais vu ça qu'à la télé, j'avais demandé : « C'est un pied ? » parce que je pensais que c'était ce qu'on attendait de moi.

Il avait des yeux, il avait un pied, mais je n'en voulais pas, je voulais qu'on m'enlève ça, ce truc que je portais malgré moi, reste d'un rapport rapide qui ne m'avait même pas laissé le temps d'enlever mon pull, juste avant d'aller voir *American Pie 2*, avec un adolescent qui me jure, je n'ai pas le SIDA, je vais faire attention, on s'aime. Et en même temps, c'était un bébé, non ? C'était mon bébé, je ne voulais pas ce bébé mais j'aimais mon bébé, je n'étais pas encore mère mais j'étais déjà mauvaise. Plus tard, quand j'avais passé l'échographie pour Léna, j'avais pensé à ce moment et j'avais été odieuse avec l'échographe, aux côtés d'un Basile confus, ne cessant de répéter : « Je ne sais pas ce qu'elle a… excusez-la… les hormones… »

La mère de Mathieu ne cessait de me harceler. « Alors, mademoiselle, vous allez y aller bientôt ? Il ne faut pas traîner. Si c'est une question d'argent, on peut s'en charger. » Ah, oui, elle s'en était chargée : elle m'avait envoyé une enveloppe et, le lendemain de l'intervention, m'avait laissé un message : « Vous comptez me rembourser quand ? La Sécurité sociale vous a fait un virement ? » La demande de remboursement était si humiliante que je me l'étais juré : jamais plus je n'aurais besoin de qui que ce soit pour me payer quoi que ce soit. Des pilules, des avortements, des enfants, des appartements, des vêtements, je pourrais tout assumer seule, sans personne, avec mon propre argent.

J'en aurais à la pelle, des billets, des enveloppes, des chèques, et je lui cracherais à la gueule, mon fric, à la mère de Mathieu. Et je réussirais tellement bien que je serais partout, que j'aurais tous les pouvoirs, et si un jour elle croisait mon chemin je l'écraserais comme un insecte misérable, je la mépriserais du haut de ma réussite, du haut de mon argent, du haut de ma jeunesse, du haut de mes talons. Je serais partout, partout, elle ne pourrait pas ouvrir un magazine sans voir mes pubs, pas allumer la radio sans les entendre, je la hanterais, je deviendrais son fantôme comme elle avait créé le mien.

Mais ce jour-là, le jour où je pleurais devant la salle 102 du cours d'allemand, ce n'était pas encore une question d'argent : c'était une question de temps. Alors Émilie avait parlé avec son père. « C'est ma copine Morgane, elle a dépassé les délais pour avorter, et son copain l'a quittée. Elle est désespérée. À 12 semaines, personne ne l'avortera, même à l'étranger, le temps qu'elle obtienne un rendez-vous, et la lettre et le délai de 7 jours, ce sera trop tard. »

J'avais déjà un petit ventre et je n'avais qu'une peur, sentir un coup, la nuit. J'avais des nausées, mais le père d'Émilie m'avait prescrit un bêta-bloquant, un truc qu'on donne aux cancéreux pour supporter la chimio, ça rendait les fœtus anormaux, mais on s'en fichait, on n'allait pas « le garder ».

Je ne voulais pas être triste, je me concentrais très fort pour ne pas être triste, et j'y arrivais. Je me dissociais de mon corps. « Tu n'es pas là, ce n'est pas toi, tout ça n'existe pas », et ça marchait, et je m'en voulais que ça marche.

Je n'avais pas d'instinct maternel. L'instinct maternel n'existait pas, on se le répétait souvent, avec Émilie, et ça nous arrangeait bien. Si l'instinct maternel existait, comment ma mère-la-célèbre-Diane-de-Peretti avait-elle pu mourir et comment la mère d'Émilie pouvait-elle lui répéter trente fois par jour qu'elle était trop grosse ? Comment pouvais-je affamer mon propre bébé à l'intérieur de mon ventre dans l'attente de le tuer, comme une ogresse inversée ?

« Morgane, je vais m'occuper de vous. Mais ce qu'on va faire est illégal. J'aurai besoin d'en parler avec votre père. » Il avait falsifié le dossier, inscrit une date antérieure, et pratiqué l'opération. « Gestation : 10 semaines. » Et tout avait été réglé.

Quelques jours après, à l'épreuve de philo du bac, j'avais eu le choix entre les sujets : « Donner pour recevoir, est-ce le principe de tout échange ? » ou « De quelle vérité l'opinion est-elle capable ? » Mathieu, en S, était tombé sur : « La liberté se définit-elle comme un pouvoir de refuser ? » J'avais eu 17, la meilleure note du lycée, même le prof n'en revenait pas. Mathieu est passé au rattrapage. Connard. Je n'irai pas à l'enterrement de ma grand-mère.

Émilie

« Ma grand-mère est morte. Et ce n'est pas une excuse pour ne pas rendre mes devoirs. » Quand je vois cette phrase s'afficher sur le profil Facebook de Morgane, mon cœur se pince pour elle. Non pas que j'aimais tant la grand-mère de Morgane – je ne lui ai parlé qu'au téléphone. Mais elle me rappelle une période difficile.

Mes parents se disputaient tout le temps. Quand ils étaient là, c'était systématique : ma mère me critiquait, mon père prenait ma défense. Heureusement, la plupart du temps, ils étaient absents. Ils rentraient pour assurer le minimum, remplir le frigo, vider les bouteilles de vin blanc, nous commander des habits sur le catalogue de La Redoute, signer nos cahiers de correspondance. Ma mère me parlait pour dire toujours les trois mêmes choses : 1/ « Ça sent la cigarette ici » (ce à quoi je me retenais de répondre : « Non, maman, ça ne sent pas la cigarette, ça sent le shit ici, tu n'as pas remarqué que j'avais le bout des doigts marron et des microtrous de boulettes sur mes T-shirts ? ») ;

2/ « Tu n'as pas encore un peu grossi ? » ; et 3/ « Tiens, bonjour Morgane, vous êtes encore là. »

Ma mère n'aimait pas Morgane. Pour elle, Morgane était une pauvre fille qui vivait en HLM dans une famille monoparentale, et elle était persuadée que chaque galère qui m'arrivait était due à la présence de Morgane dans ma vie. Quand Morgane avait eu 15 à l'oral du bac de français, et moi seulement 12, ma mère l'avait soupçonnée de m'avoir volé des points ! Elle considérait Morgane comme une pique-assiette et elle était persuadée qu'elle finirait « caissière de frites au McDo, au mieux ». Ma mère avait un genre de complexe de supériorité et haïssait viscéralement toute personne jugée socialement inférieure à elle.

– J'ai croisé la mère d'Anne-Charlotte au tennis, elle te convie à la fête organisée à l'ambassade pour les 18 ans de sa fille, le mois prochain...

– Cool, je vais appeler Morgane pour lui dire de réserver sa soirée, c'est quand ?

– Non, elle n'a pas convié Morgane... Par pitié, tu imagines cette fille à une soirée à l'ambassade ? Que va-t-elle dire, « wesh salut », elle va amener un taboulé Leader Price ou du saucisson d'âne ?

– En fait, le saucisson d'âne, c'est un mythe à touristes, les Corses ne mangent pas leurs ânes...

– Tu sais très bien ce que je veux dire. Arrête de fréquenter des gens médiocres, qui te tirent vers le bas... Et puis reprends-toi un peu, la diététicienne m'a dit que tu pesais 63 kilos ! Elle a fait comme si c'était normal, mais je sais ce qu'elle se disait au fond d'elle : « Sa fille est grosse. » Tu veux finir obèse, c'est ça ? C'est pour me faire honte ? C'est ta manière de te rebeller ?

En général, à ce moment-là, mon père intervenait :

– Arrête de lui dire qu'elle est grosse ! Ne lui file pas tes névroses !

– Parce que j'ai des névroses ?

– Tu sais parfaitement que tu es névrosée ! Et tu fais une projection sur elle. Pour toi, il n'y a que ton fils qui compte, qui trouve grâce à tes yeux. Sois un peu plus gentille avec Émilie...

– Je ne suis pas gentille avec Émilie ? Mais tu as vu ce que je dépense en diététicien pour elle ? Et puis toi, c'est ta préférée ! Ah, c'est sûr, les filles de 17 ans, elles t'intéressent...

J'en avais déduit que mon père avait une aventure avec une jeune fille de 17 ans, ça ne me regardait pas vraiment, donc je n'y avais plus repensé.

Mon père avait la réputation d'être un séducteur parce qu'il était beau, galant et d'une courtoisie un peu surannée. J'avais mis longtemps à réaliser ce que ma mère sous-entendait.

Longtemps à comprendre que mon père pratiquait des IVG sur des mineures au-delà du délai légal, que ce n'était pas une exception qu'il avait faite pour Morgane.

« Pratique illégale de la médecine », avait-on dit à son procès. « Tromperie », « Abus de confiance », « Manquement déontologique ». Mon père rapidement radié de l'ordre des médecins. Le divorce, mon père qui ne fait aucun effort pour avoir la garde des enfants, ma mère qui lui réclame une pension alimentaire de 5 000 francs soit 762 euros par enfant, soit 1 524 euros par mois assortis d'une prestation compensatoire de 350 euros pour le préjudice subi, alors que mon père vivait du RMI depuis sa radiation. Ses amis qui lui tournent le dos, sa chambre de bonne dans le 20e arrondissement.

Les articles dans la presse spécialisée, les ligues pro-vie qui lui tombent dessus, ma mère qui prétend ne pas avoir été au courant et qui traîne sa victimisation du cabinet de radiologie au club de tennis, où elle paye très cher un prof avec lequel on ne la voit pas souvent sur le court. Et moi qui n'ai même plus de meilleure amie pour partager ça.

Octobre

Morgane

Été indien. Un tapis de feuilles de platane couvre le béton parisien, le gris cède sa place au rouge. *ROUGE !* En Corse, c'est encore et déjà l'été d'après mon père. À Paris, je ne suis que guimauve et amour pour ma fille, c'est beau comme du Mariah Carey. Je m'en veux de ne pas être plus triste que ça de la mort de ma grand-mère, mais la maternité est un tourbillon qui emporte tout. Ma famille, mes amis, mon amoureux, ils pourraient tous disparaître, tant que j'ai Léna, je vais m'en remettre.

Le grand huit émotionnel toute la journée. Les jeunes parents vivent sur un autre fuseau horaire que le commun des mortels : la journée commence à 5 heures pour nous tandis que pour nos amis child-free, midi, c'est l'aube. C'est ce que je me dis en contemplant mon fond d'écran à l'effigie de Léna, à 10 heures du matin, alors que je suis réveillée depuis plus de cinq heures, voyant passer les statuts de copines épuisées par leurs soirées au Baron, aux avant-premières ou aux cocktails privés, fatiguées de n'avoir dormi que huit heures.

Des dilemmes sans cesse, en permanence, pour tout. Une journée enfant malade, qu'on me demandera de toute façon de rattraper, encore traiter mes collègues comme des chevaux de trait pour asseoir mon autorité, lécher les bourses de mes N+1, N+2 et N+150. Depuis mon retour au bureau, Hugues arpente régulièrement les couloirs de notre étage, tantôt avec un actionnaire, tantôt avec un client, me présentant à chaque fois comme « un talent, qui télétravaille un jour par semaine. Nous sommes à la pointe sur les problématiques de conciliation vie pro/vie perso » !

Peu importe, tout ça se débloquera après la présentation du dossier pour le Parlement européen. Jean-Jérôme parti avec son ordinateur, je n'ai plus qu'à me caler sur ce qu'il a prévu pour la campagne. Seule Solange a pris des notes lors des dernières réunions tenues en mon absence. Elle m'a signalé que Jean-Jé avait prévu pour ce jour un shooting avec le célèbre Azzedine Azarian, photographe hors de prix connu pour avoir exposé des photos floues de boîtes de conserve à Beaubourg. Il vient avec une mannequin, castée par lui pour l'occasion d'après le brief : « Doit interpréter une mère de famille trentenaire et active. » Solange me montre le syno. La mannequin doit se lever de son lit, jeter sa couette et atterrir dans un jeu vidéo où elle tape des hommes et des bébés avec son cul. En fond sonore, *Material girl*. Pas du tout trop 80's.

Sur le tournage, le décorateur a reconstitué un salon design, avec réfrigérateur américain, tapis angora et table basse en verre. Hautement improbable que ce salon soit celui d'une famille : pas assez de bazar, pas assez de cache-prise, pas assez de hochets...

– Azzedine Azarian et la mannequin sont là.

– Merci Solange, fais-les entrer. Solange ? Tu passeras voir l'assistante de Hugues, elle a un truc à te faire signer.

– Qu'est-ce que c'est ?

– Un CDI.

Solange réprime un sourire et fait entrer la mannequin. Natassja, 3,50 mètres, 20 kilos, blond platine, seins à la Crazy Horse, nombril apparent. Dans quel monde vit Azzedine Azarian pour imaginer que Natassja vient d'accoucher ?

– Il y a eu un malentendu… Natassja, je suis navrée, vous êtes sublime, mais là on cherche quelqu'un à qui les mères puissent s'identifier. Ça ne va pas le faire pour cette fois, on vous défraiera le déplacement.

Natassja se tourne vers le photographe.

– Toi rien dire, chou ?

Il la regarde dans les seins et soupire :

– Si vous ne la prenez pas, vous ne me prenez pas non plus.

– Quoi ? Mais attends, Azzedine, tu ne peux pas nous faire ça ! Toute la campagne repose sur le fait qu'on a des images signées Azzedine Azarian.

– Je suis désolé, Morgane… Mais tu comprends (il dessine des courbes dans l'air et désigne Natassja du doigt)… T'étais canon avant, mais depuis ton truc là (mon accouchement ?), toi aussi t'es devenue cheum. Tu vas voir, on est obligés de faire appel au système D pour pécho des hotties…

– Tu es Azzedine Azarian, les magazines t'adorent, tu peux avoir n'importe qui, c'est quoi ce délire ? Depuis quand t'as besoin de t'acheter une pute en Russie ?

– Je suis ukrainienne espèce de (un mot en ukrainien qui ne me semble pas être très sympa pour moi).

– Oui, Natassja, c'est bien noté, la Géographie dans son ensemble vous remercie.

– Tu vois, les Françaises de ma génération sont trop chiantes. Elles veulent qu'on les invite au restau, mais elles veulent pas qu'on gagne plus qu'elle ou qu'on les siffle dans la rue. Après deux rendez-vous, elles veulent qu'on leur fasse un môme, et après avoir eu un môme elles deviennent moches, elles baisent plus, elles s'occupent plus de nous. Elles voulaient un gosse et, quand elles l'ont, elles veulent retourner bosser, et une fois au turbin elles se plaignent qu'elles ne voient plus leur gosse. Tu veux que je te dise ? Vous êtes des publicités mensongères ambulantes pour l'amour. Vous êtes... Vous êtes... Vous êtes BAD !

– Tu sais quoi, Azzedine ? Prends ta mannequin cabine low-cost et partez. Je n'ai pas besoin de vous.

– Tu ne peux pas faire ça !

– J'ai accouché dans la rue. Je peux TOUT faire.

J'ai un décor proprement irréel, pas d'accroche, pas de photographe, pas de mannequin et moins de deux heures pour présenter un visuel au board et au client. Le plan de Basile ne semble pas fonctionner. Je me demande ce que fait Léna en ce moment à la crèche. Une sieste ? Un biberon ? Un gazouillis ? Je m'isole dans un coin et, machinalement, je triture mon BlackBerry. Une vidéo envoyée par Émilie se met en marche : « Mais qu'est-ce, mais qu'est-ce qu'on attend pour foutre le feu ? » SMS de Géraldine : Tu avances ? Ils sont à bloc. On commence à entrer dans la salle. Bises.

Non, j'avance pas du tout... « Mais qu'est-ce, mais qu'est-ce qu'on attend... Mais qu'est-ce, mais qu'est-ce qu'on attend... » Mince, c'est quoi déjà, la suite ? Ça y est ! J'ai l'idée qui sauvera la campagne. Je sors mon BlackBerry et envoie un SMS à Émilie et Assia : Les meufs, venez d'URGENCE, je dis bien URGENCE à

Suresnes, je rembourse les taxis, Dieu ne vous le rendra pas, mais moi oui. PS Assia amène autant d'enfants que tu peux.

Une heure quarante-cinq plus tard, j'entre dans la salle du board au septième étage. Autour de la table, les actionnaires parmi lesquels Vincent B, des représentants du Parlement européen et de l'Amicale des femmes députées européennes, Géraldine, Hugues, Annick, la ministre des Droits des femmes, la ministre de la Famille, le ministre du Travail, le directeur de la communication du Parlement européen, et le bureau de l'association Maman travaille.

– Tout d'abord, je voudrais vous présenter l'équipe. Je sais que beaucoup d'entre vous attendaient un shooting d'Azzedine Azarian. Ça n'a pas été l'option que nous avons choisie. Nous avons préféré faire faire la campagne par les mères actives elles-mêmes. Je vous présente Assia Le Guerrec, photographe, et Émilie Percheron, modèle. (Je me retiens pour ne pas regarder Géraldine et garder mon sérieux.)

Les fondatrices de Maman travaille commentent assez fort :

– Bravo, brillante, cette idée de faire réaliser la campagne par des mères actives elles-mêmes !

Annick lève les yeux au ciel en soupirant. Hugues et Vincent B parlent de whisky japonais.

– Solange, s'il te plaît, peux-tu lancer le film ?

Zoom sur un salon – le salon du décorateur, mais méconnaissable, taché, rempli de toutes sortes de jouets, avec du gros scotch pour amortir les angles de la table basse et plusieurs enfants de tous âges (ceux d'Assia) dans le salon. L'horloge indique 19 heures. Une femme, la mère, essaye de ranger tout en menant une discussion professionnelle au téléphone. Soudain, l'écran se divise en deux et nous montre un homme – le père ? – en train de marchander pour quitter son travail, tandis que son patron lui répond : « Vous avez une femme, elle ne peut pas s'occuper des gosses ? »

Brusquement, la musique s'arrête net et fait place à NTM : « Mais qu'est-ce qu'on attend pour ne plus suivre les règles du jeu ? » Les personnages passent en accéléré, à l'envers, dans tous les sens, avant un écran noir : « Directive Working moms. Pour changer les règles du jeu. Parlement européen. »

Géraldine fait un franc sourire. Les membres de l'Amicale des femmes députées – dont l'une est enceinte – se lèvent et applaudissent à tout rompre, Hugues tend un cigarillo à Vincent B. Ils s'approchent de moi :

– Bravo. Vous avez mérité votre place de présidente de l'agence.

– Vice-présidente, vous voulez dire ?

– Non, de présidente de l'agence.

– Mais... c'est la place d'Annick ?

– Annick ! ANNICK ! Venez là. Vous avez fait votre temps ici. On va vous trouver un petit truc honorifique type VP en charge de je sais pas quoi... Morgane Serra va prendre votre place.

– Mais...

Annick me regarde avec des bazookas à la place des yeux et s'enfuit. Judas.

– C'est comme ça que vous la remerciez ? Elle travaille pour vous depuis presque vingt ans, jour et nuit, elle a sacrifié sa vie sociale, sa vie amicale, amoureuse, familiale, et vous la placardisez du jour au lendemain ?

– Enfin, Annick est trop vieille pour tout ça. Vous savez quel âge elle a ?

– Moi aussi un jour j'aurai son âge.

– On verra d'ici là, ah ah ! Tant que vous ne nous faites pas un deuxième gniard...

Dans un coin de la salle, Géraldine, Assia et Émilie rient aux éclats, des coupes de champagne à la main.

– Tu viens, Morgane ?

– Une seconde, les filles, j'arrive ! J'ai juste un petit truc à faire avant.

Je me saisis de deux coupes sur le plateau d'un serveur qui passe par là, retire les pailles, trinque en direction de Vincent B et Hugues et les déverse simultanément sur leurs crânes.

– À la vôtre ! Et pour votre information : il n'y a aucune coutume corse qui veut qu'on lèche des rondelles de citron à la fin d'un repas. Je démissionne. Je vous souhaite bien du plaisir... Maintenant, si vous le permettez, je vais boire un peu à vos frais avec mes copines.

Avec un petit sourire, sous les yeux éberlués d'Annick, je rejoins Émilie, Assia et Géraldine et, pour la première fois depuis mon accouchement, entreprends de me mettre une race au champagne avec mes copines.

Émilie

En sortant du métro Anvers, mon regard croise la silhouette d'une femme dans le reflet d'une vitrine. Elle porte les cheveux courts, à la garçonne – Franck détestait les femmes aux cheveux courts.

À l'arrêt de bus, un énorme panneau en 4 × 3 me représente, cheveux hirsutes, au milieu d'un salon dévasté, entourée par les enfants d'Assia, un Smartphone à la main, barrée du slogan : « Mais qu'est-ce qu'on attend pour ne plus suivre les règles du jeu ? » La campagne imaginée par Morgane bénéficie d'un « plan média de ouf ».

Selon les sondages, Géraldine est la femme politique préférée des Français, avec 91 % d'opinions favorables. Elle ne quitte plus les plateaux télé. On parle déjà d'elle pour les prochaines présidentielles. Morgane a réparti entre Assia et moi les sommes prévues pour Azzedine Azarian, nous nous sommes promis d'aller fêter ça dans les chambres d'hôtes familiales ouvertes Cité Plantagenêt par Assia, Gaëtan et leurs enfants avec le chèque de FORKIDS.

Je compose le code d'entrée et monte les marches de l'escalier. Il y a encore un an, si on m'avait dit que je finirais divorcée dans un F3, j'aurais hurlé de désespoir. Aujourd'hui, je n'aurais pas pu être plus heureuse ailleurs que dans ce F3.

J'ai pris mon courage à deux mains et tout avoué à Sébastien. Non, je n'avais pas encore entamé de procédure de divorce quand nous avons commencé à sortir ensemble. Non, mon fils n'a pas de grave maladie. J'ai tenté de lui expliquer l'énorme malentendu, de lui dire que je n'avais jamais vraiment menti, que je m'étais contentée de ne pas corriger les erreurs des autres... Mais ce pompier professionnel s'était drapé dans sa dignité « Je suis le ténébreux, le veuf, l'inconsolé... » pour justifier son intolérance. Son regard était empreint d'une pitié furieuse. Je n'ai pas quitté un mari méprisant pour me retrouver avec un petit ami qui ne m'estime pas. Il n'aura été qu'une transition. Quand je le regardais, j'avais un petit sourire, mais rien de la passion dévorante évoquée par mon père.

Pour la première fois de ma vie, j'habite chez moi, pas chez mes parents, pas chez mon mari, juste chez moi – et mes enfants. Je ne veux pas d'une brosse à dents d'homme, de chaussettes d'homme, de conversations sur le programme télé ou le menu du soir. Ni compromis ni compromission. Si je dois revivre avec un homme un jour, ce sera quelqu'un pour qui je me consumerai d'amour.

Et, pourtant, suis-je une personne différente ? Dois-je me définir par la longueur de mes cheveux, ma profession ou ma non-profession, le nombre d'heures que je passe avec mes enfants, mon statut marital ? Je ne suis pas sortie de l'adolescence en m'éloignant de Morgane après le bac, j'en sors à l'instant. Je n'ai pas perdu un gramme, mais je suis plus légère.

Aux dernières nouvelles, d'après l'ancienne assistante maternelle d'Éliott, Sébastien s'apprête à épouser Justine Després. Ayant déménagé, je n'ai aucune raison de les côtoyer d'autant que, dans la nouvelle école de Dali, j'ai Charlotte Coudray, la version parisienne de Justine Després. Je leur souhaite une vie pleine de bonheur et beaucoup de courage pour la cohabitation avec Thorrible. Une partie de moi regrette un peu. La partie qui prolonge très tard les afterwork avec Charles, dont l'ex s'appelle Stéphanie et en aucun cas Stéphane, ne regrette absolument rien. Surtout quand cette partie se promène avec lui main dans la main dans Paris la nuit.

En montant les marches de mon immeuble, plus essoufflée que d'habitude, je me demande s'il est plus facile d'annoncer à son nouveau petit ami qu'il va être papa ou à son patron qu'on va bientôt partir en congé maternité.

Morgane

Vincent B et Hugues me haïssent d'autant plus qu'avant la présentation, j'ai pris soin de déposer le film et les photos de la campagne à mon nom. Je n'ai pas déchiré les documents de rupture conventionnelle, au contraire : je les ai signés, photocopiés et envoyés. Si bien qu'officiellement J'AI créé cette campagne sans être salariée de l'agence : elle m'appartient. Géraldine a fait le relais en interne pour faire signer un contrat de prestation à la direction de la communication du Parlement européen, et le champagne aidant ils ont tout signé avant même que Vincent B et Hugues ne réalisent ce qui venait de se passer.

Aussi, quand j'ai reçu le premier jour de la diffusion de la campagne un mail du maire de New York me proposant de m'embaucher un an comme consultante/conférencière sur les bonnes pratiques de conciliation vie professionnelle/vie familiale, je n'ai même pas été surprise.

Basile et moi allons nous associer pour créer un cabinet de conseil au nom de la directive de

Géraldine, *Working moms*. Je pourrai donner quelques conférences et me consacrer à mon bébé (en embauchant une nourrice à plein temps pour les basses taches, n'exagérons rien, l'esclavage a été aboli). Par la fenêtre, je vois arriver notre taxi pour l'aéroport.

D'un coup de pouce, je checke mon Facebook.

Géraldine Bornstein : Je sors d'un shooting avec *Paris Match*.

Avec le titre : « La députée européenne Géraldine Bornstein sera-t-elle la première présidente de la République ? » le numéro serait le plus vendu de toute l'histoire du magazine, alors que son ex-ministre marié n'avait eu droit qu'à 131 numéros écoulés, le pire flop depuis la création de *Paris Match*, avec le sous-titre : « L'ancien ministre X aime les spaghetti bolognaises et le PSG ». Quelques mois plus tard, *Paris Match* fera sa une sur le remariage de l'ancien ministre avec sa fille au pair.

Assia Le Guerrec just checked in Le Mans – Cité Plantagenêt.

Elle sera bientôt le premier établissement touristique entièrement adapté aux couples avec enfants à décrocher trois étoiles au Michelin. Son bonheur aurait été parfait si l'ex de Gaëtan n'avait pas décidé de louer une chambre à l'année dans leur établissement « pour se rapprocher des enfants » (chambre qu'elle oublie évidemment régulièrement de payer).

37,80 euros. Basile sort sa carte pour payer le taxi. Léna dort sur moi.

Dans le hall de l'aéroport, les haut-parleurs diffusent Alain Souchon :

« *Ça fait bientôt vingt ans que j'ai dix ans...* »

Après les formalités d'usage, une hôtesse au sol nous demande de la suivre dans un petit salon d'attente réservé aux voyageurs de première classe. Un SMS de mon père m'avertit qu'il fait 19 degrés à

Charles-de-Gaulle. Je m'installe sur un petit canapé de velours.

Émilie Percheron and Charles La Bruyère are in a relationship.

On dit que les amitiés solides résistent à tout. Émilie et moi avons résisté à plus de douze ans de séparation, une naissance, un divorce, un déménagement, un licenciement... Les sept heures d'avion allaient-elles sonner le glas de notre relation ? Dans cette salle d'embarquement, je fais un gros effort pour me figurer les traits du visage d'Émilie. J'ai beau plisser les yeux, je n'arrive pas à convoquer son image, je l'imagine telle qu'au lycée, avec sa grosse frange et son sac Eastpak, penchée vers moi devant cette salle d'allemand, les mèches au henné tombantes, dans sa tenue hip-hop : « Ben, Morgane ? Tu pleures ? »

Nous reverrions-nous bientôt ? Peut-être avions-nous simplement besoin l'une de l'autre pour passer cette période de transition. Nous nous étions retrouvées, elle mère au foyer sans emploi, moi femme active sans enfant, et nous nous quittions après avoir croisé les courbes de nos vies. Inutile d'essayer de nous ranger dans des cases. Nous ne sommes pas des points aux coordonnées fixes, nous ne sommes que des trajectoires.

Léna tressaute. Qu'est-ce qui peut bien contrarier un nourrisson sur sa mère ? Dors, mon bébé, dors. Maman est là.

Basile apporte deux coupes de champagne, m'en donne une, prend Léna et son porte-bébé dans ses bras et m'aide à me lever. Il me sourit sans un mot. J'ai hâte de découvrir notre nouvel appartement de Manhattan. Un plan de vol diffuse des images d'Ellis Island. La statue de la Liberté. Une île avec une femme... Les prédictions de Mme Melquiades. Sur sa photo de profil, Géraldine arbore des lunettes de soleil Guci avec un seul C. Je me demande si Facebook existera encore le soir des 40 ans d'Émilie.

Ça doit être la fatigue, mais j'ai un drôle de goût dans la bouche. Je bois une gorgée de champagne. Le goût est toujours là. La grossesse et la coke ont le même goût. Un goût métallisé, âcre, qui reste sur la langue même quand on boit du champagne par-dessus. Ça doit être ça, le mystère, la raison qui nous pousse à faire des enfants malgré les nausées, malgré les kilos, malgré les vergetures, malgré la fatigue ; la nature ruse. La grossesse est une drogue.

Par-dessus la musique, une voix souriante dit : « Les passagers du vol A547 à destination de New York JFK peuvent embarquer... » Doit-on toujours se séparer pour grandir ? Je dépose un baiser sur la bouche de mon amoureux, puis sur le front chaud de mon bébé, dont les petits poings serrent très fort le pull de Basile. J'ai la sensation d'embrasser un morceau de monde dans ce porte-bébé.

Je pose la tête sur l'épaule de Basile et saisis son poignet pour regarder sa montre, déjà réglée sur notre nouveau fuseau horaire. Dans quelques heures, j'aurai 30 ans.

Remerciements

Merci en premier lieu aux équipes des éditions Stock pour leur professionnalisme bienveillant et engagé, à commencer par mon éditrice Debora.

Merci également à Jessica Cymerman et à Caroline Baldeyrou d'avoir été des signes du destin sur le chemin de ce livre.

Pour leurs relectures et leurs conseils, merci à Carla Schiappa (« Je n'ai pas besoin d'une amie d'enfance, j'ai déjà une sœur »), Karine Bailly de Robien, Cédric, Benjamin Fau, Aurélie Gastineau, Claire Pinson, Stéphane Rose, Camille Ravier, mes amis Facebook et mes ami(e)s tout court.

Pour l'inspiration, merci à mes ami(e)s qui se reconnaîtront. Que les gens qui se sont sentis égratignés au passage me pardonnent au nom de l'Intérêt Supérieur de la Littérature. Hashtag « ça marche ? »

Merci à mes proches d'avoir accueilli Émilie et Morgane si souvent dans nos conversations et de les avoir rendues telles qu'elles sont. Merci à toute ma team de « Maman travaille », à mes parents pour leur présence à distance.

Merci aux gens formidables de « Le Mans pour Tous » d'avoir pris le pack « Marlène + ses personnages » et de m'avoir si souvent écoutée et soutenue dans la dernière ligne droite des corrections de ce roman, alors qu'ils étaient eux-mêmes très occupés. Merci à Miguel, mon frère jumeau.

Merci bien sûr à mes filles adorées, à Madame de Sévigné : « Ma fille, aimez-moi donc toujours, c'est ma vie, c'est mon âme que votre amitié : je vous le disais l'autre jour. Je vous avoue que le reste de ma vie est couvert d'ombre et de tristesse, quand je songe que je la passerai si souvent éloignée de vous. »

*Cet ouvrage a été composé
par PCA à Rézé (Loire-Atlantique)
et achevé d'imprimer en France
par CPI Brodard et Taupin
à la Flèche (Sarthe)
pour le compte des Éditions Stock
31,rue de Fleurus,75006 Paris
en mai 2014*

Stock s'engage pour l'environnement en réduisant l'empreinte carbone de ses livres. Celle de cet exemplaire est de :
650 g éq. CO_2
Rendez-vous sur www.editions-stock-durable.fr

Imprimé en France
Dépôt légal : mai 2014
N° d'édition : 01- N° d'impression : 3005366
61-02-7779/6